COUPLES

Les plus célèbres histoires d'amour

BARBARA SICHTERMANN

Traduit de l'allemand par
DIDIER DEBORD

Éditions
de La Martinière

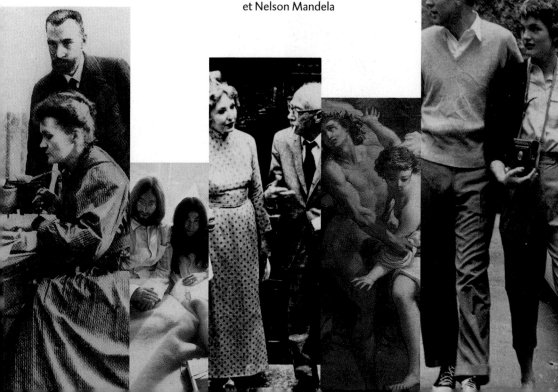

All you need is love

Les hommes et les femmes font l'histoire, tant au plan poli-tique que dans les arts, les sciences et les modes, mais ils sont fort rarement seuls : femme auprès de son mari ou mari auprès de sa femme, le conjoint joue un rôle indéniable au moment des grandes décisions. Il n'exerce pas seulement une certaine influence, il participe aux choix, parfois directement et ouver-tement, le plus souvent dans l'ombre et avec discrétion, mais toujours de manière efficace. Peut-être réécrira-t-on un jour l'histoire non comme le fait des seuls personnages importants, mais comme le résultat de l'action de deux individus liés l'un à l'autre, la relation de couple étant, de tous les liens sociaux, la plus forte et la plus productive.

■ Édouard VIII
et Wallis Simpson

L'histoire est jalonnée de couples illustres et faite par eux, qu'ils le veuillent ou non, grâce à leur volonté d'être ensemble. Tel prince, par exemple, qui refuse de monter sur le trône parce qu'il ne peut y accéder avec l'élue de son cœur, déclare à la face du monde : « L'amour est plus important que le pouvoir. Qu'importent la gloire et le faste, laissez parler votre cœur ! » On l'écoute, fasciné : chacun s'est toujours douté que nulle richesse ne peut rivaliser avec la plénitude des sentiments, et en voici la preuve...

Ou une brave mère de famille aban-donne tout pour suivre un écrivain éro-tomane détraqué ou un cinéaste avant-gardiste. Que dit-elle alors à la face du monde ? « L'amour est plus important que l'ordre et la tranquillité, l'érotisme plus vivant que la sécurité et la paix. Qu'importent les "valeurs familiales" ! Lancez-vous dans l'aventure ! » À nou-veau, on l'écoute avec fascination : on a toujours su que la vie ne résidait pas dans le respect de l'ordre, mais dans le cou-

rage de le briser. Néanmoins, le monde redoute l'anarchie. Aussi condamne-t-on la femme infidèle, que l'on admire toutefois et que l'on envie pour ses plaisirs défendus.

■ Ingrid Bergman et Roberto Rossellini

Les couples définissent des normes, détruisent des morales pour en établir de nouvelles et montrent combien sont riches, indomptables, tendres et chargés de conflits les sentiments qui, parfois, poussent les gens les uns vers les autres et, parfois, les séparent. Les couples dévoilent la puissance de la passion, la violence du désir, l'envie de vivre à la fois avec la braise de l'amour et l'eau tiède du quotidien. Ils font montre d'un courage extraordinaire pour se conquérir mutuellement, d'une férocité inconcevable pour se séparer, de trésors de ruse, de force, de patience et d'imagination pour tenter de cohabiter. Les élans du cœur, les traits de caractère et les instincts se manifestent sous leurs formes les plus extrêmes dès qu'il s'agit de séduire une femme, de conserver une maîtresse, de s'assurer la fidélité d'un ami, de se débarrasser d'une épouse ou d'évincer un rival. La tactique et la stratégie de l'amour accaparent

■ Marilyn Monroe
et Arthur Miller

■ Virginia Woolf

l'homme ou la femme, tant lors des prémices sentimentales qu'au stade de la fougue amoureuse, du bonheur de la vie commune, des affres du doute ou de la tragédie de la séparation. Tout cela, bien sûr, rend les couples intéressants, mais il est indéniable qu'une certaine avidité nous pousse à vouloir pénétrer la vie intime des personnages connus, à tenter, en quelque sorte, de les épier par le trou de la serrure. D'ailleurs, auprès des couples qui fonctionnent, ou semblent fonctionner, nous espérons trouver une orientation pour notre propre vie. Chaque époque est marquée par un couple parfait, chaque classe sociale s'identifie à un couple modèle, dont l'observation se révèle toujours plus riche d'enseignements qu'on ne l'aurait supposé. Et ces enseignements surprennent, car ce sont deux personnes que l'on regarde à chaque fois : par exemple, ce n'est pas uniquement Arthur Miller, l'écrivain connu, avec ses ambitions et ses rêves, ni uniquement Marilyn Monroe, l'actrice célèbre, avec ses regrets et ses espoirs, mais davantage le territoire que le couple a délimité pour abriter sa vie commune. L'observateur prend conscience des résistances

et des incompatibilités, des magnétismes et des zones de chaleur, il est entraîné dans un champ de force dont il est incapable de mesurer la dynamique, mais qui le fascine, l'effraie et
l'enthousiasme. S'immiscer dans la vie d'un couple revient
toujours à regarder la tragédie inévitable de deux individus qui
s'unissent : elle peut être violente, étouffée, curieuse, mais toujours primitivement humaine et profondément sérieuse.

La société ressent un important besoin d'homogénéité : elle
veut que ceux qui se ressemblent s'assemblent, et légifère en ce
sens. Mari et femme doivent appartenir à la même classe sociale, avoir à peu près le même âge, vivre des situations simi-
laires, être de même race et de sexe opposé. Ces convenances
sont, à peu de chose près, les mêmes depuis l'Antiquité. Que
les lois les intègrent ou qu'elles restent des règles grossières,
leur transgression sera sanctionnée, par la prison ou par le
rejet. La passion montre qu'elle ne se préoccupe guère de ce

■ Vita Sackville-West

besoin d'homogénéité, combien elle se
moque des lois, et avec quelle force elle
s'acharne à assembler les contraires :
elle unit les cheveux blonds et les cheveux gris, les riches et les pauvres, les
nobles et les humbles, l'intelligence
et la beauté, les Blancs et les Noirs.
Et elle ne redoute pas d'allumer sa
flamme entre des êtres que leur similitude devrait précisément séparer : le frère et la sœur, la mère
et le fils, la femme et la femme,
l'homme et l'homme. La passion
se préoccupe de l'ordre comme
d'une guigne, elle est le grain de
sable dans ses rouages.

Et qu'en dit le monde ? On sait
que c'est la passion qui le fait
tourner, que c'est grâce au sexe
que l'homme existe et que c'est
l'amour qui lui apporte sa chaleur. Dans sa sagesse, le monde
reconnaît que le conflit entre
passion et ordre est insoluble, et
qu'il lui faut s'en accommoder.

■ Lord Douglas
et Oscar Wilde

■ Roméo et Juliette

■ Richard et Cosima Wagner

Selon son degré de maturité, il détruit avec violence les mises en scène excentriques de la passion, ou il leur ménage, au contraire, un refuge à l'abri duquel elles peuvent s'ébattre à volonté. De nos jours, on ne jetterait pas Oscar Wilde en prison et lord Douglas ne serait pas contraint à l'exil, mais leur couple serait encore regardé avec réprobation. Peut-être connaîtrait-il la gloire éphémère de quelques *talk-shows*, mais pas la reconnaissance civile à part entière. De même, une femme mariée qui laisse son ménage en plan fait toujours scandale. L'infidélité est aujourd'hui encore insupportable, non qu'elle soit rare, mais parce qu'elle tourne en ridicule une utopie.

Toutes les unions ne sont pas cimentées par les sentiments. Les enfants des familles aristocratiques ont, de tout temps, dû se résoudre à des mariages dits de raison, dans le seul but d'enrichir le patrimoine familial. Ils n'en forment pas moins, parfois, des couples dignes de Roméo et Juliette ou de Richard et

■ Adam et Ève

Cosima Wagner. John et Jackie Kennedy se sont mariés pour favoriser leurs carrières, mais leur couple n'en est pas resté là. Le marquis de Sade a épousé une personne fortunée pour redorer le blason de sa famille, mais sa rage sexuelle a contaminé sa femme, pourtant simple et droite, et l'a beaucoup rapprochée de lui. Les mariages de raison et les alliances opportunes peuvent aussi enfanter l'amour. N'est-ce pas le cas de Gertrude Stein et de son Ada, de Juan et d'Evita Perón ? Adam et Ève eux-mêmes formaient un couple sans préludes sentimentaux.
La passion est magnifique, mais également destructrice. Alors, l'ordre relève triomphalement la tête, et à juste titre, car, s'il arrive que des mariages de raison engendrent l'amour, il est vrai aussi que les couples unis dans la passion se déchirent parfois dans la douleur quand ils n'ont pas la sagesse de veiller sur leur relation ou quand les circonstances les séparent. Ainsi,

■ John et Jackie Kennedy

■ Bonnie et Clyde

séduite, comblée par la luxure et transportée par ce nouveau départ, Ingrid Bergman s'est jetée dans les bras de Rossellini, Bonnie au cou de Clyde, Abélard aux pieds d'Héloïse, Gerd Bastian aux côtés de Petra Kelly, Verlaine au chevet de Rimbaud et Tristan sur la poitrine d'Iseult. Et ces liaisons amoureuses ont toutes laissé derrière elles des sentiments et des vies en ruine. L'ordre aimerait la passion si elle n'avait que des aspects positifs, mais il n'en est malheureusement pas ainsi. Elle peut se montrer ravageuse quand un couple viole les règles, trompe un tiers ou s'autodétruit parce qu'il n'a pas appris à ancrer ses sentiments dans la vie quotidienne, ou encore parce que, rejeté par la société, il ne peut rien construire. L'ordre arrive parfois à sauver un couple, au moins pendant un certain temps. Elizabeth Taylor et Richard Burton se sont mariés à deux reprises, avant que la haine et la violence que recelait leur amour ne prennent le dessus et ne les éloignent l'un de l'autre. Antoine et Cléopâtre ne disposaient pas de cette solution, aussi se donnèrent-ils la mort quand il leur fut impossible, et interdit, de vivre ensemble.

■ Elizabeth Taylor et Richard Burton

Quelle orientation prend aujourd'hui la société occidentale ? Il est indéniable que l'on s'éloigne peu à peu et de plus en plus souvent du critère d'homogénéité dans le couple. On verra un jour des mariages homosexuels, et l'union d'une femme âgée avec un très jeune homme ne provoquera plus le scandale, comme autre- fois la relation de Lou Andreas-Salomé avec Rai- ner Maria Rilke. De même, on admettra de plus en plus fa- cilement les mariages inter- raciaux, car les couples mixtes exis- tent depuis fort longtemps et ils perdront bientôt leur caractère d'ex- ception. On ne se montrera, en re- vanche, que progressivement plus tolé- rant vis-à-vis des couples de classes et de situations différentes : la société verra encore longtemps d'un mauvais œil les mésalliances telles celle de Goethe avec Christiane Vulpius ou celle d'Édouard VIII avec Wallis Simpson.

L'amour est une aventure à l'issue incertaine. C'est ce que nous dé- montrent tous les couples. Qu'ils soient formés de per- sonnages connus, de l'Anti- quité à nos jours en passant par le Moyen Âge, de Périclès et Aspasie jusqu'à John Lennon et Yoko Ono, ou fictifs, créations littéraires ou poétiques, d'opéra ou de cinéma, leur rayonnement magique nous a, de tout temps, ravis et émus : d'Orphée et Eurydice à Jack et Rose sur le *Titanic*, en passant par Quasimodo et Esméralda.

■ Orphée et Eurydice

Adam et Ève

« Dieu le Père dit : "Il n'est pas bien que l'homme soit seul." »

Adam est allongé sous un arbre, nu parmi les biches et les lions qui se désaltèrent paisiblement à l'eau limpide d'une fontaine. Les feuilles bruissent doucement. Les oiseaux chantent. Adam n'a ni faim ni soif. Il contemple le soleil à travers la frondaison.

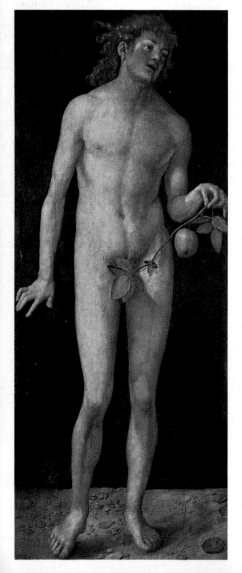

■ *Adam avec le Fruit défendu,* d'Albrecht Dürer (1471-1528).

Il sent soudain monter en lui un trouble qui lui donne le frisson, car il éprouve un sentiment de manque qu'il ne peut préciser. Il se met à pleurer. Dieu comprend cette tristesse : Adam a tout le jardin d'Éden pour lui, le Paradis avec ses figuiers, ses brebis et ses loups, mais, à ses côtés, il n'a personne qui soit son semblable, personne avec qui communiquer. Il est seul et en souffre, et Dieu se dit que ce n'est pas bon.

Il plonge alors Adam dans un sommeil très profond et lui prélève une côte, à partir de laquelle il modèle un deuxième être humain, une femme : Ève. Le premier homme ne connaîtra plus la solitude, car Dieu a créé Ève pour qu'elle soit sa compagne. Depuis ce temps, c'est pour cette raison que l'homme recherche la femme, et l'envie de procréation n'est, au début, que secondaire.

À l'origine, le premier couple vit comme frère et sœur. Sont-ils heureux ? Nul ne saurait le dire. S'aiment-ils ? Personne ne le leur a demandé. D'ailleurs, commence-t-on à s'aimer parce que l'on n'est que deux ? Ou : comment s'aime-t-on quand on est là, tout simplement ?

Une seule chose est interdite à Adam et Ève : ils ne doivent pas goûter aux fruits de l'arbre de la connaissance du Bien et du Mal. Dieu les menace de mort au cas où ils lui désobéiraient. Ils restent donc loin de cet arbre et se contentent de le regarder timidement. Toutefois, ils oublient peu à peu l'interdiction de

Dieu, et commencent à s'approcher de l'arbre. Ses fruits n'ont pas l'air si dangereux. Adam et Ève se mettent alors à douter de la menace de Dieu. Constatant leur trouble, le serpent, qui connaît la mise en garde divine, leur dit : « Mais non, vous ne mourrez pas si vous goûtez ces fruits. Vous deviendrez comme Dieu. »

« Alors la femme prend le fruit et le mange. Elle en donne aussi à son homme auprès d'elle, et il en mange aussi. » Et ils se regardent, emplis de joie, car ils sont encore en vie. Mais, soudain, leur sourire s'estompe, ils remarquent que tout a changé en eux. Ils acquièrent la Connaissance, et leurs yeux s'ouvrent : ils découvrent que leurs corps sont nus et comprennent qu'ils sont différents, eux qui ne formaient qu'un seul et même être à l'origine. Ils ressentent la honte et veulent cacher leur nudité.

Ce n'est pas là leur seule découverte : ils comprennent également la différence entre le Bien et le Mal, l'Amour et la Haine, la Vie et la Mort. Ils frissonnent. Ils se cachent quand Dieu apparaît dans le jardin, car ils ont mauvaise conscience. Dieu remarque aussitôt ce qu'ils ont fait et les renvoie sur l'instant du Paradis, afin d'empêcher qu'ils ne tendent la main vers le fruit de l'arbre de Vie, qu'ils en mangent et qu'ils vivent ainsi éternellement.

Dieu les poursuit de sa malédiction. « Et à la femme, Il dit : "Je multiplierai les douleurs de ta grossesse, et c'est dans la peine que tu enfanteras des fils. Tes désirs se porteront vers l'homme, mais il dominera sur toi." Et Il dit à l'homme : "La terre sera maudite à cause de toi ! C'est à la sueur de ton front que tu gagneras ton pain, jusqu'à ce que tu retournes à la terre dont tu as été tiré." »

C'est seulement à ce moment-là que débute l'histoire d'amour entre Adam et Ève. Il est dit dans la Bible : Adam reconnaît Ève, ce qui signifie qu'ils s'unissent physiquement et que pendant quelques instants ils ne sont plus qu'un seul corps, comme celui du premier homme qu'ils étaient au tout début. Mais leur vie commune est maintenant très différente de ce qu'elle était au Paradis. Ils connaissent le désir et une attraction mutuelle presque inquiétante, et ils doivent travailler pour gagner leur

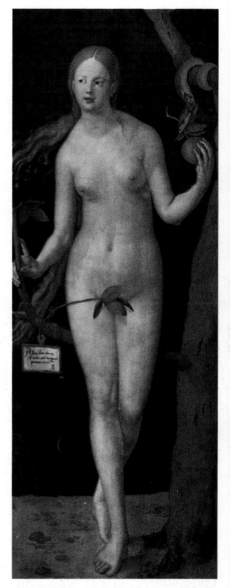

■ *Ève avec le serpent* (ce dernier ne l'incite pas à mordre dans la pomme), d'Albrecht Dürer.

■ *La Création d'Ève*, d'un artiste anonyme d'Anvers, vers 1530. Afin qu'Adam ne se sente plus seul au Paradis, pendant son sommeil Dieu lui prélève une côte à partir de laquelle il façonne Ève. Le vieil homme ne veut pas être tenu pour responsable de ce qui se passera par la suite.

■ *Dieu le Père montre le Paradis à Adam*, d'Arnold Böcklin, vers 1884. Paradis ou pas, le jeune homme y connaît bientôt l'ennui de la solitude.

nourriture.

On n'en apprend guère plus de l'amour entre Adam et Ève, si ce n'est qu'ils ont trois fils. Caïn, l'aîné, tuera son frère, Abel. Guerres et famines se succéderont, puis viendra la période effroyable du Déluge. À l'origine, pourtant, dit la Bible, il y avait deux êtres innocents. Innocents, car ils ignoraient tout du désir de leurs sens et de leurs cœurs, du sexe et de l'amour, mais innocents également dans le sens où ils se rendent coupables dès qu'ils tombent amoureux l'un de l'autre et qu'ils s'unissent physiquement. C'est ce que l'on appelle le péché originel… pas dans les enseignements officiels de l'Église, naturellement, car il lui est difficile d'expliquer quelle pourrait en être l'origine, mais dans l'esprit de la plupart des croyants. C'est ainsi que l'Église considère le seul désir sexuel comme un péché, car le sexe détourne de la vie commune originelle avec Dieu. C'est d'ailleurs pourquoi les ecclésiastiques catholiques, prêtres, moines et nonnes, vivent dans l'abstinence – ce qui n'est pas chose aisée, car le Paradis, où l'homme vivait dans l'état d'ignorance, est perdu pour les prêtres comme pour le reste de l'humanité. D'ailleurs, il est utopique de croire que le fait de renoncer au sexe peut permettre de retrouver la voie vers le Paradis. En effet, c'est pour tous les hommes, prêtres compris, qu'Adam et Ève ont goûté au fruit de l'arbre de la connaissance du Bien et du Mal, et, depuis lors, nous connaissons tous le désir.

■ Adam découvre sa compagne et lui tend la main. Michael Parks et Ulla Bergryd dans le film *La Bible*, de John Huston, 1966.

On peut également voir en l'histoire d'Adam et Ève une allégorie de l'évolution de l'Homme. Le premier couple a été, de tout temps, le préféré des peintres. Les tableaux exposés dans les musées et représentant des beautés nues ne traitent que rarement les thèmes de la Désobéissance et du Péché originel. Se tenant de part et d'autre d'un arbre, Adam et Ève regardent l'observateur d'un air rêveur et Ève a une pomme dans la main. On pourrait les prendre pour deux enfants qui se connaissent depuis toujours. Ils jouent ensemble dans le jardin, se racontent des histoires et attendent le lendemain avec insouciance. Ils remarquent

■ Au Paradis, Adam et Ève sont, à l'origine, des enfants innocents. Ce n'est qu'après avoir goûté au Fruit défendu qu'ils se découvrent l'un l'autre. Il ne leur reste plus alors qu'à quitter le jardin d'Éden, car leur histoire d'amour doit se dérouler hors du Paradis. Extrait du film *La Bible*.

■ Bible d'un ordre religieux allemand, magnifique manuscrit sur parchemin orné de dorures et d'enluminures, vers 1338-1359.

■ « Le Péché originel », volet gauche du diptyque *Le Péché originel et la Déploration* (vers 1440-1482). Croquer la pomme n'a pas présenté que des inconvénients : c'est ainsi qu'Adam et Ève ont acquis la Connaissance, qui les a amenés à ressentir le désir. Or, qui souhaiterait rester éternellement un enfant ?

■ Adam et Ève ne quittent le Paradis qu'à contrecœur. *Adam et Ève chassés du Paradis*, fresque de Masaccio, 1426-1427.

plus tard qu'il existe entre eux une relation, qui les attire et les effraie à la fois. Cette connaissance sonne l'éveil de la puberté, et ils se mettent à ressentir de la pudeur l'un envers l'autre. Ils quittent finalement la maison familiale et deviennent adultes. Ils travaillent, organisent leur vie quotidienne, et s'aiment. Pleins de pudeur, en connaissance de cause, et habités par le désir. Chassés du paradis (de l'enfance), ils sont face à face.

Comme Adam et Ève, tous les couples connaissent, aujourd'hui encore, un début. Et les expressions « connaissance » ou « se reconnaître mutuellement » pour l'acte d'amour désignent le désir perpétuel de devenir comme Dieu, ou l'espérance de trouver le paradis sur Terre.

ADAM ET ÈVE

HISTORIQUE

Pendant longtemps, la description de la création de l'Homme dans la Genèse (1,26-29 et 2,4-4,2), le premier livre de la Bible, a été considérée comme un document authentique. Ce mythe plonge ses racines au plus profond de l'histoire des trois religions judéo-chrétiennes et islamique, dans lesquelles sa relation présente des analogies. À l'origine, le mot Adam – de l'hébreu *adama*, l'homme (en argile) – désignait l'humanité, puis il est devenu un nom propre. Dans l'Islam, Adam était simultanément l'aïeul de l'humanité et le premier prophète d'Allah. Les versions judéo-chrétiennes et islamique s'accordent à dire que sa compagne, Ève – de l'hébreu *chajim*, la vie –, a été créée à partir d'une côte d'Adam et incitée par le serpent à commettre le Péché originel pour lequel ils ont été chassés du Paradis. La première version latine de ce mythe, du IVe siècle après Jésus-Christ, relate la vie du couple en dehors du Paradis. Il y vécurent pas moins de neuf cent trente ans ensemble et moururent à six jours d'intervalle, avec la promesse de Dieu que son fils leur pardonnerait leurs péchés. La Bible passe toutefois sous silence le fait que, selon le mythe juif, Ève était la deuxième femme d'Adam. La première, Lilith, avait été, elle aussi, créée avec de l'argile. Mais, comme elle ne se montrait pas docile, Dieu la changea en démone et la bannit. Au Moyen Âge et jusqu'au début des Temps modernes, on a très souvent établi un lien entre le Péché originel et les pensées de Rédemption. Cette relation se retrouve dans la plupart des ouvrages littéraires, jusque dans la célèbre épopée de John Milton, *Paradise Lost* (1667), qui servit de référence à Haydn pour son oratorio *La Création* (1798). On assiste de plus en plus à des adaptations fantaisistes, dont certaines mettent l'accent sur le Péché originel en tant que crise indispensable sur le chemin de l'incarnation. Des auteurs américains comme Thornton Wilder (*Nous nous en sommes une nouvelle fois sortis*, 1942) et J.F. Cooper font vivre dans leurs œuvres Adam comme un héros qui symbolise l'innocence et l'optimisme, et qui surmonte toutes les difficultés.

ET...

À lire :
Le Paradis perdu, de John Milton, Imprimerie nationale, 2001, Paris.

La Genèse, premier des livres de la Bible, 1, 26 à 1, 29 et 2, 4 à 4, 2.

À écouter :
La Création, de Joseph Haydn, Paris, 1996.

L'AVIS DE L'AUTEUR

Le premier être humain et sa compagne. L'amour ne naquit qu'après le Péché originel et leur coûta le Paradis.

Orphée et Eurydice

« Par ces lieux que remplit la crainte, par cet immense chaos, par ce vaste royaume du silence, je vous en prie, renouez le fil trop tôt coupé du destin d'Eurydice. »

Ce n'est pas sur un ton suppliant qu'Orphée s'adresse ainsi à Perséphone, la déesse du monde souterrain. Non : il chante, en s'accompagnant de sa lyre, et il réussit à attendrir la déesse. Il faut dire qu'Orphée est le plus beau et le plus célèbre chanteur de l'Antiquité. Sa musique ensorcèle jusqu'aux animaux sauvages de Thrace, elle arrache des sanglots aux pierres et aux arbres eux-mêmes. Comment la maîtresse d'Hadès aurait-elle pu lui résister ?

■ Orphée l'ayant regardée, Eurydice doit se détourner de lui et redescendre chez Hadès.

Eurydice est une dryade, une nymphe protectrice des forêts et des bois, et, vu son rang, il est normal qu'elle soit l'épouse du fils d'Apollon et de la muse Calliope. Orphée l'a envoûtée avec ses chants, et lui est ensorcelé par sa beauté d'elfe. Bien souvent, ils parcourent ensemble les forêts, main dans la main, jusqu'à ce qu'Orphée trouve une souche d'arbre sur laquelle s'asseoir. Et alors il joue et chante, et même les animaux des bois s'immobilisent dans leur fuite pour l'écouter. Les biches, les lapins, mais aussi les serpents et les rats, écoutent sa musique. Pins, cyprès et oliviers confient à Eurydice le trouble profond qu'éveille en eux le chant d'Orphée.

Mais un jour, un jour maudit, une vipère jaillit d'un buisson et mord Eurydice au talon. La belle blêmit et s'écroule sur le sol, où elle reste sans vie. Le venin est mortel. La vipère a-t-elle tant aimé le chant d'Orphée qu'elle a mordu Eurydice par jalousie ? Nous ne le saurons jamais. Peut-être Eurydice l'a-t-elle simplement effrayée.

Orphée est incapable d'accepter la mort de sa jeune épouse. Il porte son corps en leur demeure et le dépose sur un catafalque, puis il pleure toutes les larmes de son corps. Ses sanglots étouffent jusqu'au chant funèbre qu'il veut chanter. Il fouille sa mémoire à la recherche d'une quelconque faute qui aurait pu lui attirer la colère des dieux, en vain. Il décide alors de descendre immédiatement aux Enfers, afin d'arracher sa femme bien-aimée au royaume des Ténèbres, où elle se trouve déjà. Il s'empare de sa lyre, chausse ses sandales et se met en route. Il joue de son instrument chaque fois qu'il rencontre un obstacle, et les portes s'ouvrent devant lui. Il franchit ainsi celles du monde souterrain, où son chant atteint Perséphone. Elle s'approche pour l'écouter, et « les âmes exsangues pleuraient », raconte Ovide dans les *Métamorphoses*.

■ Les créatures du monde souterrain veulent retenir Eurydice, alors que le couple se réjouit déjà d'atteindre bientôt le monde des vivants. *Orphée et Eurydice*, de Gaetano Gandolfi (1734-1802).

■ *Orphée et Eurydice*, plaque de bronze de Peter Vischer le Jeune (1487-1528).

Attendrie, Perséphone appelle Eurydice. « Elle venait d'arriver dans les Ténèbres et s'approche en claudiquant à cause de sa blessure. » La déesse lui accorde alors la grâce exceptionnelle de retourner dans le royaume des Vivants. Eurydice devra se laisser guider par Orphée, mais Perséphone exige que « son mari jamais ne regarde en arrière jusqu'à ce qu'ils atteignent tous deux la surface de la terre… » Hélas ! En chemin, Orphée ne peut s'empêcher de tourner la tête vers sa femme, et la perd ainsi à nouveau. Cette fois, c'est pour toujours.

Il tente de pénétrer encore dans le monde souterrain, mais le passeur refuse de le conduire sur l'autre rive du Styx. Il retourne alors chez lui, seul et désespéré. La légende raconte que, plus tard, Orphée refusera de se plier à la volonté de Dionysos, et sera déchiqueté par les Bacchantes sauvages

■ Mais pourquoi Orphée a-t-il tourné la tête ? Est-ce sous l'impulsion d'un immense désir de voir sa bien-aimée, ou a-t-il sacrifié Eurydice au nom de son art ? Ses plus beaux poèmes ne sont-il pas, en effet, les chants nostalgiques dédiés à la disparue ? *Orphée et Eurydice*, de Jacopo Vignali (1592-1664).

de l'escorte du dieu.

Pourquoi Orphée n'a-t-il pu se contraindre à regarder devant lui ? Uniquement, comme le prétend Ovide, par amour et inquiétude ? Brûlait-il d'un désir si ardent qu'il en oublia tout simplement de respecter la condition posée par Perséphone ? Ou était-il un rebelle qui n'acceptait jamais les exigences des dieux, comme sa fin tragique peut le laisser penser ? Dans la

Le nom d'Orphée s'impose quand on parle de musique ou quand on évoque le son de la lyre. Monteverdi lui a consacré son premier opéra, *Orfeo*, en 1607, ainsi que Gluck, en 1762. Offenbach s'en inspira pour son opérette. Jean Cocteau, Jean Anouilh, Tennessee Williams et Oskar Kokoschka ont tous traité le thème d'Orphée dans des œuvres dramatiques et Rainer M. Rilke a dédié en 1923 sa plus célèbre sonate au chanteur thrace.

mythologie grecque, Orphée est un être mi-homme, mi-dieu et, quoique mortel, il est d'essence suffisamment divine pour affronter la mort sans peur. Peut-être a-t-il voulu, alors qu'il se retrouvait seul avec Eurydice, défier le pouvoir d'Hadès, et, envahi par la joie de sentir si proches les forces de la vie, a-t-il cru pouvoir passer outre l'interdiction de regarder sa femme… ou

■ Orphée est maintenant seul et il ne lui reste plus que son art. *La Douleur d'Orphée*, de Pascal Adolphe Jean Dagnan-Bouveret, 1876.

peut-être n'a-t-il tourné la tête que par réflexe : sentant Eurydice derrière lui, son immense désir de la voir et de la toucher lui aurait fait oublier tout le reste… ou peut-être encore Perséphone s'est-elle moquée de lui : elle aurait fait semblant de lui rendre sa femme en sachant pertinemment que jamais il n'aurait la volonté d'attendre la lumière du jour pour la contempler…

Il existe plusieurs autres interprétations : l'une avance qu'Orphée, musicien à la recherche d'inspiration, aurait sciemment sacrifié Eurydice afin de puiser dans cet événement tragique l'inspiration nécessaire pour composer ses chants émouvants ; une autre prétend que, se sentant bien au royaume des Ténèbres, Eurydice n'aurait éprouvé aucune envie de revoir le soleil, et qu'elle aurait alors appelé Orphée pour lui faire tourner la tête.

La qualité mythique de cette légende repose vraisemblablement sur son analogie avec le rêve que fait toute personne qui a perdu un être cher, que ce soit un mari ou un amant, un ami ou une épouse, un enfant ou une mère. Comme Orphée, le survivant ne peut se résigner à la solitude. Il refuse de donner sa proie à la mort et exige qu'elle lui rende le disparu. Et, ô miracle, cette requête est accordée… dans des rêves récurrents, qui laissent une impression fugitive : au réveil, le dormeur éprouve la sensation que la personne décédée est soudain de retour, qu'elle vivra de nouveau. Il ne peut toutefois encore croire en son bonheur, et il n'ose la regarder de plus près. Dans la légende, il est dit : « Il n'en a pas le droit. » Puis il ouvre vraiment les yeux et, ce faisant, il ranime la douleur du deuil, car une certitude s'impose alors à son esprit : l'être bien-aimé ne reviendra pas. Le bonheur de la rencontre que seul le rêve a permis peut parfois durer quelques secondes avant de s'estomper, et tout redevient alors comme la veille. La mort a affirmé son pouvoir. «Elle se nourrit des larmes, ainsi que de la peine et de la douleur de l'esprit Jusqu'au rêve suivant.»

■ Orphée tire Eurydice à lui, en vain, car elle doit rester dans le monde souterrain. Jacopo de Sellaio (1442-1493), « Orphée et Eurydice », détail de *Histoire d'Orphée*, peinture sur un coffre.

ORPHÉE ET EURYDICE

HISTORIQUE

La tragique histoire d'amour d'Orphée et Eurydice date du VIe siècle avant Jésus-Christ. Elle a probablement eu pour cadre la Thrace, une région située à l'extrême nord-est de la Grèce actuelle et qui constitue, depuis fort longtemps, le lien entre l'Orient et l'Occident. Une centaine d'hymnes écrits pendant l'ère hellénistique témoignent de la grande beauté du chant d'Orphée. Ils décrivent l'essence et le contenu d'un culte religieux, l'orphisme, qui était répandu dans la Grèce antique. Les versions les plus anciennes de ce mythe proviennent des œuvres de Virgile, *Les Géorgiques*, et d'Ovide, *Les Métamorphoses*, qui présentent déjà certaines différences. Virgile introduit dans son récit un berger, Aristeus, qui importune Eurydice. Alors qu'elle s'enfuit, elle est mordue par le serpent. La version d'Ovide est plus proche du mythe et va également plus au cœur de l'histoire.

Le mythe tragique de la bien-aimée perdue à deux reprises a inspiré nombre d'artistes, musiciens, écrivains et auteurs dramatiques, qui ont livré maintes interprétations au cours des siècles. Le musée du Louvre abrite une copie d'un bas-relief daté du IVe siècle environ avant Jésus-Christ qui représente le fatal regard en arrière d'Orphée. D'autres œuvres connues sont la fresque du dôme d'Orvieto par Luca Signorelli, *Orphée dans le monde souterrain*, et, également au Louvre, la représentation romantique lugubre de Gustave Moreau (1865), *La Jeune Fille thrace*, où Eurydice porte la tête d'Orphée. Les plus anciens opéras sont *Orfeo*, de Monteverdi (1607), et *Euridice*, de Jacopo Peri (1600). Dans le plus célèbre opéra consacré au mythe d'Orphée, *Orfeo ed Euridice*, de Christoph W. Gluck (1762), les deux amants parviennent à rejoindre le monde des vivants grâce à leur amour. *Orphée*, la pièce en un acte de Jean Cocteau, va servir de base, en 1950, au film du même nom qui remportera un prix à Venise. À Cannes, en 1959, c'est *Orfeu Negro*, de Marcel Camus, tourné avec des acteurs de couleur, qui est couronné. Les nombreuses adaptations lyriques de Novalis, Goethe ou Rilke mettent en évidence la fascination pour ce mythe et son écho universel. La plus belle preuve de l'immortalité d'Orphée peut être admirée dans le ciel, au nord : on peut y apercevoir, par temps clair, la constellation de la Lyre, l'instrument d'Orphée, qui, selon la légende, est monté au ciel après sa mort.

 ET...

À lire :
Orphée et Eurydice
in *Métamorphoses*, livres X et XI, d'Ovide, Gallimard, collection Folio, Paris, 2002.

À voir :
La Douleur d'Orphée, tableau de Pascal Adolphe Jean Dagnan-Bouveret, 1876.

Orphée, de Jean Cocteau, avec Jean Marais, France, 1949.

Orfeu Negro, de Marcel Camus, Brésil/France/Italie, 1959.

À écouter :
Orphée et Eurydice, opéra d'Hector Berlioz.

L'AVIS DE L'AUTEUR

Il n'existe vraisemblablement rien de pire pour des amants que la séparation violente peu de temps après leur union. Le tragique de l'histoire d'Orphée et d'Eurydice les destine toutefois à la gloire posthume.

Œdipe et Jocaste

« *Infortuné ! puisses-tu ne jamais savoir qui tu es.* »

Au début de cette histoire tragique, Thèbes est au plus mal. Une épidémie fait chaque jour de nouvelles victimes et, de toute évidence, les dieux sont en colère contre la ville. On consulte les oracles. Œdipe, régent de Thèbes, est un roi fier, dans la fleur de l'âge, marié à Jocaste, reine encore séduisante bien que nettement plus âgée que lui. Le destin de ses sujets le désespère. Lui, qui a tout d'abord apporté la prospérité à sa ville, est maintenant témoin de sa déchéance. Son prêtre le prévient : « Qu'il ne soit pas dit que, sous ton règne, nous ne nous étions relevés que pour retomber ; rends à la cité un aplomb plus solide. »

L'oracle est sans ambiguïté : le roi Laïos, prédécesseur d'Œdipe sur le trône de Thèbes, a été assassiné et ce crime n'a jamais été puni. Il revient maintenant aux habitants de Thèbes de venger cet acte et d'en bannir le coupable : c'est seulement ainsi que s'apaisera la colère des dieux, et Thèbes sera libérée de l'épidémie. Parlant de la mort de Laïos, le premier mari de Jocaste, Œdipe dit : « En effet, je l'ai ouï dire : mais de témoin oculaire, personne n'en a vu. »

Peu à peu, on assiste à la révélation d'un secret. Un vieux prophète et un berger le connaissent, Jocaste et le prêtre n'en savent que certains détails, mais Œdipe en ignore tout, alors qu'il est l'acteur principal de cette tragédie qui émerge maintenant des ténèbres de l'oubli, des mensonges et des fausses interprétations. Œdipe et Jocaste se sont rencontrés bien

■ Tilla Durieux, dans le rôle de la reine Jocaste, mise en scène par Max Reinhardt au Deustches Theater à Berlin.

Le mythe d'Œdipe est très ancien. Il en existe de nombreuses interprétations sous forme d'épopées. Toutes ne sont pas parvenues jusqu'à nous. La plus célèbre, la tragédie de Sophocle, jouée pour la première fois en 425 avant Jésus-Christ, peut être considérée comme la plus ancienne pièce policière de la littérature européenne. Qui a tué Laïos ? Les premiers soupçons sont bientôt confortés par des indices qui, tous, désignent celui qui recherche la vérité : Œdipe.

longtemps auparavant, alors que le trône de Thèbes était vacant. Œdipe a quitté la maison où il a été élevé comme un fils, celle de Polybe, le roi de Corinthe, parce qu'une prophétie lui a annoncé qu'il tuerait son père et se marierait avec sa mère. C'est alors qu'il se rend à Thèbes. Il chasse rapidement de ses pensées un vieil homme qu'il a tué en cours de route lors d'une querelle. Il résout l'énigme du Sphinx, épouse la reine de Thèbes, avec qui il a plusieurs enfants, et règne sur la ville à la grande satisfaction de ses sujets, jusqu'à ce que survienne cette épidémie. La seule solution pour vaincre ce fléau est de trouver l'origine de la colère des dieux.

Un messager apporte à Thèbes la nouvelle de la mort du roi Polybe, le maître de Corinthe. Il annonce aussi : « Œdipe n'est pas le fils légitime de Polybe, il a été trouvé et n'est que le fils adoptif du roi. » Qui est alors son géniteur ? Pourquoi l'a-t-on abandonné ?

Jocaste est épouvantée : Laïos était son premier époux, et ils ont eu un fils sur lequel pesait autrefois la même prophétie que sur Œdipe, devenu aujourd'hui son mari. Laïos et Jocaste avaient alors confié leur enfant, les pieds bandés, à un berger qui devait l'abandonner à son sort en pleine nature… Jocaste comprend. Elle est prise de vertige et dit : « Au nom des dieux, mon ami, si tu tiens à la vie, abandonne ces recherches. C'est assez de ce que je souffre. » Mais Œdipe est maintenant trop près de la vérité.

■ Variations sur ce thème millénaire. *Œdipe et le Sphinx*, peinture sur une poterie grecque du début du Vᵉ siècle avant J.-C., et *Œdipe explique l'énigme au Sphinx*, de Jean-Auguste Dominique Ingres, 1808.

■ La quête de l'horrible vérité. Œdipe demande au vieux berger de lui parler de son passé (ci-dessus), et il s'interroge sur ses origines. Statue romaine du IIIᵉ siècle avant J.-C.

Qu'a donc fait le berger de l'enfant qu'il aurait dû abandonner? Ne pouvant se résoudre à cette action, il a confié le fils de Jocaste à un berger corinthien, qui, sans détour, le porta à la cour du roi Polybe, qui n'avait pas d'enfant. Et le vieillard qu'Œdipe a tué pendant son voyage n'est autre que Laïos, son père. L'ultime preuve permettant d'identifier Œdipe comme le fils de Laïos est la marque des bandages qui afflige encore ses chevilles (Œdipe signifie « pieds enflés »).

« Ô lumière du jour, puissé-je, à cette heure tourner vers toi mes derniers regards ! Tel, moi-même, je me suis dévoilé : enfant indésirable, époux contre nature, meurtrier contre nature. »

Tels sont les derniers mots prononcés par Œdipe avant sa déchéance. Il exécute alors lui-même la sentence que lui vaut son double crime : il se crève les yeux. Puis, devenu aveugle et guidé par sa fille Antigone, il part en exil. Jocaste se pend. Et, alors même que la famille royale va à sa perte, la ville est libérée de la malédiction, l'épidémie régresse. Les hommes se lèvent, le chœur chante :

« Thébains, mes compatriotes, regardez cet Œdipe, qui sut résoudre les fameuses énigmes et fut un homme très puissant. Est-il un de ses concitoyens qui n'ait jugé son sort enviable ? Vous voyez quels remous d'infortune l'entraînent ! Il n'est point de mortel, à le suivre des yeux jusqu'à son dernier jour, qu'il faille féliciter avant qu'il ait franchi le terme sans avoir connu la souffrance. »

Oui, Œdipe et Jocaste ont été heureux. Sophocle montre combien les deux époux sont proches l'un de l'autre, bien qu'ils soient, dès le début de sa pièce, soumis à d'importantes tensions dues aux soupçons et aux malheurs. Jocaste tente de s'opposer à la révélation de la vérité. Elle ne veut pas, tant elle aime son mari, avoir la confirmation de ce qu'elle soupçonne déjà. Sans le savoir, le cinéaste Pasolini a livré dans son film, *Edipo re,* la plus belle interprétation figurative de l'attirance sensuelle qui s'exerce entre la femme mûre et le jeune homme, la mère et le fils. La femme distinguée et délicate, le jeune homme rayonnant et magnifique : ils ne peuvent que s'aimer. Œdipe est impulsif et énergique. Mais il a acquis une certitude : un mystère l'entoure, et il lui faut en percer le secret, quel que soit le prix de la révélation. Cette recherche de la vérité lui coûtera pratiquement tout ce qu'il possède. Jocaste est passive, douce et craintive. Elle a déjà laissé arracher un enfant de son sein pour éviter que ne se réalise un mauvais présage, et elle pressent,

■ « Pas sans ma maman ». Loriot joue dans son film *Œdipussi* (1987) le rôle d'un adulte resté enfant et incapable de s'affranchir de sa génitrice.

■ Louis Malle traite le thème de l'amour chargé de désir entre la mère et le fils dans son film *Le Souffle au cœur*, en 1971.

Herzflimmer
Die Komödie einer zärtlichen Lie

■ Le père du complexe d'Œdipe. Le neurologue et psychanalyste Sigmund Freud (1856-1939) voit dans la liaison libidineuse de l'enfant avec le parent du sexe opposé une phase inévitable vers la sexualité adulte. Un complexe d'Œdipe non surmonté peut être à l'origine de névroses.

peut-être depuis longtemps, la vérité. Elle a vu les marques sur les chevilles de son jeune mari, qui aurait l'âge d'être son fils. Mais elle garde le silence et murmure seulement : « Oh ! malheureux, malheureux ! C'est le seul nom qu'il me reste pour t'appeler ! Le seul nom désormais ! » Elle se tue quand la vérité éclate.

Dans l'Antiquité, le mythe du roi Œdipe était une parabole sur la puissance de la destinée. La prophétie doit se réaliser, le destin s'accomplir : les décrets de la Providence l'exigent. Les hommes ne peuvent rien y changer, quels que soient les artifices dont ils usent. L'enfant mis au monde grandit et agit selon la volonté des dieux sans même en connaître l'existence. La faute quasi métaphysique d'Œdipe était considérée dans l'Antiquité comme un véritable crime.

De nos jours, on connaît l'interprétation de ce mythe par Sigmund Freud, pour qui l'agressive volonté d'indépendance du fils a pour but d'écarter le père afin d'accéder au monde et d'avoir une relation exclusive avec sa mère. Même s'il n'est pas dit que chaque petit garçon ressent cette attirance pour sa mère, il n'en est pas moins vrai que les crises de jalousie des enfants à l'égard du parent de leur sexe sont des constatations récurrentes. Freud a mis à nu le ressort érotique du mythe d'Œdipe grâce à l'interprétation psychanalytique.

ŒDIPE ET JOCASTE

HISTORIQUE

Le mythe d'Œdipe, traitant du thème de la liaison amoureuse non intentionnelle entre le fils et sa mère (Jocaste), est considéré comme l'un des plus importants de la Grèce antique. Il en existe de nombreuses interprétations, entre autres celles d'Eschyle, d'Euripide et de Sénèque. La seule œuvre que nous possédions encore dans son intégralité est *Œdipe roi*, de Sophocle. Ce dernier a créé, au cours des quatre-vingt-dix années de sa vie (496-406 av. J.-C.), au moins cent vingt-trois pièces, dont seulement sept nous sont parvenues dans leur intégralité. On ne peut pas prouver que Sophocle se référait au destin d'Athènes sous Périclès dans la pièce que lui inspire cet ancien mythe et à l'occasion de laquelle il renouvelle la forme de la tragédie, mais on y trouve des similitudes avec la situation historique de cette ville vers 430 avant Jésus-Christ. Dans une autre pièce, *Œdipe à Colone*, Sophocle raconte le destin d'Œdipe aveugle. Le roi Theseus accueille Œdipe à Colone, où il meurt, à la fin de son calvaire, dans l'oliveraie sacrée dédiée aux Euménides. Les interprétations ultérieures datent du Moyen Âge et restent très fidèles à l'exemple antique. Mais elles varient en ce qui concerne les personnages secondaires ou le thème de l'amour, et modifient parfois les situations, comme dans cette version où Jocaste connaît les origines de son époux avant le mariage. Ce n'est qu'au début du XXe siècle que Sigmund Freud révèle, par l'interprétation psychanalytique, le caractère amoureux et érotique de la relation entre la mère et le fils, permettant ainsi une nouvelle approche du thème antique. On en veut pour exemple la pièce *Œdipe et sa mère*, créée en 1958 par le Néerlandais M. Croiset. Deux films méritent tout particulièrement d'être cités : *Edipo re*, dans lequel le réalisateur Pier Paolo Pasolini joue lui-même le rôle du prêtre, et dont le prologue et l'épilogue permettent d'établir une passerelle avec le présent, et *Oedipus the King*, du Britannique Philip Saville, qui est surtout convaincant par la qualité du jeu d'Orson Welles, de Lillie Palmer et de Christopher Plummer.

 ET...

À lire :

L'Obsédé, drame de la libido, d'André Gaucher, avec lettres de Freud et Pierre Janet, André Delpeuch, Paris, 1925.

Œdipe roi, in *Sophocle, théâtre complet*, Flammarion, Paris, 1964.

Trois essais sur la vie sexuelle, de Sigmund Freud, Gallimard, Paris, 1989.

Œdipe sur la route, de Henry Bauchau, Actes Sud, 1990.

À voir :

Œdipe roi, de Paolo Pasolini, avec Silvana Mangano et Francesco Citti, Italie, 1967.

Oedipus the King, de Philip Saville, avec Orson Welles, Lilie Palmer et Christopher Plummer, V.O., Grande-Bretagne, 1968.

Le Souffle au cœur, de Louis Malle, avec Lea Massari, Benoît Ferreux, Daniel Gélin, Gila von Weitershausen, France, 1971.

L'AVIS DE L'AUTEUR

La reine Jocaste savait-elle qui était son deuxième époux ? Le secret, l'inceste, le parricide non intentionnel, tout cela fait du mythe d'Œdipe un archétype, et de la relation entre mère et fils la matrice des interprétations du phénomène de la famille.

Philémon et Baucis

« ... puisque nous avons vécu toujours unis de cœur,
faites que la même heure nous emporte, que jamais
je ne voie le bûcher de mon épouse, et qu'elle n'ait pas
non plus à m'ensevelir. »

Ce vœu, Philémon le formule à la demande du Père des dieux en personne : « Dites-nous, vieillard qui pratique la justice, et toi, femme digne d'un époux ami de la justice, ce que vous souhaitez. » Philémon répond alors qu'il souhaite mourir dans le même souffle du temps que sa femme, Baucis, auprès de laquelle il a vieilli. Baucis nourrit le même espoir, car elle non plus n'aimerait pas survivre à son époux. Jupiter satisfait au vœu du couple. Ils meurent tous deux au même instant à un âge fort avancé, et, alors que la vie s'échappe de leurs corps, ils s'effleurent d'une dernière caresse en échangeant un tendre adieu. Jupiter leur épargne la faiblesse du grand âge et les transforme en arbres, lui, en chêne, et elle, en tilleul. Au moment ultime, tous deux prennent conscience des feuilles et des branches qui poussent sur le corps de l'autre.

Les arbres vivent bien plus longtemps que les hommes, et Ovide, qui

■ *Jupiter et Mercure chez Philémon et Baucis*, d'Adam Elsheimer, vers 1608-1610.

connaissait très probablement Philémon et Baucis, peut mentionner dans les *Métamorphoses,* dès les premières années de notre ère, un paysan qui connaît les deux arbres. En effet, cet homme peut affirmer qu'il a vu le chêne et le tilleul que sont devenus les deux vieillards. Avec un étonnement attendri, le public apprend ainsi que ce couple fidèle continue à vivre sous la forme végétale : quelle magnifique métamorphose ! On sait que les arbres peuvent mêler leurs branches et que leurs feuilles bruissent, c'est ainsi que Philémon et Baucis vont pouvoir, pendant de longues années encore, s'effleurer avec tendresse et se parler doucement, en toute intimité.

Pourquoi Jupiter a-t-il demandé à ces deux vieux paysans de formuler un vœu, et pourquoi l'a-t-il exaucé si volontiers et si magnifiquement ? Tout simplement parce que Philémon et Baucis se sont montrés hospitaliers. Ce jour-là, le Père des dieux s'est, encore une fois, mêlé à la foule des humains, en compagnie d'une créature de l'Olympe qui a, elle aussi, adopté une apparence humaine. Arrivés en Phrygie, une contrée d'Asie Mineure, ils ne trouvent personne, le soir venu, pour leur accorder le gîte demandé. D'après Ovide, Jupiter et sa compagne frappent à plus de mille portes, en vain, et la colère commence à les gagner.

Heureusement, la chance finit par leur sourire : un vieil homme, Philémon, les accueille dans son humble chaumière, et sa femme, Baucis, ne ménage pas sa peine pour leur offrir avec amabilité un banc confortable où s'asseoir, un feu bienfaisant pour se réchauffer et un repas humble mais soigné, composé de porc et de chou, pour apaiser leur faim. Jupiter mange avec appétit, très reconnaissant envers ces braves gens. Sa bonne humeur se trouve toutefois assombrie par le mauvais accueil qu'il a rencontré en ce pays avant que les deux vieillards ne lui offrent l'hospitalité. Les maisons de ces Phrygiens insensibles, qui leur ont interdit de franchir leur seuil, sont pourtant toutes plus grandes que cette hutte où on l'a bien accueilli ! Jupiter constate ainsi que la richesse peut endurcir

■ Jupiter se sent bien reçu et il saura se montrer reconnaissant.

■ Les indigents sont généreux. Détail d'une peinture d'Adam Elsheimer.

le cœur de l'homme, alors que l'indigence inspire la compassion envers ceux qui sont dans le besoin, et il décide de punir les infâmes Phrygiens.

Il entame la conversation avec Philémon et Baucis. Oui, disent les vieilles gens, ils ont toujours été aussi pauvres et ont vécu de-

■ « Paysage dans la tempête » (*Jupiter et Mercure chez Philémon et Baucis*), de Petrus Paulus Rubens, vers 1620. La colère de Jupiter s'abat sur les égoïstes. Seul le couple pauvre et fidèle est épargné et sera récompensé pour son hospitalité.

puis leur mariage dans leur petite cabane au toit de chaume, où ils aimeraient mourir. « Et comme ils acceptaient aussi simplement leur pauvreté, celle-ci se fit légère et ils la supportèrent sans amertume. » Ainsi, Philémon et Baucis sont des êtres simples, sans arrogance ni méchanceté, des époux affectueux, des honnêtes gens.

Jupiter est ému par le récit de leur vie. Comme il se sent d'humeur espiègle, il veille à ce que la cruche de vin se remplisse toujours d'elle-même. Philémon et Baucis pensent tout d'abord que leurs sens les abusent, puis, quand ils comprennent à quel miracle ils assistent, ils se mettent à prier et s'excusent en tremblant pour la simplicité du repas. Ils veulent tuer sur-le-champ leur unique oie pour offrir un festin à leurs hôtes, mais ne parviennent pas à l'attraper. L'animal se réfugie en sifflant derrière

Jupiter, qui éclate de rire et se dévoile au couple : « Nous sommes des dieux. »

Ils sortent alors tous les quatre de la maison et montent au sommet d'une colline d'où ils assistent à la punition des Phrygiens : leurs cités sont englouties par les flots et les égoïstes habitants sont noyés. Là où s'élevaient des maisons s'étend maintenant un marais. Seule, la cabane de Philémon et Baucis a résisté à la tempête, et, pendant que le couple de vieillards paralysé par la peur contemple la scène, la cabane au toit de chaume se transforme en un temple chamarré d'or. Jupiter montre fièrement à ses hôtes leur nouvelle demeure et c'est alors qu'il leur demande d'exprimer un vœu.

Ovide saisit toutes les occasions de mettre en évidence la bonté des deux vieillards : ils ne se réjouissent pas de voir le village englouti par les eaux, et se lamentent sur le sort de leurs voisins. Peut-être n'apprécient-ils pas de devoir vivre dans un temple chamarré d'or comme prêtres au service de leur dieu, mais ces êtres pieux n'ont pas le choix, ils doivent obéir à Jupiter. Celui-ci exauce leur vœu le plus cher : aucun des deux ne portera l'autre en terre. La dénouement de cette histoire est donc heureux, malgré la violence de la colère des dieux.

■ Zeus et Hermès en visite dans la pauvre cabane. Eau-forte de Cornelis Galle. (1576-1650).

■ Dans l'Antiquité, c'était tout particulièrement les couples étrusques qui se faisaient représenter sur les sarcophages à deux places. Ceci illustre l'idéal d'un couple de vouloir mourir ensemble.

Quel est donc le secret des profonds sentiments qui unissent encore Philémon et Baucis ? Comment leurs noms sont-ils devenus synonymes de fidélité dans un couple ? C'est pour leur générosité que Jupiter les récompense, non pour leur fidélité, car cette vertu n'est pas de son ressort. Lui, qui s'intéresse au caractère des hommes, abhorre l'égoïsme ou le manque d'humanité. Les vertus des couples sont l'apanage de Junon, la Mère des dieux. Et de l'humanité !

Nous devinons tous la fin de cette histoire : le Dieu le plus puissant de l'Olympe demande aux deux vieillards de formuler un vœu. Dédaignant les plaisirs terrestres, ils expriment juste le souhait de mourir ensemble. Ceci montre à quel point leur fidélité réciproque n'est pas l'expression de l'habitude et de l'apathie, mais bien d'un véritable attachement. Ce vœu que Philémon et Baucis formulent ensemble, spontanément, éclaire d'une lumière radieuse une vie commune emplie d'un amour inébranlable. Ils sont l'un pour l'autre leur unique richesse. Ovide montre à quel point un tel sentiment est rare et magnifique et mérite de se prolonger au-delà de la mort. N'y aurait-il pas près de chez vous un chêne à côté duquel pousse un tilleul ?

PHILÉMON ET BAUCIS

HISTORIQUE

C'est dans le poème mythologique *Métamorphoses* qu'Ovide (43 avant J.-C.-17 ou 18 après J.-C.) livre le premier récit littéraire de l'histoire de Philémon et Baucis. Il introduit trois éléments nouveaux dans cette légende : l'exaucement d'un vœu par un dieu en récompense de l'hospitalité qui lui a été accordée, la peur du châtiment divin, ici représenté par le déluge, et, contrairement à l'entrée de l'ange chez Loth dans la Bible, l'ambition de vieillir et de mourir ensemble, dans la piété et avec la bénédiction divine. On compte environ cent cinquante exemplaires conservés de *Métamorphoses*, qui fait partie des textes antiques les plus lus au Moyen Âge.

Le thème a été maintes fois repris aux XVIIe et XVIIIe siècles et a connu diverses interprétations, jusqu'à la satire anti-cléricale de Jonathan Swift, *Baucis et Philémon*, dans laquelle, après leur métamorphose en arbres, les deux vieillards sont abattus par les prêtres qui leur ont succédé au temple de Jupiter pour faire du bois de chauffage. Le potentiel humoristique que l'on peut tirer de la métamorphose a été également utilisé dans certains opéras pour pallier la brièveté de l'action. Goethe s'inspire d'ailleurs de ce thème à plusieurs reprises, notamment dans la deuxième partie de *Faust*, où, conformément à la légende originale, il donne une version symbolique de l'humilité empreinte de piété jusque dans la mort commune. Aux XIXe et XXe siècles, les éléments romantiques du thème sont exploités principalement dans des poèmes, un opéra et des récits. On recommandera, notamment, le roman de Max Frisch, *Mein Name sei Gantenbein*, dans lequel Gantenbein et Lila se comparent à Philémon et Baucis. L'unique version théâtrale et radiophonique, réalisée par Leopold Ahlsen et dont on tira un film en 1960, est très différente : le drame a lieu en 1944, pendant la guerre, parmi un groupe de partisans grecs. Un couple de vieillards résistants, Nikolaos et Marulja, sont pris entre deux fronts, car ils abritent des soldats allemands qui sont recherchés et ne les dénoncent pas à leurs camarades. Dans un tel contexte de guerre, ce geste d'hospitalité leur vaut tout simplement d'être exécutés ensemble par leurs compatriotes pour trahison.

 ET...

À lire :
Philémon et Baucis
in *Métamorphoses*, d'Ovide, livre VIII, Gallimard, coll. Folio, Paris, 2002.

Le Désert des miroirs, de Max Frisch, Gallimard, Paris, 1982.

À voir :
Philémon et Baucis, d'Emil Zbonek, RFA, 1960.

L'AVIS DE L'AUTEUR

Le vieux rêve de la fidélité éternelle et de la vie (presque) éternelle devient réalité avec l'aide des dieux.

Périclès et Aspasie

« *Par Zeus ! Socrate, Aspasie est bien heureuse, d'après toi, si elle peut, elle, simple femme, composer de pareils discours !* »

Parmi les idées les plus communément reçues sur l'Antiquité, celle de la Grèce vivant une ère de prospérité artistique et scientifique a traversé les siècles. Qu'en est-il, en vérité ? On peut certes parler de son architecture fastueuse, de sa vie spirituelle intense, de son art de vivre très raffiné et des hommes intelligents qui la peuplent, car on en possède suffisamment de preuves. La Grèce antique est pourtant une nation constamment en conflit et engagée dans des campagnes militaires qui provoquent de nombreuses victimes, tout d'abord contre les Perses, puis contre des alliés infidèles, jusqu'à la guerre fratricide entre Sparte et Athènes, qui va réduire en cendres la brillante civilisation grecque, qui rayonne malgré cela jusqu'à nous. On peut s'étonner que les Grecs prennent le temps de s'intéresser aux finesses de la politique, de la rhétorique, de la littérature, de la vie sociale et de la philosophie, alors qu'il était en permanence question d'armement, de propagande de guerre, d'invasions, de batailles navales, d'épidémies, d'incendies et de divers autres actes de vengeance. Il en est pourtant ainsi. Comme le rapporte Platon, quand Socrate s'entretient des choses de la vie avec ses amis sur la place du marché, leurs conversations tournent très souvent autour du célèbre homme politique Périclès et de sa compagne Aspasie, que l'on connaît comme une femme particulièrement intelligente.

Au Vᵉ siècle avant Jésus-Christ, Athènes possède la maîtrise totale de la terre et de la mer. Elle a pris dans son giron les îles de la mer Égée et nombre de cités grecques, dont elle exige des tributs élevés. Dans son ascension vers le pouvoir, Périclès, fils d'une fa-

■ Périclès, homme politique athénien (vers 495-429 av. J.-C.).

mille illustre, s'appuie sur la confiance de la population. En effet, chaque citoyen exerce à cette époque une influence déterminante sur les affaires de la cité – par exemple les rameurs des bateaux, qui confèrent à Athènes sa puissance maritime. Périclès intercède en faveur des humbles, car il souhaite que l'accès aux hautes fonctions de l'État soit possible à tous. Cette volonté de démocratie à Athènes est cependant critiquée par Thucydide, un historien conservateur, qui précise : « En apparence c'était la démocratie, en réalité le gouvernement d'un seul. » Périclès, le « premier homme », doit en effet avoir parfois recours à des mesures qui ne s'inscrivent pas dans les pages de gloire de la démocratie pour se concilier les faveurs du peuple : les « alliés », comme on appelle les États indépendants, sont impitoyablement pillés et contraints par la menace toujours plus pressante des glaives de ne pas résilier leurs traités avec Athènes. L'argent des tributs ainsi obtenus est employé pour des

■ Aspasie
(née vers 470 av. J.-C.)
est originaire de la colonie
grecque de Milet.

■ Périclès est séduit
par la beauté et l'intelligence
d'Aspasie, qui devient
sa seconde compagne.
Aspasie et Périclès, gravure
sur bois, vers 1880.

programmes de grands travaux qui permettent au plus grand nombre de foyers de mieux vivre, mais les travailleurs étrangers qui affluent pour bénéficier de la prospérité d'Athènes continuent à se voir refuser leurs droits civiques. Les Athéniens perdent ainsi, les uns après les autres, leurs alliés, qui vont se placer sous la protection de la deuxième cité hégémonique très conservatrice de Grèce, Sparte. Les Spartiates se mobilisent dès lors contre Athènes, donnant ainsi le coup d'envoi de la guerre du Péloponnèse, qui durera près de trente ans et transformera la belle cité antique en un champ de ruines.

Périclès vit en des temps troublés, ponctués par des catastrophes. Les Athéniens pourraient facilement lui imputer la responsabilité des défaites, et, comme il est tributaire des suffrages en tant que membre du Conseil de la ville et stratège élu annuellement, il risque d'être rapidement déposé en période de crise. Il réussit pourtant à se maintenir au pouvoir durant trente ans. À l'origine de la construction des plus célèbres temples d'Athè-

■ Le « premier homme » d'Athènes. *Périclès, Phidias et les experts en art se consultent sur la construction du Parthénon, gravure sur bois du XIXᵉ siècle.*

nes – le Parthénon et les Propylées, sur l'Acropole –, ainsi qu'initiateur de nombreuses lois, il fait aussi la guerre. Connu pour ses qualités oratoires, Périclès dispose d'une fortune importante et sa position est bien assurée dans la société athénienne. Il ne peut pourtant pas épouser Aspasie en secondes noces, car il se trouve victime des lois qu'il a lui-même fait adopter à l'encontre des étrangers.

Originaire de Milet, cité d'Asie Mineure, Aspasie arrive très jeune à Athènes, avec son père. Les citadins tombent rapidement sous le charme de son ensorcelante beauté et de son brillant esprit. Périclès a répudié sa première femme, avec qui il ne s'entendait pas, et il vit seul, déçu de l'évolution peu flatteuse de ses fils, quand il rencontre Aspasie. Il est de vingt ans son aîné et se trouve au sommet de sa puissance. C'est un homme à la vitalité débordante qui fréquente assidûment les prostituées, mais aussi un bel esprit, un maître de la rhétorique et un ami intime du poète tragique Sophocle. Il trouve en Aspasie une femme avec qui il peut discuter, d'égal à égale,

aussi bien de politique que de stratégie, une femme qui le comprend et qui l'inspire. En outre, elle remplace celles qui lui vendaient leurs charmes, assouvissaient ses envies et comblaient sa solitude. Elle lui donne même bien plus que toutes ces femmes réunies. Périclès la fait venir sous son toit, et il lui accorde toute son attention et toute sa tendresse. Il lui demande même son avis

sur les affaires de l'État, plus souvent et plus volontiers qu'à ceux qui gouvernent avec lui.

Même dans cette métropole qui, comme toutes les grandes villes, est habituée aux extravagances, cette relation provoque un énorme scandale. On estime que les concubines sont faites pour le plaisir et n'ont pas à se mêler de politique. Et celle-ci est étrangère, qui plus est ! Une femme de Milet, dont on dit qu'elle s'est prostituée... La société athénienne s'empare de l'événement et estime que Périclès est envoûté par le charme d'une sorcière envoyée par l'ennemi pour provoquer la déchéance d'Athènes.

Au théâtre, les représentations, qui se succèdent sans interruption, sont entrecoupées de combats qui créent dans les amphithéâtres une atmosphère bien peu solennelle. Les tragédies et pièces burlesques antiques sont, de ce fait, difficilement compréhensibles, car elles sont émaillées d'allusions

■ *L'Ère de Périclès*, de Philipp von Foltz, 1852. Aspasie, sa concubine, est dans les affaires politiques une interlocutrice et une partenaire que Périclès considère comme son égale, ce qui provoque un immense scandale à Athènes. On dit Périclès envoûté par une sorcière.

■ Le dirigeant de l'État tombe en disgrâce aux yeux du peuple à cause d'Aspasie.

contemporaines : chaque politicien en exercice, chaque chef des armées, chaque juge est passé au crible. On fait autant de politique au théâtre qu'au Conseil, qu'aux réunions populaires ou qu'à l'occasion des sentences d'ostracisme. Aristophane et les autres poètes comiques ne ménagent pas les dirigeants de l'État, les commandants des armées et les prêtres, pas plus que leurs femmes.

C'est ainsi qu'Aspasie est accusée d'être une sorcière et une prostituée. L'atmosphère à son encontre est si tendue qu'elle est convoquée au tribunal : « Elle a blasphémé contre les dieux », dit-on. Comme elle entretient dans la maison de Périclès un salon fréquenté par des poètes et par des philosophes, dont Socrate, mais aussi par de belles femmes, on l'accuse également de proxénétisme. On dit qu'elle amène de jeunes rivales dans sa propre maison. Périclès, déjà plusieurs fois frappé de disgrâce par le peuple, se voit, quant à lui, accuser de détourner de l'argent. Tous deux, le dirigeant de l'État et sa compagne, bénéficient pourtant d'un acquittement.

Certaines sources rapportent que Périclès et Aspasie ont pu se marier et que leur union a eu lieu en 445 avant Jésus-Christ. La jeune femme a alors vingt-cinq ans et son époux près de cinquante. Toujours est-il qu'ils ont un fils cinq ans plus tard, Périclès le Jeune, qui va satisfaire toutes les attentes que son ambitieux père a placées en lui.

Périclès meurt de la peste en 429 avant notre ère, peu après le début de la guerre du Péloponnèse. Aspasie fonde un nouveau foyer avec un homme politique important, qui décède peu après. On ignore la date de la mort d'Aspasie.

PÉRICLÈS ET ASPASIE

HISTORIQUE

Périclès est né vers 495 avant notre ère. Les rares sources de l'époque ne permettent pas d'être plus précis, non plus que pour l'année de naissance d'Aspasie (vers 470 avant J.-C.). Périclès est le descendant de la famille noble des Alcméonides et il compte parmi ses précepteurs le philosophe ionien Anaxagore. En 461, il écarte du pouvoir son grand adversaire, le propriétaire terrien conservateur Cimon, et il continue les réformes d'Ephialte. Il introduit la rémunération des charges politiques, permettant ainsi aux citoyens d'origine non aristocratique d'y accéder. Ses succès en politique intérieure et extérieure lui permettent, d'une part, d'être élu démocratiquement à la tête d'Athènes, et, d'autre part, par la plénitude de sa puissance, d'exercer un pouvoir de type monarchique. Il réussit à signer en 445 un traité de paix avec Sparte, mais celui-ci ne dure pas les trente années espérées. C'est à cette époque qu'Aspasie quitte la colonie grecque de Milet, en Asie Mineure (la Turquie actuelle), pour Athènes, où elle travaille comme prostituée. Dans l'Antiquité, les prostituées étaient le plus souvent de belles femmes cultivées, versées en rhétorique et en musique, qui étaient au service des hommes dans les affaires de l'amour. Peu reconnues au niveau social, elles bénéficiaient toutefois dans cette société patriarcale de davantage de privilèges que les épouses grecques. Aspasie vit avec Périclès à partir de 445, alors que ce dernier est déjà séparé de sa femme, et elle lui donne un fils, qui ne sera reconnu officiellement, en tant que citoyen grec et héritier de Périclès, qu'après la mort, en 430, des deux fils nés du premier mariage de Périclès. L'hostilité envers Aspasie atteint son point culminant en 438 lors de son procès pour « impiété », et c'est à la défense de Périclès qu'elle doit son acquittement.

Pendant sa longue carrière, il offre à Athènes une période de prospérité culturelle et économique. Les guerres du Péloponnèse sonnent le glas de l'ère de Périclès à partir de 431. Les revers militaires entraînent sa chute. Il meurt de la peste en 429. Après sa mort, Aspasie entame une liaison avec Lysicles, négociant en moutons et homme politique, mais on ignore tout de la fin de sa vie. On peut voir au musée Pergamon de Munich les moulages d'un buste de Périclès et une statue d'Aspasie.

 ET...

À lire :
Aspasie, de Danièle Calvo-Platero, Olivier Orban, Paris, 1986.

Périclès, de Violaine Vanoycke, Tallandier, Paris, 1997.

Périclès, de François Châtelet, PUF, Paris, 1985.

À visiter :
Le Parthénon, sur l'Acropole d'Athènes, a été réalisé sous la direction du sculpteur Phidias, un ami de Périclès et Aspasie.

L'AVIS DE L'AUTEUR

Un exemple précoce d'une relation empreinte d'une (quasi-) égalité des droits, aussi bien intellectuelle et politique qu'érotique, entre des partenaires particulièrement actifs qui ont su entretenir un rapport de forces équilibré.

Antoine et Cléopâtre

« M'entends-tu bien, chère âme ?
Si je reviens une fois encore du champ de bataille
Baiser ces lèvres, je t'apparaîtrai… couvert de sang. »

Shakespeare prête ces paroles à Marc Antoine pour son adieu à Cléopâtre avant de partir une dernière fois pour le champ de bataille. Le poète dramatique anglais cerne ainsi avec une assurance qui lui est propre les préoccupations principales du couple antique : la guerre et l'amour. Ils tuent, assassinent, perdent et gagnent des batailles, s'aiment, font des enfants et boivent à la volupté. D'autres couples, plus près de nous, ont également dressé leur lit nuptial pour ainsi dire en lisière du champ de bataille, et le temps consacré à l'amour leur est compté entre les passes d'armes. Mais ces couples ne sont que rarement aussi avides de puissance, et aussi puissants, qu'Antoine et Cléopâtre. Rarement leur composante féminine ne s'est tant souciée de son hégémonie et n'a été tant coutumière du meurtre pour conserver son pouvoir.

■ Fidèle partisan de César, il accède au pouvoir après la mort de celui-ci : Marc Antoine, commandant en chef (vers 82-30 avant J.-C.), tête en bronze de Cilicie.

Les actes et les aspirations de Marc Antoine sont, dès sa jeunesse, inspirés par la guerre, et il est encore très jeune quand il obtient les honneurs militaires. Il vit l'ascension de César vers la domination du monde et lui reste fidèle même après sa mort. Les meurtriers de César, qui aspirent alors à une république rénovée, se trouvent confrontés à ses partisans conduits par Antoine. Il en résulte une guerre civile qui paraît provisoirement réglée par le triumvirat formé par Marc Antoine, Lépide et Octave. L'Égypte est, à cette époque, un royaume indépendant qui paie tribut à Rome, puissance protectrice dont elle dépend sur le plan politique. Cléopâtre, sa très ambitieuse reine, a reçu son trône des mains de César lui-même et s'est assuré, grâce à sa liaison intime avec lui, la reconnaissance de sa dignité par les Romains. Elle rêve de voir son fils, Césarion, dont la filiation avec César est aujourd'hui encore contestée, régner sur le monde à partir de Rome. Mais des dissensions émergent dans son pays : ses frères et sœurs lui contestent le trône et elle les élimine pour garantir sa sécurité.

En 46 avant Jésus-Christ, Cléopâtre entreprend un voyage à Rome avec son fils. Elle espère encore gagner définitivement à sa cause l'homme le plus puissant de l'époque, César. Celui-ci a succombé à son charme à Alexandrie, mais il garde cette fois la tête froide. Son étoile commence à ternir. Cléopâtre s'en doute-t-elle ? Toujours est-il qu'elle fait la connaissance de Marc Antoine, jeune guerrier auréolé par les victoires et talentueux rhétoricien promis à un bel avenir politique. Quand César est assassiné aux ides de mars, en 44, Cléopâtre quitte aussitôt Rome. Antoine, partisan fidèle de César, prend le pouvoir et veille à ce que la mémoire de l'illustre défunt soit honorée comme le serait celle d'un dieu.

Cléopâtre se considère comme une déesse, la fille d'Isis en personne, et Antoine n'a pas oublié la reine égyptienne. La guerre civile fait rage à Rome, et Cléopâtre se montre d'abord indécise. Antoine estime alors être en position pour lui imposer des négociations. Elle arrive à bord d'un magnifique bateau, prête à tout, et les récits de l'époque relatent qu'elle séduit aussitôt Antoine.

Dans les films consacrés à Cléopâtre, le rôle est toujours joué par les plus belles actrices. Mais la vraie Cléopâtre, celle qui fit l'histoire, n'était pas aussi jolie. Les portraits la représentent comme une femme avec de gros yeux, un long nez recourbé et un menton fuyant. On exagère l'importance de son physique dans la fascination érotique qu'elle exerçait, mais elle était malgré tout séduisante et d'une sensibilité raffinée. En

■ Marc Antoine tombe sous le charme de la fougueuse Orientale. La reine Cléopâtre (69-30 avant J.-C.) sur un bas-relief de l'Égypte ancienne.

48

■ Débauche de luxe.
Cléopâtre a le sens de la fête
et de la volupté,
et le commandant en chef
romain s'y adonne volontiers.
Cette représentation
d'un repas de fête chez la reine
égyptienne dans le tableau
Le Banquet de Cléopâtre,
de Gérard de Lairesse
(1641- 1711), s'inspire nettement
de la vie à la cour du roi
de France au XVIIᵉ siècle.

■ La grande reine Cléopâtre
n'était pas une beauté. Effigie
de la reine égyptienne
sur une pièce de monnaie.

outre, elle pouvait faire étalage devant ses soupirants des charmes de l'Orient et de la splendeur de ses palais. Il est également probable que sa personnalité joue un rôle : certes, l'amour était toujours pour elle de la politique, mais elle pouvait le goûter et le célébrer, et oublier tout le reste. Les Romains – beaucoup plus rationnels et froids – qui ont été envoûtés par sa fougue ne connaissaient pas une telle flamme, et on peut facilement imaginer avec quelles délices ils s'abandonnèrent.

Cléopâtre n'était toutefois pas uniquement une ensorceleuse, c'était aussi une politicienne. Encore toute jeune femme quand elle fait connaissance de César, elle tombe amoureuse de lui. Il est très vraisemblable qu'il est son maître dans toutes les questions touchant les affaires de l'État, la stratégie militaire et la tactique. Elle peut d'ailleurs approfondir ses connaissances lors de sa visite à Rome, et, quand elle séduit Marc Antoine, elle est une partenaire à sa hauteur, aussi bien dans leur relation intime que lors de consultations sur les questions des impôts, de la nourriture du peuple, de la formation militaire ou de la diplomatie égypto-romaine. Et Marc Antoine partage volontiers avec elle la vie qu'elle mène. La débauche de luxe de sa cour lui plaît, à lui, le soldat qui a connu la privation. Cléopâtre lui donne en outre des enfants : des jumeaux, Alexandre Hélios et Cléopâtre Sélène, et un fils, Ptolémée. Antoine est comblé et il se laisse aller à commettre l'erreur de sa vie : il oublie Rome. Rome, en revanche, ne l'oublie pas. On le blâme, lui qui délaisse les affaires de l'État, qui est l'esclave d'une Égyptienne dont il gâte les enfants avec les butins des provinces péniblement conquises. Les courageux soldats romains sont-ils morts pour le seul bien-être de ces petits étrangers ? Cette question apporte des arguments aux détracteurs politiques d'Antoine. Ses corégents du triumvirat, notamment Octave, héritier et fils adoptif de César, critiquent publiquement le valet du royaume de Ptolémée. Octave et Marc Antoine tentent une dernière fois de se réconcilier et de faire cause commune. À la mort de sa première femme, Antoine, le Romain infidèle, retourne enfin dans sa capitale pour se marier avec la sœur d'Octave. Mais

■ Nez droit et long, menton prognathe. Effigie de Marc Antoine sur une pièce de monnaie.

■ Hollywood, véritable usine à rêves, laisse rarement passer une histoire d'amour, de passion et de pouvoir. Richard Burton en Marc Antoine et Liz Taylor en reine égyptienne dans le film *Cléopâtre*, de Joseph L. Mankiewicz en 1963.

leur union ne dure guère. Antoine devrait alors rester à Rome, mais il ne peut se résoudre à vivre loin de la reine d'Égypte et de son cœur, Cléopâtre. Il retourne auprès d'elle et entreprend une guerre malheureuse contre ses anciens partenaires, puis une autre, tout aussi déplorable, contre les Arméniens, pour finalement, en dépit des pertes importantes, fêter ses victoires dans le faste à Alexandrie. Octave l'abandonne. Il le relève de ses pouvoirs à Rome et déclare la guerre à l'Égypte. La bataille navale d'Actium, en 31 avant J.-C., que, selon les sources antiques, Antoine livre à la demande pressante de Cléopâtre, est pour ce dernier une défaite désastreuse. Abandonné par les dieux de la guerre et peut-être même par sa reine, il choisit la mort et s'empale sur son épée.

Cléopâtre recherche-t-elle une entente avec Octave ? D'aucuns prétendent qu'elle s'est déjà tournée vers le futur empereur Auguste avant la bataille et qu'elle a trahi Antoine, thèse étayée par l'abandon, en pleine bataille, de celui-ci par sa flotte. Il n'en reste pas moins que Cléopâtre se suicide : elle se fait mordre par deux serpents auxquels elle présente sa poitrine nue.

■ Quelques jours seulement après le suicide de Marc Antoine, Cléopâtre présente sa poitrine nue à deux serpents et meurt de leur morsure. La connotation sexuelle de la scène est évidente. *La Mort de Cléopâtre*, de Giampietrino, première moitié du XVIe siècle.

Dans la pièce de Shakespeare, Cléopâtre pose la main sur sa poitrine nue et dit :
« *Il me semble entendre l'appel d'Antoine : je le vois se lever pour saluer mon geste noble. J'arrive, mon époux.* »

ANTOINE ET CLÉOPÂTRE

HISTORIQUE

Cléopâtre VII fut la dernière reine de la dynastie des Ptolémées, qui régna sur l'Égypte conquise par Alexandre le Grand, de 323 à 307 avant Jésus-Christ. Les occupants vivaient principalement à Alexandrie, qui, avec son immense bibliothèque, était le centre spirituel de la Méditerranée orientale. Cléopâtre est née à Alexandrie en 69 avant notre ère. Elle monte sur le trône en 51 avec son frère et époux Ptolémée XIII. Ce dernier la chasse d'Égypte et elle se réfugie auprès de César, dont elle devient la maîtresse. Elle assume la régence de l'Égypte avec le soutien de César après l'assassinat de son frère en 47. Elle vit à Rome jusqu'à l'exécution de César en 44, puis se réfugie à Alexandrie après le changement de pouvoir. Dans le chaos de la guerre civile, le deuxième triumvirat, avec Marc Antoine, Octave (le futur empereur Auguste) et Lépide, prend entre-temps le pouvoir à Rome. Marc Antoine, né en 82, a mené une carrière militaire sous Jules César et atteint la fonction de consul. Commandant en chef expérimenté, il vainc les meurtriers de César à l'issue de deux batailles près de Philippes, en 42. Il rencontre Cléopâtre pour la première fois en 41, à Tarsus (en Turquie actuelle), où elle doit justifier devant lui, le plénipotentiaire de Rome, sa neutralité dans la guerre civile. Il réussit non seulement à en faire son alliée, mais également à la

conquérir sur le plan amoureux, et ils retournent ensemble en Égypte. Dans les années qui suivent, Cléopâtre donne deux fils et une fille à Antoine. Pourtant, il doit rentrer à Rome en 40 et épouser Octavie, la sœur d'Octave, pour sceller son pacte avec ce dernier. Mais cette union s'avère un échec, et Antoine se marie avec Cléopâtre, en 37. Octave lui déclare alors la guerre. Les troupes d'Antoine perdent la bataille navale d'Actium (pointe sur le golfe d'Arta), en septembre 31. Antoine se suicide quand la conquête d'Alexandrie par Octave, en août 30, devient inévitable. Quelques jours plus tard, Cléopâtre le suit dans la mort. Il n'a pas été possible d'établir si elle se fit réellement mordre par un aspic ou si elle ingéra un poison.

 ET...

À lire :

Œuvres complètes, de William Shakespeare, Robert Laffont, Paris, 2002.

Cléopâtre, de Pierre Daix, Paris, Mengès, 1981.

Antoine et Cléopâtre : la Fin d'un rêve, de Paul M. Martin, Éditions Complexe, Paris, 1995.

À voir :

Cléopâtre, de Joseph L. Mankiewicz, avec Elizabeth Taylor, Richard Burton et Rex Harrison, États-Unis, 1963.

✴ L'AVIS DE L'AUTEUR

Le Romain et l'Égyptienne forment un couple fondamentalement belliqueux, non seulement au vu des nombreuses batailles navales et intrigues fatales auxquelles ils ont été mêlés, mais aussi à cause de leurs tempéraments explosifs, qui les ont tour à tour jetés dans les bras l'un de l'autre et plongés dans des crises.

Abélard et Héloïse

« *Les plaisirs amoureux qu'ensemble nous avons goûtés
ont pour moi tant de douceur que je ne parviens pas
à les détester, ni même à les chasser de mon souvenir.
Où que je me tourne, ils se présentent à mes yeux
et éveillent mes désirs. Leur illusion n'épargne pas mon
sommeil. Au cours même des solennités de la messe,
où la prière devrait être plus pure encore, des images
obscènes assaillent ma pauvre âme et l'occupent
bien plus que l'office.* »

La femme qui s'exprime ainsi est nonne et abbesse, et l'homme à qui elle est destinée est moine et abbé. Il est en outre philosophe, théologien et professeur de renom. Elle, femme érudite de son époque, a été son élève.

Pierre Abélard, ou Petrus Abaelardus, est né en 1079 dans les environs de Nantes. Il se sent de bonne heure attiré vers les sciences et est surtout préoccupé par le débat autour du langage : de quelle façon nous, les êtres humains, parvenons-nous à la conscience du monde qui nous entoure ? Ne devons-nous pas faire la distinction entre les noms que nous donnons aux choses et les choses elles-mêmes ? Et les termes génériques qui associent des groupes ou des catégories entières de phénomènes correspondent-ils à quelque chose de réel ou ne sont-ils que des mots, des pense-bêtes, des abstractions ? Les réalités singulières ne sont-elles pas les seules qui existent effectivement ? Roscelin, le professeur d'Abélard, fondateur de la doctrine dite du nominalisme, partage cet avis. L'école des réalistes, menée par Champeaux, est d'un avis contraire : ceux-ci accordent aux notions générales une

■ Un amour vivace.
Le philosophe et théologien
Pierre Abélard (1079-1142)…

■ … et sa belle et intelligente
élève, Héloïse (1101-1164).

existence réelle – elles trouveraient leur fondement dans les choses et s'imposeraient à l'esprit comme une réalité. Abélard, fidèle élève de Roscelin, s'oppose à Champeaux et aux réalistes dans la « querelle des universaux ». Il ne se contente pas de répéter les propos de son professeur, mais se forge sa propre opinion.

Et, en orateur captivant, grâce à ses explications imagées, il draine vers ses cours parisiens un flux d'étudiants qui l'écoutent avec enthousiasme, ce qui a le don d'exaspérer Champeaux et ses élèves.

La « querelle des universaux », débat entre nominalisme et réalisme, enflamma le monde universitaire. Abélard se révéla fougueux et se querellait à l'envi sur tous les fronts.

Il est étonnant aujourd'hui que les esprits aient pu s'échauffer autour de la question de l'état et de la portée des termes génériques au point de diviser les universités et de tenir le monde intellectuel en haleine. Pour saisir l'enjeu de ce débat, il faut se replacer dans le contexte de cette époque où toute question de connaissance théorique est simultanément une question théologique, dans laquelle intervient la relation entre Dieu et les hommes. Ces débats théologico-philosophiques touchent personnellement les individus, qui sont alors profondément religieux. Avoir raison n'est pas au cœur de la question, comme on le voit aujourd'hui dans les débats scientifiques, mais signifie être plus près de Dieu et joue donc un rôle sur l'équilibre et la paix spirituelle de l'individu. Naturellement, seuls les érudits sont concernés par cette vaste recherche. Le paysan dans son champ prie dans sa langue

■ Abélard est un penseur fascinant et un orateur captivant. La passion qui l'unit à Héloïse se déclare lors de leurs escapades communes dans les sphères spirituelles. *Abélard*, gravure sur métal, vers 1840.

maternelle et ne perçoit pas le moindre écho de ces débats entre lettrés qui s'interpellent en latin. Ne sachant ni lire ni écrire, les femmes se contentent de considérer Dieu comme un être bon, et elles se tiennent généralement à l'écart de ces querelles. Mais il y a des exceptions.

Héloïse, une jeune Parisienne d'une beauté et d'une intelligence extraordinaires, est de ces exceptions. Elle a été élevée par son oncle, le chanoine parisien Fulbert, si fier de l'admiration qui entoure sa nièce qu'il veut lui donner comme précepteur le philosophe le plus intéressant et le plus réputé de Paris : Pierre Abélard. D'aucuns prétendent même que Abélard serait tombé amoureux de la jeune fille un jour où il l'aurait aperçue, et qu'il se serait lui-même imposé à Fulbert. Quoi qu'il en soit, Abélard vient habiter sous le toit de Fulbert.

Dans le cabinet de travail d'Héloïse, élève et professeur se penchent sur les mêmes livres et les mêmes études, mais pour aussitôt relever la tête et se regarder dans les yeux. Que l'on ne croie surtout pas que le savant de trente-huit ans, au fait des choses de la vie, ait pu forcer la jeune fille de dix-huit ans et la séduire ! Celle-ci le surprend par sa maîtrise remarquable du latin, du grec et de l'hébreu, ainsi que par son ouverture d'esprit pour les questions philosophiques. Il considère avec grand respect cette jeune femme extrêmement intelligente et instruite, et il n'a de cesse d'élargir encore ses connaissances et de les ordonner. Dans un premier temps, leur relation est purement spirituelle, puis ils connaissent la chance extraordinaire de la

■ Pierre Abélard visite son épouse dans sa cellule de Nogent. Gravure sur bois du XIXe siècle.

révélation d'une passion tant physique que spirituelle, de l'union de la philosophie et de l'érotisme. Quand pour la première fois ils tendent les mains l'un vers l'autre, ils sentent à travers leur désir le ravissement d'une symbiose indescriptible, par le contact de leur peau, certes, mais aussi par celui de leurs pensées. Leur volupté est décuplée par leur affinité spirituelle, et leur soif de connaissances par la satisfaction de leurs sens. Leur amour est enivrant et extatique, ils en oublient toute précaution. Abélard est contraint de quitter la maison dès que la vérité éclate sur ses relations avec Héloïse. Mais elle est enceinte et Abélard l'installe chez sa

« *Nous avions pendant les leçons tout notre temps pour notre amour. Les livres ouverts sur la table, questions et réponses se pressaient dès lors que l'amour était le thème choisi, et elles tenaient davantage du baiser que du langage. Ma main s'attardait plus souvent sur sa poitrine que sur les livres et nous lisions avec davantage de désir dans les yeux de l'autre que dans les textes scientifiques. Nous avons connu, dans notre concupiscence, tous les degrés de l'amour, nous avons enrichi nos jeux amoureux de toutes les stimulations que nous inspirait notre plaisir inventif. Nous connaissions des plaisirs que nous n'avions, jusqu'ici, jamais goûtés et les savourions maintenant insatiablement dans un abandon ardent.* »

sœur, où elle met au monde un garçon, Petrus Astrolabius. Fulbert profère les pires malédictions contre Abélard. Le couple se marie dans le plus grand secret et souhaite désormais vivre

■ Rarement deux amants ont été séparés de façon aussi brutale et définitive qu'Abélard et Héloïse. Après l'émasculation d'Abélard, le couple entre dans les ordres. Leur relation ne connaîtra aucune interruption. Cette gravure sur bois montre Abélard amenant sa femme, Héloïse, au Paraclet, à Nogent.

■ Réunis dans la tombe. Les ossements d'Abélard et d'Héloïse reposent depuis 1817 au cimetière du Père-Lachaise, à Paris. Beaucoup de couples font aujourd'hui encore un pèlerinage sur la tombe de ces illustres amoureux. (Détail de leur tombe.)

■ Tombe d'Abélard et d'Héloïse, au cimetière parisien du Père-Lachaise.

retiré du monde. Peu à peu, Fulbert envisage de pardonner, mais il ne peut se contraindre à oublier l'humiliation subie à travers sa chère Héloïse. Il poursuit le couple et continue à le menacer. Abélard confie sa femme à un couvent et tente de calmer l'oncle irascible. Mais « son amertume était telle qu'il voulait ma perte. Mon valet se laissa corrompre et conduisit une nuit ses valets à ma chambre. Et ils se vengèrent de façon si abjecte et si cruelle que le monde en fut saisi d'effroi : ils tranchèrent de mon corps les organes avec lesquels je l'avais offensée. » Fulbert fait émasculer Abélard. Jamais des amants n'ont été séparés de manière si horrible et si définitive.

Il ne reste plus au couple qu'à entrer dans le clergé. Héloïse prend le voile au couvent d'Argenteuil, puis elle devient abbesse au Paraclet, près de Nogent-sur-Seine. Abélard fonde son propre ermitage et deviendra, plus tard, abbé de Saint-Denis. Philosophie et foi sont leur seule consolation et emplissent toute leur vie, même si la douleur de leur amour perdu ne s'éteint jamais, du moins chez Héloïse. Abélard se jette de nouveau dans le combat autour du nominalisme et du réalisme. Le débat est animé. Ses détracteurs veulent lui ôter le droit de faire connaître sa pensée et son livre, *De unitate et trinitate,* est brûlé. Cependant, il trouve de nouvelles occasions pour enseigner et publier des essais, mais le pape finit par condamner ses enseignements au concile de Sens, en 1140. Le lien qui unit Abélard à Héloïse ne se dénoue jamais, comme en témoigne leur abondante correspondance. Abélard meurt à soixante-deux ans, dans son couvent, et Héloïse le suit dans la mort vingt-deux ans plus tard. Leurs dépouilles reposent côte à côte au cimetière parisien du Père-Lachaise.

ABÉLARD ET HÉLOÏSE

HISTORIQUE

Pierre Abélard, en latin Petrus Abaelardus, est né en Bretagne, près de Nantes, en 1079. Il fut l'un des plus importants philosophes du Moyen Âge. Ses écrits ont fortement influencé Thomas d'Aquin (1224-1274). À la fin de ses études, en 1123, Abélard occupe la chaire de dialectique et de théologie au collège de la cathédrale de Paris. Il est, en outre, le précepteur d'Héloïse, née en 1101 de parents inconnus, et lui enseigne les beaux-arts. Enceinte d'Abélard en 1117, Héloïse met un petit garçon au monde. Le couple se marie en secret, mais l'oncle d'Héloïse envoie de nuit ses serviteurs chez Abélard avec ordre de l'émasculer pour laver l'affront fait à sa nièce. Héloïse se réfugie alors au couvent des Bénédictines d'Argenteuil, où elle sera prieure jusqu'en 1129. Elle se révèle fort originale pour son époque dans sa pensée théologique, comme en témoignent les lettres et écrits transmis par Abélard. Accusé d'hérésie en 1121, celui-ci se retire près de Nogent-sur-Seine, où il fonde une maison du culte, le Paraclet, et s'entoure de nombreux partisans. Une nouvelle fois menacé par l'Église d'être poursuivi pour hérésie en 1140, il accepte d'entrer au couvent de Saint-Gildas-de-Rhuis, où il occupe les fonctions d'abbé. Héloïse hérite alors du Paraclet, où, avec une partie des nonnes du couvent d'Argenteuil qui a été dissous, elle fonde un couvent de nonnes. En tant qu'abbesse, elle rédige, au cours des années suivantes, une observance qui répond aux besoins des femmes. Le courrier intime transmis par Abélard date de cette époque. Abélard meurt au couvent de Cluny le 21 avril 1142. Héloïse le suit dans la mort vingt-deux ans plus tard, le 15 mai 1164. Les deux amants sont d'abord enterrés côte à côte au Paraclet, puis leurs ossements sont transférés en 1817 au cimetière parisien du Père-Lachaise. Leur tombe attire aujourd'hui encore de nombreux amoureux.

ET...

À lire :
Héloïse et Abélard, de Régine Pernoud, Paris, 1993.

À visiter :
La tombe d'Abélard et d'Héloïse au cimetière du Père-Lachaise, à Paris.
Une plaque commémorative évoque Abélard à l'emplacement de l'ancien Collège de Notre-Dame, au Quartier latin, à Paris.

L'AVIS DE L'AUTEUR

Rarement un couple a été séparé de manière plus cruelle que ne le furent le théologien et son élève, ainsi punis de leurs relations. Ces amoureux du XIIᵉ siècle resteront pour l'éternité un symbole de l'union de l'esprit et du corps dans l'amour.

Tristan et Iseult

« *Et quand la jeune fille et l'homme, Tristan et Iseult,
eurent bu du philtre d'amour, l'émoi du monde
se manifesta aussitôt, l'amour qui nous guette tous,
et il s'insinua dans les cœurs de Tristan et Iseult.
Avant même qu'ils n'en aient eu conscience, il avait
hissé son étendard et s'était emparé d'eux.* »

Gottfried de Strasbourg a écrit ces vers, il y a plus de huit cents ans. Ce ne sont que quelques-uns des 19 548 vers par lesquels le poète raconte la vieille légende celte de Tristan et Iseult, de leur amour, de la force de cet amour, de sa puissance magique

■ « Oubliée la bonne boisson/Je te bois sans faillir. » Tristan et Iseult, le mythe de la puissance invincible de l'amour. Le philtre d'amour fait des deux amoureux des victimes innocentes de leur passion. Lithographie en couleurs illustrant l'opéra de Richard Wagner *Tristan et Iseult*.

supérieure à la raison et à la volonté : quiconque goûte du philtre est ensorcelé aussi longtemps que se manifestent ses pouvoirs. L'amour réalise des miracles : il unit des êtres que leurs origines et leurs destinées séparaient pourtant irrémédiablement.

Tristan, le neveu de Marc de Cornouaille, vainc et tue le roi d'Irlande, dont Iseult est une proche parente. Dans cette guerre, le jeune homme et la jeune fille sont donc des adversaires. Heureusement, la paix est enfin conclue, mais elle dresse un nouveau tabou, crée une nouvelle faille que Tristan et Iseult n'ont pas le droit de franchir : le roi Marc demande la main de la Blonde d'Irlande et Tristan est chargé de lui amener sa fiancée. Et, s'il est un homme qui n'a pas le droit de poser la main sur elle, c'est bien lui, qui doit l'escorter jusqu'à son futur mari.

Or, sur le bateau qui mène Iseult en Cornouaille, où Marc l'attend pour faire d'elle une reine, les deux jeunes gens tombent amoureux l'un de l'autre. Selon la légende, Iseult aurait donné subrepticement un

■ Richard Wagner (1813-1883) traduit l'amour passionnel par une musique enivrante et provocante. Ludwig von Carolsfeld et son épouse, Malwina, interprètent les rôles principaux lors de la première de *Tristan et Iseult*, à Munich, le 10 juin 1865.

philtre d'amour à Tristan, ou peut-être est-ce le contraire, ou encore, comme le prétendent d'autres versions, peut-être la vieille servante a-t-elle laissé le breuvage, par négligence ou volontairement, à portée de main du couple.

Les jeunes gens boivent la coupe pour, désormais, ne plus se quitter des yeux et ne desserrer leur étreinte qu'à contrecœur. Le langage du peuple, des ménestrels et de Gottfried de Strasbourg ont trouvé une magnifique métaphore pour la passion : le philtre magique délivre les amoureux de toute culpabilité, il les tient sous son charme et les pousse à s'étreindre, même s'ils ont conscience de ne pas être destinés l'un à l'autre. Et pourtant, ils le sont. Deux types de morales, deux systèmes de valeurs s'opposent et restent alors figés dans leur intransigeante adversité : les règles du monde extérieur, selon lesquelles toute promesse doit être tenue, et la loi de l'amour, qui veut que soit écarté tout ce qui sépare ceux que le philtre réunit. Ne peut comprendre que celui qui a connu l'amour fou, pour lequel rien n'importe vraiment, si ce n'est être ensemble.

■ À l'encontre de la volonté et de la raison, l'amour réunit des jeunes gens que leurs origines et leurs destinées séparent irrémédiablement. Tristan (Wolfgang Schmidt) et Iseult (Sabine Hass) lors d'une représentation parisienne à l'opéra Bastille en février 1998.

Les amoureux doivent cependant se conformer au monde extérieur. La Blonde épouse donc Marc et tente de jouer son rôle de reine à ses côtés. Mais, la nuit, elle rejoint son amant. Rencontres furtives et chuchotements finissent par attirer l'attention. Le couple est découvert et le roi mis au courant de cet affront. Tristan est condamné au bûcher. Réussissant toutefois à s'évader, il rejoint Iseult, que le roi a répudiée, dans la forêt sauvage. Commence alors pour eux une dure vie errante entièrement consacrée à leur amour, jusqu'à ce que leur chemin croise une nouvelle fois celui du roi Marc. Iseult fait preuve d'une grande habileté et convainc son mari de son innocence. Les époux font la paix et elle retourne au château royal. Il ne reste plus à Tristan qu'à quitter le pays. Les amants séparés trouveront-ils un jour l'apaisement ? Hélas, jamais. Iseult ne connaîtra plus la joie de vivre. Fidèle, elle vouera sa vie, jusqu'à son dernier souffle, à sa passion. Tristan erre tristement. En Bretagne, il rencontre des camarades, rend coup pour coup dans des bagarres et gagne le cœur d'une jeune fille qui porte le même prénom que sa bien-aimée : Iseult aux Blanches Mains. Ainsi se termine l'épopée, selon Gottfried. D'autres poètes racontent pourtant qu'il ne sera pas donné à Tristan de connaître encore le bonheur. Sa fidélité à Iseult la Blonde l'empêche de consommer son mariage avec l'autre Iseult. Il se rend une dernière fois à la cour du roi Marc pour y voir sa bien-aimée, puis meurt d'épuisement et de chagrin. Iseult la Blonde accourt et se blottit dans les bras du défunt, puis elle rend son dernier soupir.

Jugements divins, démons, sorcières et philtres existent encore, rendant d'autant plus inéluctable la toute-puissance de Cupidon. Nous savons maintenant que nous concoctons nous-mêmes, dans nos veines, l'élixir d'amour, nous connaissons les hormones et les endorphines, mais nous avons pourtant toujours le sentiment, quand la passion nous tient, que quelque chose a changé en nous. Tristan et Iseult sont immortels parce que nous apprécions le symbole de leur hymen, le philtre d'amour, plus que n'importe quelle explication physiologique. Cette mort par amour, le non-accomplissement dans l'accomplissement, le drame de la trahison et de la séparation, tout cela rend cette histoire médiévale très émouvante, et a, de tout temps, inspiré les poètes. On peut citer *Tristan*, la nouvelle de Thomas Mann, et l'opéra dans lequel Richard Wagner, fustigé par ses contemporains, a mis en scène le couple le plus célèbre du cycle du roi Arthur. Cette œuvre, scénario et musique, fit scandale. Que dire de cette scène d'amour d'une bonne heure

■ L'inévitable mort par amour. L'amour doit se conformer aux lois de la société. Iseult retourne auprès du roi Marc, son mari, et Tristan erre dès lors sans répit. Il meurt, épuisé et le cœur brisé, Iseult à ses côtés. *The Madness of Sir Tristram* (La folie de sir Tristram) (1862), de Edward Burne-Jones (1833-1898).

■ Gottfried de Strasbourg écrivit vers 1200 l'éternelle légende des amoureux éperdus. Pendant la traversée vers la Cornouaille, Tristan et Iseult boivent le philtre d'amour destiné à Iseult et au roi Marc. Fresque murale du XVe siècle réalisée en argile verte.

sur la scène ? Et de toutes ces notes qui bientôt résonnèrent dans nombre de maisons bourgeoises, au risque de les voir s'immiscer parmi les innocentes études pour pianos sensées participer à la culture de la jeunesse ? Wagner fut le premier à mettre en musique l'amour physique, sans ambiguïté, et à le représenter sur scène. Cette œuvre, dans laquelle Tristan et Iseult s'unissent en un interminable conciliabule amoureux, en est la démonstration la plus claire et la plus provocante. La musique, qui porte les mots du désir mutuel de Tristan et Iseult – « Oh, que descende maintenant la nuit de l'amour » –, transporte aussitôt l'auditeur dans l'obscurité de la nuit d'amour. La musique ouvre les portes de l'amour. « Fais que j'oublie que je vis ; prends-moi sur tes genoux, détache-moi du monde. » Le philtre d'amour est évoqué en accords qui chantent le désir, en une extase interdite qui se moque de tout. C'est également cela qui a fait la renommée de Tristan et Iseult : ils ont fait fi de toutes les formes de l'adversité pour accomplir ce que le philtre – ou leur sentiment – leur a inspiré.

TRISTAN ET ISEULT

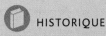 HISTORIQUE

L'origine de la légende médiévale celtique, sans doute bretonne, de Tristan et Iseult ne nous est pas connue avec certitude. *Estoire*, texte écrit en français après 1150, est généralement considéré comme la plus ancienne version connue de cette tragédie. L'œuvre comprend déjà les trois éléments que l'on retrouve dans toutes les versions ultérieures. Dans l'aventure dite de Morhold, Tristan, blessé, est soigné, après la mort en Irlande de son ennemi Morhold, par la nièce de ce dernier, qui est versée dans les sciences de la médecine. La deuxième partie relate l'histoire de l'infidélité proprement dite, sa découverte, la condamnation d'Iseult et la fuite du couple. En épilogue de la version originale, Iseult retourne auprès du roi Marc, et Tristan se marie en France avec une femme appelée Iseult aux Blanches Mains. Grièvement blessé, il demande alors que sa bien-aimée lui vienne en aide, mais sa femme, jalouse, lui fait croire qu'Iseult est morte. Tristan meurt. Iseult arrive trop tard pour le sauver, et rend son dernier souffle, le cœur brisé, à côté du lit de mort de son amant. La version la plus remarquable qui nous est parvenue du Moyen Âge, quoique inachevée, est celle que Gottfried de Strasbourg a écrite au début du XIIIe siècle. La symbolique de l'amour y est encore davantage mise en exergue. Tristan ne se marie pas avec Iseult aux Blanches Mains, et Tristan et Iseult ne sont pas réunis dans la mort, mais pour toujours séparés physiquement. Le couple souffre énormément de cet impossible amour. De très nombreuses versions datant de la fin du Moyen Âge ont eu cours dans tous les pays européens, puis le thème a connu une nouvelle vogue au début du XIXe siècle. Dans son opéra, Wagner ne reprend que les éléments les plus importants pour la tragédie : l'échange involontaire des philtres de mort et d'amour, la consommation de l'infidélité et sa découverte, l'union dans la mort des amoureux. Cet opéra écrit entre 1857 et 1859 fut considéré comme impossible à jouer sur scène et les répétitions furent interrompues. Il fallut toute l'influence du roi Louis II de Bavière pour que la première puisse avoir lieu à Munich, en 1865. *Tristan et Iseult,* joué pour la première fois en 1886 à Bayreuth, appartient aujourd'hui encore au répertoire de ce Festival.

 ET...

À lire :
Tristan et Iseult, adaptation de Louis René, Au sans pareil, Paris, 1996.

À voir :
Tristan et Iseult, d'Yvan Lagrange, France, 1972.

À écouter :
Tristan et Iseult, drame lyrique en trois actes de Richard Wagner.

✳ L'AVIS DE L'AUTEUR

Les obstacles ne font que renforcer cet amour. Courage et détermination s'amplifient, mais, le danger de se considérer comme coupable et de rendre les autres malheureux, pour, finalement, forcer le destin et son châtiment, croît également.

Siegmund et Sieglinde

« *Tu es le printemps*
Que j'appelais de mes vœux
Dans le froid de l'hiver.
Mon cœur te saluait
Dans l'horreur sacrée
Quand ton regard me fit m'épanouir. »

■ « Tu es l'image que j'abritais en moi. » *Sieglinde*, lithographie en couleur de Karl Emil Doepler.

Dans l'opéra de Wagner, *La Walkyrie*, Siegmund et Sieglinde occupent le devant de la scène, alors que dans la *Chanson des Nibelungen*, ils n'apparaissent qu'en tant que parents de Siegfried. Fort sagement, ils exigent de celui-ci qu'il s'équipe au mieux pour son dangereux voyage à la quête d'une femme. Au début de cette épopée, ils sont de respectables personnages et leur passion interdite s'est apaisée. Chez Richard Wagner, en revanche, ils sont encore jeunes et sous l'empire de leur « amour dès le premier regard ». Tous les amoureux aimeraient éprouver ce sentiment de récognition.

Sieglinde se languit aux côtés de Hagen, être rude et ténébreux, quand Siegmund, blessé, arrive fortuitement chez elle. C'est le hasard, une décision de la providence. Hagen absent, Sieglinde peut chercher du réconfort auprès de cet étranger. Ils se dévorent du regard. « Tu es le printemps… » chante bientôt Sieglinde. Ils se sentent submergés par le bonheur et la surprise, et ne peuvent se quitter des yeux, car chacun renvoie à l'autre « sa propre image ». Ils savent qu'ils se sont déjà vus quelque part, et cette sensation s'impose précisément à leur mémoire : ils se connaissent, ils ont déjà été intimes.

Les amoureux formulent trois vœux : que leur sentiment ait déjà existé, qu'il existe et qu'il continue à exister pour l'éternité. Cette ambition se manifeste avec force en eux, et leur désir d'accomplissement est irrépressible. Certes, personne ne peut prédire leur avenir, mais le présent leur est assuré, ainsi que le passé : Siegmund et Sieglinde ont toujours formé un couple parce qu'ils sont jumeaux.

Ils le pressentent peut-être, mais ils n'en ont pas la certitude. Ils ont été séparés alors qu'ils étaient encore enfants. Un soir, en rentrant de la chasse, leur père avait trouvé la maison incendiée, sa femme avait été tuée et Sieglinde enlevée. Et voilà que sonnait maintenant l'heure des retrouvailles. Le sentiment de proximité qu'ils éprouvent donne lentement naissance au doute, le doute devient supposition, puis certitude enivrante, et même davantage : désir de s'unir.

La récognition, qui provoque si souvent la stupéfaction des amoureux, s'impose comme une évidence pour ce couple de frère et sœur. L'atmosphère érotique peut s'installer, du fait qu'ils ont grandi loin l'un de l'autre, mais aussi parce qu'ils

■ L'amour sous la forme de la récognition. Siegmund et Sieglinde ont toujours formé un couple parce qu'ils sont jumeaux. *Siegmund et Sieglinde*, lithographie en couleur, 1895, collection de petites images de la série « La Walkyrie de Wagner », proposée par la société Liebig.

« *Tu es l'image que j'abritais en moi* », chante Siegmund. Sieglinde répond : « *Ô silence ! Laisse-moi/ écouter attentivement la voix :/ il me semble que j'entends sa sonorité comme enfant.* »

■ La force envoûtante
de la virilité. *Siegmund
et Sieglinde,* carte postale
de la série « La Walkyrie »,
1902.

ignorent être parents. Ils peuvent ainsi savourer, en toute innocence, leurs ressemblances, leur langage, leurs regards fami-
liers, et jouir de leurs retrouvailles. Même la certitude d'appartenir tous deux à la famille des Wälse ne pourra, plus tard,
empêcher leur union. L'attirance est déjà trop forte, et rien ne
peut plus les retenir.
« Épanouis-toi, sang des
Wälse », chante Sieg-
mund, brûlant de désir,
en attirant Sieglinde à
lui. Le rideau tombe sur
cette scène.

Wagner est, au XIXe siècle, le spécialiste de l'érotisme en musique de
théâtre. Dans *La Walky-
rie,* le deuxième ouvrage
de *L'Anneau du Nibe-
lung – La Tétralogie –*
qui fut représenté pour la
première fois en 1870,
Wagner écrit le morceau
musical le plus envoûtant
que l'on puisse imaginer,
et la forte impression
qu'il laisse est durable.

■ La force envoûtante
de la virilité. *Siegmund
et Sieglinde,* carte postale
de la série « La Walkyrie »,
1902.

L'amour recherche-t-il la
similitude ou se nourrit-il
mieux des contraires ? Le
fameux « sentiment de
récognition » peut exis-
ter dans les deux hypo-
thèses : une attirance
peut s'exercer entre deux
êtres bien que tout sem-
ble devoir les séparer.
L'amour s'épanouit et se
nourrit autant du renou-
veau que de ce qui a toujours existé.

Siegmund et Sieglinde s'étreignent quand le rideau tombe, bien
qu'elle soit mariée avec Hagen et que Siegmund cherche à

échapper à un ennemi – qui se révélera être Hagen. Les amoureux courent un grand danger et ils ne disposent que de peu de temps. Mais Wagner puise son inspiration dramatique dans une légende médiévale qui fait intervenir les dieux dans la vie des hommes, à la différence de Shakespeare, qui laisse ses héros Roméo et Juliette vivre une passion et un drame de dimension proprement humaine. Ici, le père de Sieglinde et Siegmund n'est autre que Wotan, le Père des dieux en personne. Il veut sauver son fils, mais Fricka, la Mère des dieux, qui, en tant que protectrice des couples, est du côté de Hagen, s'y oppose. Siegmund est tué par Hagen à l'issue d'un combat. Sieglinde, qui aimerait le suivre dans la mort, doit encore « respirer l'air terrestre », car elle porte un enfant, Siegfried, le héros, et elle doit continuer à vivre pour le mettre au monde.

Avec *Wälsungenblut*, Thomas Mann écrivit une nouvelle sur les amours fraternelles fortement inspirée de Wagner. Dans une œuvre ultérieure, *L'Élu*, un roman relatant l'histoire du pape Grégoire, l'enfant d'un couple de jumeaux hérite du lourd péché de ses parents, l'expie et obtient ainsi leur grâce.
Sur un magnifique ton antique, et avec une sympathie non dissimulée à l'égard des briseurs de tabous, Thomas Mann y décrit la relation incestueuse entre ces jumeaux à la beauté envoûtante. Robert Musil a également intégré un épisode des *Wälsungen* dans *L'Homme sans qualités* : son héros, plutôt prude, ressent son premier émoi quand il rencontre sa sœur.

Au cours des siècles, les épopées et les légendes sont rapportées sous différentes versions. Dans la *Chanson des Nibelungen*, œuvre composée vers 1200 par un auteur inconnu, Siegmund et Sieglinde forment un couple royal riche et épanoui qui participe à une fête à Xanten, au bord du Rhin. Leur fils, Siegfried, devenu adulte, demande en mariage une magnifique jeune fille, Kriemhild. C'est de la

■ À l'issue d'un combat, Siegmund est tué par Hagen, le rude mari de Sieglinde. *Siegmund, Sieglinde et Hagen*, de Ferdinand Leeke, vers 1895.

■ Les amoureux sont toujours en danger. Mais Sieglinde doit continuer à vivre pour mettre au monde le héros Siegfried, fruit de son amour pour Siegmund. *La Fuite de Sieglinde,* gravure sur bois colorée, d'après un tableau de Ferdinand Leeke.

suite de cette dernière que jaillira plus tard Hagen, plein de haine, qui sera le meurtrier de Siegfried. Kriemhild se remarie avec Etzel, qui n'est autre qu'Attila, et venge dans le sang la mort de son premier mari… Le contexte historique évoque la mort d'Attila, au Ve siècle, et la chute des Burgondes.

Wagner a traité avec une grande liberté le mythe des Nibelungen. C'est ainsi que, dans son œuvre, le frère, brûlant de désir, fait à Sieglinde, splendide créature s'il en est, la déclaration d'amour la plus grandiose de l'histoire de la littérature. Ceci a lieu en l'absence de Sieglinde, mais le public en est témoin. L'émissaire de Wotan, la Walkyrie Brunehilde, qui a donné son nom à l'opéra, vient annoncer à Siegmund qu'il va être admis au Walhalla, lieu où séjournent les guerriers les plus valeureux après leur mort. Siegmund désire alors savoir avec qui il s'y trouvera… « La sœur y est-elle aux côtés du frère comme son épouse ? Siegmund étreint-il Sieglinde ? » Sur la réponse négative de Brunehilde, Siegmund demande alors s'il retrouvera sa sœur au Walhalla et s'il leur sera permis d'y vivre leur amour. Brunehilde ayant répondu non, il renonce au ciel pour sa bien-aimée.

SIEGMUND ET SIEGLINDE

HISTORIQUE

La première version écrite de l'histoire de Siegfried, qui est au cœur de la *Chanson des Nibelungen*, remonte au début du XIIIe siècle. Elle est un mélange de plusieurs versions antérieures. Pour *La Tétralogie*, Wagner se réfère à des passages de l'épopée norvégienne *Völsunga saga*, dont Friedrich de La Motte-Fouqué s'est inspiré, en 1808, pour son poème dramatique *Der Held des Nordens*. Contrairement à l'œuvre allemande *Nibelungenlied*, la saga nordique laisse davantage place, sur le plan littéraire, au couple de jumeaux Siegmund et Sieglinde. Wotan, qui se trouve *incognito* sur la terre sous le nom de Wälse, fonde la famille du même nom et conçoit le couple de jumeaux. Mais ceux-ci sont séparés pendant leur enfance. Des ennemis, les Neidinge, enlèvent Sieglinde. Siegmund grandit sous la protection de Wälse et devient un héros. Sieglinde se retrouve mariée contre son gré à Hagen, un allié des Neidinge. C'est dans la maison de celui-ci que commence *La Walkyrie*.
Le tabou de l'inceste est profondément ancré dans toutes les cultures, les seules exceptions étant chez les classes nobles du Proche-Orient, chez les pharaons et chez les Incas. Ce thème a, de tout temps, exercé une grande fascination sur les écrivains du monde entier. Bien souvent, le conflit est réglé lorsque les amoureux découvrent qu'ils ne sont pas de la même famille. La menace de l'inceste est également souvent écartée, comme dans l'œuvre de Lessing, *Nathan le Sage*, par le couple lui-même, qui découvre à temps son lien de parenté, la liaison amoureuse se changeant alors en amour fraternel qui laisse place à une nouvelle relation. Ce n'est qu'avec l'avènement du romantisme que l'on commence à s'intéresser vraiment à la dimension psychologique de la force d'attraction exceptionnelle – que l'on retrouve également chez Wagner – qui impose aux deux amants cette union fatale. Si l'amour fraternel érotique a autrefois été comparé à un crime qu'il convenait de proscrire, il fut considéré plus tard, par exemple dans l'œuvre de Robert Musil, *L'Homme sans qualités*, comme un amour sans tabous, fatalement prédéterminé par l'égalité entre le frère et la sœur, qui, seuls, peuvent le surmonter.

 ET...

À lire :
Sang réservé, de Thomas Mann, Grasset, Paris, 1990.

À voir :
Les Nibelungen, première partie : *Siegfried*, de Fritz Lang. Allemagne, 1924.

À écouter :
La Walkyrie, de Richard Wagner, par l'orchestre de Bayreuth sous la direction de Pierre Boulez, 2001.

À visiter :
Xanten, sur le Rhin, lieu de résidence de Siegmund et Sieglinde dans la *Chanson des Nibelungen*. Vestiges romains et vieille ville médiévale permettent de reconstituer cette histoire qui s'est déroulée à l'époque charnière entre l'Antiquité et le Moyen Âge.

L'AVIS DE L'AUTEUR

Que l'amour fraternel puisse comporter une certaine part d'attirance érotique est un thème récurrent à fort potentiel de tension dans les arts, mais aussi dans la vie.

Dante et Béatrice

« *Les yeux de Béatrice regardaient comme sous le charme* », chante Dante, qui lui-même ne peut détacher le regard de son visage.

Dante Alighieri s'est toujours senti une âme de poète. Dès son plus jeune âge, il a en tête la trame de son œuvre principale, *La Divine Comédie*. Ce n'est qu'en 1313, alors qu'il est déjà un homme mûr, qu'il commence à l'écrire. Huit ans plus tard, le poème est achevé. Il l'appelle tout simplement *Commedia* – c'est le titre que l'on donne à toutes les histoires dont le dénouement est heureux. Ses admirateurs ultérieurs la qualifient de *divina*, divine.

Ce livre composé de cent chants en 14 233 vers (tercets), est aujourd'hui encore considéré comme l'œuvre littéraire majeure de l'Italie. Nous accompagnons le narrateur, Dante lui-même, dans sa promenade à travers les trois royaumes de l'au-delà : l'Enfer, le Purgatoire et le Paradis. Le pécheur est d'abord guidé par un poète de la Rome ancienne, Virgile, qui personnalise la sagesse.

■ Pour le poète Dante Alighieri (1265-1321), Béatrice est le symbole de l'éternel féminin. *Première rencontre de Dante avec Béatrice au bord de l'Arno à Florence*, de Henry Holiday, lithographie en couleur d'après un tableau, 1861.

Au Purgatoire, l'envoûtante et vertueuse Béatrice lui sert d'escorte et l'amène au Paradis, où elle lui montre le trône de Dieu. En chemin, Dante rencontre un grand nombre de personnages historiques, avec qui il discute longuement et évoque les questions importantes de la théologie et de la philosophie, de la poésie et de la vie. Le pèlerin se voit enfin accorder la grâce. Il lève les yeux vers la divinité et l'impression qu'il ressent est si bouleversante qu'il lui est impossible de la contenir.

> En plus de quatorze mille vers, Dante, éternel amoureux d'une maîtresse fictive dont le cœur bat au travers de sa poésie, chante l'amour, force universelle qui fait tourner le monde et « gravite autour du soleil et des étoiles ».

Dante a rendu Béatrice immortelle, elle qui l'accompagna jusqu'au Paradis, qui fut son confesseur et sa rédemptrice. Cette femme, élevée au rang de déesse, n'est pas un personnage fictif : Dante était réellement tombé amoureux d'une petite fille du voisinage alors qu'il avait neuf ans et elle huit. À Florence, où le poète, fils d'un habitant modeste de cette ville, est né en 1265, les mariages entre enfants sont alors une chose courante, ce qui explique qu'un garçon de neuf ans puisse jeter des regards enflammés sur une petite fille de son âge. Dante lui-même a vraisemblablement été marié à l'âge de douze ans. Non pas avec Béatrice, mais avec une jeune fille du nom de Gemma, qui lui donna plusieurs enfants. De son côté, Béatrice épouse Bardi, un banquier veuf nettement plus âgé qu'elle et dont, d'après les récits, elle ne peut pas satisfaire les inclinations. Dans *La Vita Nuova*, l'œuvre poétique que Dante écrivit dans sa jeunesse, Béatrice tient déjà le rôle principal. Il y raconte comment il l'aperçoit pour la première fois, enfant, vêtue d'une robe rouge, et comment il la revoit à l'âge adulte, jeune femme d'une grande beauté, habillée de blanc, qui le salue avec grâce. Le récit reflète une expérience amoureuse profonde, marquée par le désir, la déception, la dissimulation, l'envie de mourir et la recherche de la sublimation. Bouleversé, l'esprit cherche la délivrance et la trouve dans le recueillement et

■ *Dante*, de Justus von Gent, vers 1476.

■ Dante illumine la ville de Florence avec son livre *La Divine Comédie*. À gauche, l'Enfer, en arrière-plan, le Purgatoire, en haut, le Paradis. Tableau de Domenico de Michelino, 1465. Au Paradis, Béatrice accompagne Dante, elle en est le confesseur et la rédemptrice.

l'extase religieux. Il est pratiquement impensable que Dante ait pu imaginer de tels poèmes d'amour sans en avoir fait l'expérience ici-bas. Nombre d'interprètes affirment toutefois que le poète florentin s'est juste conformé à une convention littéraire très répandue qui permet d'adresser des poèmes à une femme que l'on ne connaît pas – et qui peut-être n'existe pas : il est alors de bon ton pour les troubadours de chanter une dame imaginaire et de l'idéaliser.

Cependant, la vie quotidienne est tout autre : on se querelle avec sa femme, on se dispute et on fait des enfants. Dante lui-même ne vit pas au Paradis, mais à Florence, et, en tant qu'homme politique et soldat, il doit également se consacrer à l'administration et à la défense de sa patrie. Il ne lui reste donc que peu de temps pour un amour spirituel avec la femme d'un banquier. On ne sait d'ailleurs même pas si Dante fut un jour intime avec « sa » Béatrice. Quoi qu'il en soit, ils formèrent un couple dans la littérature, et il est tout à fait concevable que c'est vraiment sa passion secrète que Dante coucha dans les vers de *La Vita Nuova*. On en veut pour preuve l'identification du poète avec son œuvre : il dit « je », écrit en italien et non, comme il est alors d'usage, en latin, et il intègre dans ses chants tous les conflits religieux et politiques qui marquent son époque.

La Béatrice historique, dont on sait peu de choses, est morte en 1290, âgée de vingt-quatre ans seulement. Peut-être sa mort a-t-elle incité Dante à faire sa profession de foi dans *La Vita Nuova*. Mais, même si « Béatrice » n'est qu'un nom collectif pour plusieurs femmes, dont Gemma faisait également partie, ou un terme pour désigner les tempêtes destructrices que déchaîne l'amour dans le cœur d'un homme, elle est toujours restée, pour Dante, l'éternel féminin, qui fait perdre la tête quand elle porte une robe rouge et séduit quand elle est vêtue de blanc. Bien qu'il soit difficile d'imaginer Dante se promenant main dans la main, au bord de l'Arno, avec la « Béatrice » de son œuvre, nous pouvons être sûrs qu'il connut et redouta l'amour, et qu'il l'apprécia également, quelle que soit la compagne alors à ses côtés.

Au seuil du XIVe siècle, Florence n'est pas une bourgade tranquille. Les dynasties guerroient et construisent des tours, pour le prestige autant que pour la défense, comme en témoigne encore la ville voisine de San Gimignano. La violence est quotidienne, et la politique se complique d'intrigues, de meurtres et de renversements. C'est ainsi que Dante se trouve pris dans l'engrenage des changements de pouvoir. Le

■ Béatrice : la femme sublimée en déesse. On ignore si Dante l'a jamais connue intimement. *Dantis Amor* (Amour de Dante), de Dante Gabriel Rossetti, 1860.

poète est banni de sa ville, en 1301, quand les « blancs », la famille et le parti auxquels il appartient, doivent abandonner le pouvoir aux « noirs », après une intervention des Français. Il ne reverra jamais Florence. Il erre à travers toute l'Italie, toujours en fuite, constamment sur le qui-vive. Il s'installe à Vérone, à Ravenne puis à Bologne, pour aussitôt en repartir. Béatrice est constamment présente dans ses pensées, comme un souvenir, une fantasmagorie, une idée. Elle est son guide dans ce périple terrestre, quand bien même elle n'est qu'imaginaire.

■ Dante a-t-il transposé en vers une authentique passion dans *La Vita Nuova* ? *Beata Beatrix*, de Dante Gabriel Rossetti, en 1872, illustre la déclaration d'amour faite vers 1293.

Les pénibles voyages de Dante et son espoir toujours déçu de revoir un jour Florence sont en arrière-plan de ses descentes aux enfers et de ses apogées dans *La Divine Comédie*. De même, certaines rencontres et discussions décrites dans son œuvre sont authentiques. Dante a besoin de calme et d'un gîte pour écrire, et c'est vraisemblablement la raison pour laquelle il s'installe à Ravenne comme professeur de rhétorique et de poésie. Sa femme est restée à Florence, mais ses fils, bannis avec lui, sont souvent à ses côtés. Il meurt en 1321, à Ravenne, trente et un ans après Béatrice.

■ À la fin, le pèlerin se voit accorder la grâce. *L'Image idéale du poète*, fresque de Luca Signorelli, 1500-1504.

Béatrice est une page vierge sur laquelle son admirateur a écrit ses plus beaux vers. Sa gloire est éternelle, tout comme l'est la petite fille du voisinage, qui vit encore sous la forme d'une dame vêtue de blanc dans *La Vita Nuova* et d'une déesse couronnée dans *La Divine Comédie*. Sa vie quotidienne réelle auprès du vieux banquier Bardi nous est presque inconnue, mais cela ne nous aurait sans doute rien apporté. Nous avons d'abord l'impression, en tant qu'observateurs du couple Dante-Béatrice, que l'homme existe réellement comme humain et poète, alors que la femme n'est qu'une figurine sans la moindre trace d'humanité, mais ce n'est pas tout à fait exact : son humanité, c'est Dante qui la lui donne, à travers sa poésie. Quiconque sait lire entre les vers entend battre le cœur de Béatrice.

DANTE ET BÉATRICE

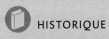

HISTORIQUE

Dante Alighieri n'a laissé de sa vie que peu de témoignages historiques avérés. La plupart des données en notre possession ont été déduites de ses principales œuvres et seules quelques-unes ont fait l'objet d'actes officiels. Beaucoup de documents ont disparu. À la naissance de Dante, en mai ou juin 1265, l'Italie est, en effet, divisée en un grand nombre de cités-États qui se combattent. De brèves périodes de paix entrecoupent les luttes amères entre les différents partis ou familles politiques pour la domination de l'Italie du Nord. Les uns, les guelfes, sont fidèles au pape, les autres, les gibelins, à l'empereur. À Florence, la ville natale de Dante, les guelfes se scindent en deux groupes rivaux, les « blancs » et les « noirs ». C'est au sein des « blancs », opposés au pape, que Dante occupe des responsabilités politiques. En 1302, le pouvoir change de mains et Dante, absent de la ville, est condamné à mort par contumace et contraint à l'exil. La femme qui peut être considérée comme l'origine littéraire de Béatrice est alors morte depuis déjà plus de dix ans. Des indices dans *La Vita Nuova* laissent penser qu'elle est décédée le 9 juin 1290. La première rencontre entre Dante et Bice (le diminutif affectueux de Béatrice), la fille de Folco dei Portinari, a probablement eu lieu le 1er mai 1274. L'existence de Béatrice est attestée par le testament de son père, ainsi que son mariage avec le banquier Simon Bardi, mais il n'est plus possible aujourd'hui de prouver une quelconque liaison entre Dante et elle, comme le prétendit, un siècle plus tard, le poète Boccace. Suivant la coutume de l'époque, Dante est fiancé dès l'âge de douze ans à Gemma Donati. Leur foyer ne prendra réellement corps qu'après 1285 et le couple aura au moins trois garçons et une fille. Banni en 1302, Dante est dès lors constamment en fuite. Il cherche protection auprès de personnages politiques qui lui sont acquis. Henri VII de Luxembourg ayant été couronné à Aix-la-Chapelle, Dante lui écrit trois lettres. Il place tous ses espoirs dans le nouvel empereur, mais celui-ci ne parvient malgré tout pas à conquérir Florence en 1312-1313. Dante refuse de retourner à Florence en 1315, car il lui faudrait reconnaître ses fautes, les expier publiquement et s'acquitter d'une amende. Il jouit alors de la protection de Guido da Polenta, le prince de Ravenne. C'est dans cette ville que Dante meurt le 14 septembre 1321, peu après avoir fini de composer *La Divine Comédie*.

ET...

À lire :
Vita nuova, de Dante Alighieri, Gallimard, Paris, 1999.

La Divine Comédie, de Dante Alighieri, Éditions de la Différence, Paris, 2003.

À voir :
Dantes Inferno, d'Harry Lackmann, avec Spencer Tracy, Claire Trevor, Rita Hayworth, États-Unis, 1935.

À visiter :
Le musée Casa Dante dans la vieille ville de Florence.

L'AVIS DE L'AUTEUR

Une femme peut être simultanément une fantasmagorie, une idée, une déesse et une créature vivante, quand un poète comme Dante la chante.

Roméo et Juliette

« *Les frêles ailes de l'amour me portent.*
Aucune muraille de pierre ne saurait empêcher l'amour.
Et l'amour ose tout ce que tout amour peut. »

Ils osent beaucoup, les amants de Vérone, et même davantage. Ils le paieront de leur vie. Depuis la première de la pièce, en 1595, Roméo et Juliette sont morts en scène un nombre incalculable de fois. Le drame est sans cesse joué et filmé, récemment encore dans une lugubre métropole, et avec le texte de Shakespeare ! Pourquoi le destin de ce couple est-il à ce point fascinant ? Et pourquoi ces personnages destinés à mourir dans la fleur de l'âge sont-ils immortels ?

■ Avec *Roméo et Juliette*, Shakespeare écrit une ode immortelle à l'amour. Quatre siècles après la première représentation de cette tragédie, la version cinématographique tournée en 1996 avec la toute nouvelle star Leonardo DiCaprio en fait un succès du grand écran.

Voyons tout d'abord l'histoire. Deux familles nobles, les Montaigu et les Capulet, vivent dans la discorde à Vérone. La haine qui les oppose est si ancienne et si forte que Roméo Montaigu s'étrangle quand il apprend le nom de la jeune fille qu'il vient d'embrasser : Juliette Capulet ! Elle-même reste figée quand on lui dit que celui qui a conquis son cœur n'est autre qu'un Montaigu. Cet amour, ils le sentent bien, est un amour interdit, mais ils n'en sont plus maîtres. Aucune muraille de pierre et, à plus forte raison, aucune hostilité entre les familles, aucune intrigue, aucune persécution, aucun interdit ne peuvent plus retenir Roméo et Juliette. Ils se rencontrent et se marient en cachette en quelques jours. Ils doivent fuir quand Roméo se trouve, contre son gré, mêlé à une bagarre où il tue un cousin de Juliette d'un coup de couteau. Le moine qui les a secrètement unis consent à les aider : il prépare un narcotique pour Juliette afin de faire croire à sa mort et lui éviter ainsi un mariage arrangé. Mais Roméo ignore le stratagème, et, lorsqu'il trouve sa bien-aimée dans le caveau de famille des Capulet, il est au désespoir. Ne voulant pas vivre sans elle, il met fin à ses jours. À son réveil, Juliette le découvre mort et décide de le suivre dans l'éternité. Sur la tombe de leurs enfants, les familles ennemies enterrent leur différend.

Comme souvent dans les pièces de la Renaissance, l'histoire est sanglante et confuse, mais celle de Roméo et Juliette surpasse les autres par l'éclat et la passion de ce tout nouvel et puissant amour. La terre tremble autour des des héros ; insultes, cabales, coups de couteau et meurtres font partie du quotidien. En outre, le prince de Vérone est loin d'être clément. Mais les jeunes gens, éblouis par leur amour, sont loin de cela. De plus, ils s'apprêtent à vivre ensemble. Ils n'en auront toutefois pas le droit, car la discorde et la violence les rattrapent et les contraignent à un stratagème qui se retournera finalement contre eux. Le drame *Roméo et Juliette* n'en est pas moins une ode à cet amour, aussi pur que sensuel, aussi innocent qu'érotique qui foudroie les deux amants. Les scènes lyriques où Roméo et Juliette se trouvent ensemble, s'attendent, se font la cour, se séduisent et s'attendrissent font partie des plus beaux passages jamais écrits par Shakespeare. Pour vivre pleinement leur bonheur, Roméo et Juliette auraient dû s'exiler sur une île déserte. Leurs sentiments ne connaissent ni inhibition ni

■ « Aucune muraille de pierre » ne semble pouvoir séparer ceux qui s'aiment. L'amour pur et inconditionnel ramène la paix entre les deux familles ennemies, sur la tombe des amoureux. Gravure sur cuivre de la célèbre scène du balcon réalisée en 1812-1813.

« Viens, nuit la plus sérieuse, toi femme vertueuse et tranquille, tout habillée de noir, et apprends-moi un jeu où toute fleur de la plus pure jeunesse… (jusqu'à)… Viens, nuit ! Viens, Roméo… »

■ Leurs sentiments ne présentent pas la moindre faille, toutes les résistances viennent de l'extérieur. Il n'existe pas moins de trente versions cinématographiques de *Roméo et Juliette*. John Madden en a fait, en 1998, dans son film *Shakespeare in Love*, une histoire d'amour entre Shakespeare (Joseph Fiennes) et une actrice (Gwyneth Paltrow).

failles. Toutes les résistances viennent du monde extérieur, et elles se révèlent invincibles. Nous pouvons voir ici, vraisemblablement, l'une des raisons de l'immortalité de Juliette, morte à quatorze ans, et de Roméo, de peu son aîné : ils incarnent la pureté et la beauté d'un amour vivant de la seule magie érotique et de leurs sentiments profonds, du cœur et des sens, un véritable amour qui ignore le calcul, qui n'a pas besoin de se montrer et se moque du reste du monde. Un amour aussi idéal a, de tout temps, conquis le public, et, quand il se brise sur la dure réalité de la vie et que la compassion pour le couple sacrifié envahit les cœurs, on verse des torrents de larmes.

Le destin de Roméo et Juliette nous touche aussi à cause du message que la pièce fait passer en filigrane : l'amour peut vaincre la haine, car il est, de toute façon, le plus fort. Certes, la rivalité entre les Capulet et les Montaigu domine longtemps et triomphe des sentiments, mais la scène finale renverse définitivement la situation : les chefs des deux familles, depuis si longtemps ennemies, se réconcilient. L'amour de leurs enfants les a contraints à se rapprocher, car le jeune couple est allé jusqu'au sacrifice.

À l'époque de Shakespeare, on ne peut pas encore parler de pouvoir central de l'État. Familles nobles rivales et soldats en maraude entretiennent un climat d'insécurité. N'importe qui peut être entraîné dans une querelle et y laisser la vie. La population appelle de tous ses vœux une paix durable. Dans ce contexte, *Roméo et Juliette* peut être vu comme une histoire de brigands, c'est-à-dire une histoire à faire frémir, mais sa morale est particulière : voyez ce qui arrive quand on s'entretue sans fin au lieu de s'entendre. Vos enfants les plus purs, vos enfants les plus beaux y laissent la vie.

Avec son film *West Side Story,* Leonard Bernstein nous offre l'adaptation de ce drame la plus réussie de tout le xxᵉ siècle. Il transpose l'histoire dans l'Amérique moderne avec ses bandes rivales, tout en respectant très fidèlement les intentions et les atmosphères de la pièce originale, dans laquelle Shakespeare montre avec quelle fougue, sitôt apaisée, sitôt rallumée, les gangs, les jeunes amis et cousins des clans ennemis, dégainent leurs lames. Les bagarres et les bousculades dans les ruelles et sur les places procurent de réjouissantes occasions d'exploits physiques, mais elles ne sont pas toujours sans conséquence et les choses deviennent sérieuses quand le sang coule. Roméo se situe déjà en marge des clans. Certes, il en fait partie et n'hésite pas à se battre pour sa famille, mais il est plus mûr et ne voit plus l'intérêt de ces duels où se mesurent les jeunes gens : il veut aimer. Sa loyauté le contraint toutefois à prendre fait et cause pour les siens. Le malheur

■ Alexander Moissi dans le rôle de Roméo et Camilla Eibenschütz dans celui de Juliette.

■ L'adaptation théâtrale la plus réussie de *Roméo et Juliette* au XX° siècle est, sans contestation possible, *West Side Story* (1961), de Leonard Bernstein, avec Natalie Wood et Richard Beymer. Ce ne sont pas des familles nobles qui s'affrontent, mais des gangs. La classique scène du balcon se déroule sur l'escalier de secours d'un immeuble délabré du quartier portoricain de New York.

veut qu'il tue un ennemi et attise ainsi la soif de vengeance de la famille avec laquelle il souhaiterait être lié par l'amour, puisqu'il aime Juliette. La tragédie fait qu'il retourne une dernière fois sur le champ de bataille dont il s'est déjà éloigné.

Bernstein a fidèlement reproduit le déroulement de l'action, la confusion et le conflit qui sont la trame de la pièce de Shakespeare. Il faut donc en conclure que, malgré le monopole du pouvoir que détient l'État aujourd'hui, les hommes continuent à en découdre, et que l'amour n'a, en aucun cas, triomphé sur la haine. L'enthousiasme du public pour Roméo et Juliette ne faiblit pas, et il est permis d'espérer que l'exemple de ces héros permettra, un jour, de faire évoluer les choses.

ROMÉO ET JULIETTE

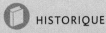 HISTORIQUE

L'origine de *Roméo et Juliette* remonte à 1476, année de la parution de la nouvelle de Tomasso Masuccio, qui en conçoit l'intrigue, mais dont les héros portent des prénoms différents. En 1535, Luigi da Porto l'enrichit des scènes du balcon et du bal masqué. On y trouve encore un ultime échange amoureux entre Roméo, déjà empoisonné, et Juliette, qui se réveille. Les traductions françaises, les premières à supprimer ce dialogue, inspirent ensuite Arthur Brooke pour les quelque trois mille vers de son poème épique *The Tragical History of Romeus and Juliet*, en 1562. En 1595, William Shakespeare rédige la première version, qui se déroule sur cinq jours seulement, ce qui renforce la tension de la pièce. Il réussit à étoffer les personnages secondaires, comme ceux de la nourrice et de Mercutio, et à donner toute son intensité à la brève apparition commune sur scène des deux héros. La qualité de cette performance se reflète dans les innombrables adaptations et représentations de cette pièce jusqu'à nos jours. La comédie musicale de Leonard Bernstein compte parmi les plus réussies et les plus connues. Programmée dans le célèbre Winter Garden à Broadway pour la saison 1957-1958, elle fut jouée plus de sept cents fois et reçut de nombreuses récompenses. Que le premier acte se termine par deux morts après la bagarre entre les gangs d'immigrants était, pour une comédie musicale de l'époque, une monstruosité qui divisait la critique. Mais la force d'expression de la musique et de la chorégraphie, en relation avec le texte intemporel de Shakespeare, ainsi que, dans une grande mesure, la version cinématographique de 1961 qui reçut un oscar, avec Natalie Wood et Richard Beymer dans le rôle des amants, ont contribué au succès mondial de la pièce sur le long terme. À la surprise quasi générale, la trentième version filmée de *Roméo et Juliette*, tourné en 1996 avec Leonardo DiCaprio, ne fut pas seulement un énorme succès cinématographique : elle provoqua un véritable engouement de la jeunesse pour le texte original, quatre siècles après sa première représentation.

 ET...

À lire :
Roméo et Juliette, de William Shakespeare, Gallimard, Paris, 2001.

À voir :
Roméo et Juliette, de George Cukor, avec Norman Shearer, Leslie Howard, Basil Rathbone et John Barrymore, États-Unis, 1936.

West Side Story, de Robert Wise et Jerome Robbins, avec Natalie Wood (doublure vocale Marni Nixon), Richard Beymer (doublure vocale Jimmy Bryant), musique de Leonard Bernstein, États-Unis, 1961.

Roméo et Juliette, de Franco Zeffirelli, avec Olivia Hussey et Leonard Whitting, Italie/États-Unis, 1968.

Roméo plus Juliette, de Baz Luhrmann, avec Leonardo DiCaprio et Claires Danes, États-Unis, 1996.

Shakespeare in Love, de John Madden, avec Gwyneth Paltrow et Joseph Fiennes, Grande-Bretagne, 1998.

À écouter :
West Side Story, enregistrement original à Broadway, 1957.

L'AVIS DE L'AUTEUR

Le couple de Shakespeare est devenu le symbole de l'amour tragique : l'amour ne parvient pas à détruire le mur de haine qui s'élève entre les deux familles. Autre interprétation : les parents se réconcilient sur la tombe de leurs enfants.

Le Marquis et Mme de Sade

« *Mon cœur n'a pas changé : il bat pour toi
et t'aimera toujours.* »

Est-il possible que le Marquis de Sade ait pu être aimé ? Cet être dépravé qui laissa à la postérité l'image d'un monstre, ce criminel qui a expié ses débauches sur la paille d'un cachot et enrichi la terminologie sexuelle de la notion de pulsions de torture, de sadisme ?

Aimé, qui plus est, de sa propre femme ? Peu vraisemblable, *a priori*, mais pourtant vrai. Mieux encore : le Marquis de Sade aimait son épouse. Certes, pas dès le premier jour. C'était un de ces mariages de raison dont sentiments profonds et attrait sexuel sont exclus. Peut-être a-t-elle spontanément désiré son mari pour sa beauté, mais lui a été rebuté par son apparence falote. Il n'avait toutefois pas le choix : sa famille était ruinée, et, comme nombre de rejetons de la haute noblesse, il dut se résoudre au mariage pour des raisons financières. Il ne s'en développa pas moins au cours des années une véritable passion entre le Marquis et son épouse. Et s'il était encore besoin d'une preuve que l'attirance érotique n'est pas uniquement le feu de paille que se plaît à décrire notre culture, mais bien une tension qui peut croître avec le temps, cette preuve, contre toute attente, c'est le couple Sade qui nous l'apporte.

Donatien Alphonse François de Sade est le descendant d'une vieille famille respectable. La Coste, le château familial aux environs d'Avignon, est l'un des plus beaux et des plus imposants de l'époque. Comme la plupart des fils de familles aristocratiques, Donatien devient officier. Il entre à l'école de cavalerie dès l'âge de quatorze ans et participe, à dix-sept ans, à la guerre de Sept Ans contre la

■ L'écrivain français Donatien Alphonse François de Sade, dit le Marquis (1740-1814).

Prusse. Il apprend à monter à cheval et à tirer, mais l'armée lui inculque aussi le maintien et les plaisirs liés à sa condition : arrogance, goût de la domination et du faste, débauche sexuelle sous toutes ses formes, jeux de hasard et plaisirs de la table. Il a, en outre, deux grandes passions : la philosophie et le théâtre.

Renée Pélagie de Montreuil est issue de l'une de ces familles de la noblesse dite de robe. En effet, le roi anoblissait parfois les fonctionnaires zélés, qui obtenaient ainsi la particule sans toutefois appartenir réellement à l'aristocratie. Les Montreuil sont très riches, les Sade sont de vieille souche aristocratique, les deux maisons ont donc tout à gagner d'une telle union. Le mariage est célébré en 1763, alors que les jeunes gens ont vingt- deux ans.

Les toutes premières années du couple sont assez difficiles. Certes, Renée Pélagie met rapidement au monde trois enfants, qui sont élevés par leur grand-mère, mais Donatien ne prend pas du tout au sérieux son rôle de père. Il continue à mener sa vie de libertin et de « dépravé », comme il le dit lui-même. Quelques liaisons passionnelles l'éloignent de sa femme, et, quand il retourne à La Coste, c'est souvent en compagnie de prostituées avec lesquelles il s'enferme pour se livrer à la débauche. Il impose à ses partenaires de proférer des blasphèmes, de pratiquer la flagellation (active ou passive) et autres tortures, ainsi que la sodomie, qui est alors considérée comme un péché mortel. Mais Donatien ne réussit pas à acheter le silence de toutes les victimes et ou des participantes de ses orgies. Certaines parlent *a posteriori* et portent plainte contre Sade. Il est alors arrêté, mais il réussit à se tirer d'affaire – pour aussitôt retomber dans la dépravation.

■ Renée Pélagie de Montreuil (1741-1810) est issue d'une famille de la noblesse de robe. Cette union est un pur mariage de raison : elle apporte sa fortune, le Marquis lui donne son nom. Le couple vit à La Coste, le château de famille, près d'Avignon.

On s'est souvent demandé pourquoi le Marquis de Sade ne s'entoure pas de davantage de précautions lors de ses orgies violentes. Il doit savoir que la patience de ses tutélaires a des limites et qu'il ne déplairait pas à la cour de condamner un noble pour calmer les velléités révolutionnaires du peuple mécontent. Sade agit ainsi car il estime être en droit de « se servir » parmi les filles des rues, parfois aussi parmi les jeunes gens, et l'opinion des autres ne lui importe pas. Son seul intérêt est la pulsion sexuelle sous toutes ses formes, avec toutes ses déviations et perversions, et ce non seulement dans la pratique, mais également au plan des idées. Il veut goûter au sexe et à toutes ses variations, et le comprendre. Il veut coucher tout cela par écrit, projet qu'il aura le temps de mener à bien en prison.

■ Plaisants ébats à trois. Pour ses orgies, le Marquis fait venir des prostituées à La Coste. Il veut vivre et décrire les pulsions sexuelles sous toutes leurs formes.

Son épouse ne doit-elle pas, de honte et de désespoir, fuir un personnage aussi abominable, retourner dans le giron maternel et demander le divorce ? Ce n'est pourtant pas ce qu'elle fait. De même que Donatien, pour lequel la beauté est une chose simple, découvre en elle, qui ne brille pas par son charme, un attrait érotique – car, à ses yeux, « la laideur est une chose extraordinaire, et tous les esprits enflammés préfèrent l'extraordinaire » –, Renée Pélagie développe peu à peu de la compréhension pour la personnalité marginale de son mari. Avant qu'il ne soit enfermé en prison pour des décennies, où il ne peut, dès lors, se consacrer à ses orgies que par écrit, il réussit à faire accepter ses rituels cruels à la mère de ses enfants, voire peut-être à l'y faire participer. C'est ainsi que, protégé par l'autorité de la marquise et à l'abri des murs de son château, Donatien continue de s'adonner à ses obsessions sans provoquer aussitôt le scandale. Des jeunes filles mineures engagées au château comme « aides de cuisine » finissent toutefois par s'enfuir et dénoncent le Marquis. Un père indigné ouvre même le feu sur lui. Découvert, Donatien prend la fuite, est arrêté et enfermé de longues années en forteresse.

Renée Pélagie, certainement témoin de ses perversions, et peut-être même actrice, que l'on dit réservée et peu instruite, développe une compréhension étonnante pour Donatien, et pour la débauche en général. Elle a toujours respecté son mari, et maintenant elle l'aime, et il lui rend ses sentiments. Sans elle, qui prend garde à ce qu'il ne manque de rien et qui n'a de cesse de demander sa libération, il n'aurait sans doute pas survécu à la prison. Sade, convaincu que les hommes ne se trouvent jamais et que chacun se languit dans son carcan intime, entretient avec elle une relation très étroite, qu'à l'évidence elle désire et qu'elle entretient.

Malgré son amour qu'il ressent pour elle, Donatien ne se prive pas de blesser Renée Pélagie au plus profond d'elle-même quand l'envie lui en prend – tout comme il gâche le plus souvent l'amitié qu'on lui témoigne par ses sautes d'humeur, sa méfiance exagérée et son manque absolu d'empathie. Son épouse ne peut rien, hélas, contre son amertume et ses attaques continuelles. Sa loyauté et son attirance ne survivent pas à l'incarcération de son mari, et le couple se sépare à la sortie de prison du Marquis.

■ *Le Marquis de Sade dans les caves voûtées de son château. Gravure sur cuivre du XVIII<small>e</small> siècle. Sade a donné son nom au sadisme. Au cours de ses orgies dans son château, il torture des jeunes femmes qu'il contraint à toutes sortes de perversions. Son épouse en est vraisemblablement témoin, voire partenaire.*

Donatien de Sade entretient une importante correspondance en prison. Les noms affectueux qu'il donne à sa femme méritent d'être cités :
« *Charmante créature, mon ange, mon petit chou, ma lolotte, ma reine, mon petit toutou, ma mie, Jouissance de Mahomet, tourterelle chérie, ma petite mère, chatte céleste, porc frais de mes pensées, doux émail de mes yeux, vaisseaux sanguins de mon cœur, étoile de Vénus, âme de mon âme, miroir de la beauté, aiguillon de mes nerfs, image de la divinité, violette du jardin d'Éden, dix-septième planète de l'espace, quintessence de virginité, écoulement des esprits angéliques, symbole de pudeur, miracle de la nature, colombe de Vénus, rose échappée au sein des Grâces, mon fanfan, ô favorite de Minerve, ambroisie de l'Olympe, charme des yeux, flambeau de ma vie… »*

■ Ses excès conduisent le Marquis à maintes reprises derrière les barreaux. Enfermé dans un établissement mi-pénitentiaire, mi-asilaire après la Révolution, il y fonde une troupe de théâtre. En 1966, Peter Brook réalise une version cinématographique (*Marat-Sade*) de la célèbre pièce de Peter Weiss de 1965.

■ Dessin allégorique avec le personnage du Marquis, vers 1830.

C'est la Révolution qui libère Sade. De quel bord se trouve-t-il ? Ses admirateurs l'identifient volontiers à ce bouleversement politique, mais il n'en est rien. Certes, il considère le pouvoir d'un œil critique, après la longue incarcération au cours de laquelle il a été soumis à des mesures arbitraires. Certes, ce libertin ennemi résolu de la religion et de l'Église partage bien des revendications révolutionnaires, mais il n'apparaît pas, au vu de ses convictions politiques très tranchées, comme un partisan du tiers état. Bien au contraire, car il refuse la République et considère la monarchie – sous sa forme éclairée – comme seule capable de gouverner le pays. Il abhorre la souveraineté populaire et ne croit pas à l'égalité. La Révolution lui en fait payer le prix et s'approprie le château de La Coste. En outre, elle le renvoie derrière les barreaux, et il finit ses jours à l'hospice de Charenton, mi-prison, mi-asile d'aliénés. Le marquis peut y assouvir sa deuxième passion, le théâtre (dans l'hospice), jusqu'à sa mort, en 1814. La marquise, quant à elle, profondément bouleversée par la Révolution, se soumet à l'influence de son confesseur et se retire définitivement dans un couvent, où elle meurt en 1810.

LE MARQUIS ET Mme DE SADE

HISTORIQUE

Né le 2 juin 1740, Donatien Alphonse François comte de Sade, dit le Marquis, épouse en mai 1763, dans un mariage arrangé par son père pour des raisons financières, Renée Pélagie de Montreuil, née le 3 décembre 1741 dans une famille influente de la grande bourgeoisie. Le couple a trois enfants au cours de ses vingt-sept années de mariage, deux garçons (nés en 1767 et 1769) et une fille (née en 1771). Donatien passe en tout plus de treize de ces vingt-sept années en prison pour orgies sexuelles, malgré lesquelles sa femme lui reste fidèle. Il est arrêté en 1777, à la suite d'une condamnation à mort prononcée cinq ans auparavant pour tentative d'empoisonnement d'une prostituée. Sa femme obtient la révision du procès en 1778 et la peine de mort est suspendue. Mais la mère de Renée Pélagie use de son influence pour faire maintenir le Marquis de Sade en prison jusqu'à la Révolution. Ce n'est qu'en juillet 1781, alors que son mari est incarcéré depuis quatre ans, que Mme de Sade peut, pour la première fois, le voir. Au cours de ses visites devenues régulières, elle lui apporte des bougies, de quoi écrire, des vêtements et de la nourriture, elle sort ses textes en fraude et lui fait même parvenir clandestinement un godemiché. Elle-même renonce à tout confort et se retire provisoirement en octobre 1781 dans le couvent de Sainte-Aure pour apaiser les crises de jalousie de son mari. C'est en prison que celui-ci écrit ses œuvres pornographiques. Il bénéficie d'une amnistie et est libéré en 1790, mais sa femme a trouvé consolation dans la vie pieuse et s'est déjà séparée intérieurement de lui. Elle demande le divorce, qui est prononcé par le tribunal en juillet 1790. Sade ne doit qu'au hasard de survivre à la Révolution. En 1791, il publie, sous couvert de l'anonymat, *Justine ou les Malheurs de la vertu*, où il décrit avec précision des perversions sexuelles et des actes de cruauté. Poursuivi comme auteur pornographique, il est enfermé en 1801 pour « perversions sexuelles incurables » d'abord à Bicêtre, puis, à partir de 1803, à l'asile d'aliénés de Charenton, où il passera le reste de sa vie. Mme de Sade décède le 7 juillet 1810 au couvent où elle s'est retirée. Son mari, pour qui elle a sacrifié de longues années de sa vie, meurt le 2 décembre 1814.

ET...

À lire :
Donatien Alphonse François, Marquis de Sade, de Maurice Lever, Fayard, Paris, 1995.

À voir :
Marat/Sade, de Peter Brook, avec Glenda Jackson, Patrick Magee, Jan Richardson, Grande-Bretagne, 1966.
D'après une œuvre dramatique en deux actes de Peter Weiss, *La Persécution et l'Assassinat de Jean-Paul Marat représentés par le groupe théâtral de l'hospice de Charenton sous la direction de Monsieur de Sade*, traduit de l'allemand par Jean Baudrillard en 1965, Éditions du Seuil.

L'AVIS DE L'AUTEUR

Pour les uns, il était le « divin marquis », pour les autres un monstre. Personne ne prêta attention à la marquise. À tort ! Ce mariage arrangé devint une authentique liaison.

Johann Wolfgang von Goethe et Christiane Vulpius

« *N'aie pas de regrets, bien-aimée, de t'être si vite donnée à moi ! Crois-moi, je n'ai de toi pensée ni insolente, ni basse. Les flèches d'Amour blessent de bien des façons ; quelques-unes égratignent et pendant des années le cœur souffre du poison qui s'insinue. Mais les autres, aux pennes puissantes, à la pointe fraîchement aiguisée, pénètrent jusqu'à la moelle, allument rapidement le sang.* »

Weimar est scandalisé : que cette demoiselle soit beaucoup plus jeune que le « prince des poètes », on peut l'accepter, on s'en réjouit même pour lui, mais elle n'est qu'une ouvrière qui coud des fleurs de soie dans un atelier de mode. Une telle liaison est tolérable si elle reste une passade. Or, la demoiselle ne semble pas décidée à se faire oublier. Et comme elle est mal coiffée ! Le conseiller personnel du grand-duc ne fait rien, en outre, pour tenir cette affaire secrète. Il prend la petite fleuriste chez lui, sur la place du Frauenplan. Et si ce n'était pas seulement une liaison ? Impossible…

Pourtant, c'est bien de l'amour. Quand Wolfgang von Goethe, poète, naturaliste et fonctionnaire à la cour du grand-duc Charles-Auguste de Weimar, revient de son long voyage à Rome, en 1788, une jeune fille du nom de Christiane Vulpius se met sur son chemin pour lui demander d'avoir la bonté d'intercéder en faveur de son frère, un écrivain qui ne manque pas de capacités, mais sans emploi…

M. le conseiller n'y est pas défavorable, d'autant que la ravissante jeune femme répond à son sourire et accepte de le suivre dans sa petite maison de campagne. La rencontre y est très intime. Le grand Goethe tombe amoureux

■ Johann Wolfgang von Goethe (1749-1832), conseiller privé du grand-duc, séduit rapidement la jeune femme venue lui demander une faveur; il ne la laissera plus repartir.

de la jeune fille et le duché se scandalise. Les biographies qui élèvent Goethe au rang de génie font systématiquement abstraction de Christiane, la compagne de sa vie. On évoque honteusement à voix basse une « rencontre », on se moque jovialement de cette « perle au lit », comme l'appelle – par ailleurs avec sympathie – la mère de Goethe. On n'admet qu'avec grande difficulté que Goethe aime avec passion « cette personne », qu'ils aient cinq enfants – dont un seul, August, atteint l'âge adulte –, qu'il vive avec elle jusqu'à ce qu'elle meure, et même qu'il l'épouse. Il est proprement étonnant que cet orgueil de classe et de culture, qui empêcha autrefois le Weimar aristocratique d'accepter Christiane, ait perduré presque jusqu'à nos jours.

Un « prince des poètes » qui aime une ouvrière ? Il en va cependant bien ainsi.

Goethe et Christiane ont beaucoup de problèmes : leurs enfants qui refusent de vivre, la famille de Christiane qui s'impose dans leur maison et dérange le conseiller privé, les potins de la résidence, le manque général de considération envers elle, les reproches adressés à Goethe parce qu'il vit en union libre, qui plus est avec « une telle femme » ! La donzelle sait à peine lire et écrire… Charlotte von Stein, une amie de longue date de Goethe, réagit avec colère à ce « ménage » et se détourne à jamais de lui.

La bonne société, sûre de son rang et de la nécessité des barrières entre les classes, ne réussit pas à accepter, peu ou prou, la vie amoureuse du grand poète. Même ses amis les plus chers ignorent Christiane, qui mange dans la cuisine quand Goethe reçoit. Pourtant, la cour de Weimar est progressiste et ouverte aux idées libérales qui gagnent l'Europe dans le sillage de la Révolution française.

Christiane est une femme attrayante, à la chevelure brune et bouclée et aux belles lèvres pleines. Elle est replète, naturelle, pleine d'entrain et aime danser. Avec ses grands yeux,

■ La mésalliance entre Goethe et la jeune fleuriste pleine de vie, Christiane Vulpius (1765-1816), révolte tout Weimar. Le couple se désire avec passion. La « perle au lit » donne naissance à cinq enfants, dont seul un fils, August, survivra.

■ L'union amoureuse du couple est réservée à la nuit. Chacun mène sa vie de son côté pendant la journée. Christiane se contente du rôle de maîtresse de maison et elle ne peut que rarement adopter la pose lascive dans laquelle nous la voyons ici. Goethe mène une vie mondaine et voyage sans elle.

son nez romain, son port droit, Goethe a également belle apparence, et, quand on se plonge dans *Les Élégies romaines*, qui reflètent le bonheur de Johann Wolfgang avec Christiane, on peut s'imaginer avec quelles délices le couple se livre au plaisir charnel. Mais il leur faut dissimuler, à la lumière sobre du jour, les aventures merveilleuses de la nuit, afin de pouvoir conserver les apparences d'une vie normale. Goethe et Christiane s'y efforcent, chacun à sa manière – avec des moyens différents et un succès variable. Il ne reste plus à Christiane qu'à se glisser dans la peau d'une maîtresse de maison aussi irréprochable que possible, ce qu'elle ne réussit pas toujours très bien. Goethe lui procure la protection de sa personnalité, sa maison et, finalement, son nom. Mais il ne parvient pas à concevoir avec elle une vraie vie quotidienne – il manque pour cela de prévenance et ils n'ont en fait que peu d'activités et d'obligations communes. Goethe trouve toujours des échappatoires : quitter la maison, visiter le grand-duc, partir en voyage, et il ne s'en prive pas.

Ce n'est donc pas sans raison que Christiane se sent aban-
donnée, mais elle comprend très bien que le poète a besoin de
liberté pour accomplir son œuvre, aussi le laisse-t-elle partir.
De toute façon, il revient toujours.

En 1806, la région est occupée par l'armée française victorieuse
à la bataille d'Iéna. Les soldats tentent de
piller la maison de Goethe, mais Christiane
s'y oppose avec une telle conviction et défend sa maison avec une telle force que
Goethe est subjugué : il l'épouse. Leur mariage est discret. Quoi qu'il en soit, il ne
peut plus se séparer de Christiane sans
conséquences. Mme de Schopenhauer, la
mère du philosophe, reçoit la toute nouvelle épouse et donne ainsi le signal : avec

> Goethe redoute de « *rencontrer
> des serpents sur le chemin de l'amour,
> et du poison sous la fragrance
> des roses* », de découvrir sur les traits
> de sa maîtresse, dans « *le plus beau
> moment du plaisir* », les traces
> d'une vie publique qui ne laisse
> que peu de place à l'amour.

retard, et jamais de bon cœur, la société de Weimar reconnaît
Christiane. Mais celle-ci n'en devient pas pour autant une
dame. Elle reste la petite fleuriste qu'elle a été : elle ne change

■ Ses plus beaux poèmes,
ses pièces et ses romans
les plus célèbres, Goethe
les a écrits pendant ses presque
trente années de vie aux côtés
de Christiane. Il la prend pour
épouse en 1806, alors qu'ils
vivent ensemble depuis
dix-huit ans, après qu'elle
a courageusement empêché
le pillage de sa maison
par les Français.

■ Triomphe tardif. La société distinguée de Weimar doit alors bon gré, mal gré reconnaître l'épouse du conseiller privé et « prince des poètes ». Gravure de 1827 représentant la maison de Goethe sur le Frauenplan.

pas, ce que Goethe apprécie par-dessus tout. Elle devient toutefois très corpulente. Bettina von Armin l'appelle « la saucisse » et les habitants de Weimar se moquent franchement d'elle, qui, dans les cafés de village ou en plein air, se livre encore au plaisir de la danse malgré ses formes épanouies. Même ses pieds enflés ne parviennent pas à l'en dissuader.

Goethe n'aime pas être confronté à la mort. Il en hait les signes avant-coureurs et en ignore la puissance. C'est ainsi qu'il laisse Christiane mourir dans la solitude, elle qui, à tout juste cinquante ans, souffre d'insuffisance rénale.

> Goethe ne peut pas regarder la lente agonie de sa femme, « *dernier combat atroce de sa nature* », et c'est seule qu'elle rend son dernier souffle.

Goethe, quoique bien plus âgé que sa femme, lui survivra seize ans. Il écrira encore bien des ouvrages importants, mais ses plus beaux poèmes, ses pièces et ses romans les plus célèbres, ils les a écrits pendant les presque trente années de vie commune avec Christiane : *Les Élégies romaines, Les Années d'apprentissage de Wilhelm Meister, Faust, Poésie et Vérité, Le Divan occidental et oriental.*

JOHANN WOLFGANG VON GOETHE ET CHRISTIANE VULPIUS

HISTORIQUE

Johann Wolfgang von Goethe est un conseiller privé du grand-duc Charles-Auguste de Weimar depuis 1775 quand il rencontre pour la première fois Christiane Vulpius, le 12 juillet 1788, jour depuis lequel ils forment un couple. Juriste de formation, Goethe est nommé successivement responsable des finances et de la guerre, de l'exploitation des mines, de la construction des routes… Le poète, homme politique et naturaliste, né le 28 août 1749, effectue un voyage de près de deux ans en Italie. Encore tout imprégné de ses récentes rencontres et expériences, aussi bien sur le plan humain que littéraire et artistique, il installe Christiane Vulpius dans sa petite maison au bord de l'Ilm. Depuis la mort de son père, Johann Friedrich Vulpius, archiviste dans l'administration, Christiane, née le 1er juin 1765, doit contribuer à la subsistance de ses frères et sœurs en travaillant dans un atelier de fabrication de fleurs en soie. Tout d'abord érotique, leur relation se transforme rapidement en union libre. « Je suis marié, mais sans cérémonie », écrit Goethe en 1790. August, l'unique fils qui atteindra l'âge adulte, naît le 25 décembre 1789. C'est pendant les deux premières années de leur amour que Goethe écrit Les Élégies romaines, qui, lors de leur publication en 1795, déclencheront un scandale parmi les habitants de Weimar, en raison de leurs allusions érotiques non dissimulées.

Plus de six cents lettres témoignent également de la proximité intime, de la chaleur et du sentiment de bien-être que leur procure leur relation. Elles montrent également que Christiane, qui aime la vie et apprécie le vin et la musique, a dû se battre toute sa vie pour être reconnue par la société de Weimar. Elle reste fidèlement aux côtés de Goethe, le soigne pendant sa grave maladie après la mort de Friedrich Schiller en 1805. Les 14 et 15 octobre 1806, alors que les troupes françaises envahissent la ville, elle défend très courageusement Goethe et évite le pillage de sa maison. Quatre jours plus tard, le 19 octobre 1806, Goethe et Christiane se marient dans la plus grande discrétion, après dix-huit ans de vie commune. Elle meurt le 6 juin 1816 d'une septicémie due à une insuffisance rénale. Goethe décède le 22 mars 1832.

 ET…

À lire :
Élégies romaines,
de J. W. Goethe,
La Différence, 1991.

Goethe, de Pietro Citati,
Gallimard, Paris, 1992.

À visiter :
La maison de Goethe sur le Frauenplan et le musée Goethe, à Weimar.

L'AVIS DE L'AUTEUR

La mésalliance a purement et simplement apporté son lot de bonheurs et de malheurs, mais elle était pleine de vie.

Napoléon et Joséphine

« *Ne sais-tu pas que sans toi, sans ton cœur,*
sans ton amour, il n'y aurait ni bonheur ni amour pour
ton mari... Loin de toi, les nuits sont longues, insipides
et tristes. À côté de toi, on souhaiterait que la nuit
ne finisse jamais. »

On se demande souvent pourquoi le général Bonaparte a épousé la veuve Joséphine de Beauharnais, femme insouciante, de près de six ans son aînée et pas particulièrement belle. La nature ambitieuse de Napoléon aurait dû l'inciter à chercher un parti plus intéressant. Mais c'est Joséphine qu'il veut, et aucune autre. Peut-être ne l'accepte-t-il de Barras, son protecteur politique, qui en est alors l'amant, que dans l'espoir d'obtenir en « récompense » le commandement de la campagne d'Italie. Cette dame habile et aux grandes qualités de diplomate ne pourrait-elle, d'ailleurs, lui permettre d'établir les contacts et relations nécessaires à sa carrière ? En fait, la chose est plus simple : Bonaparte épouse Joséphine parce qu'il l'aime. Et il s'en séparera, bien qu'il l'aime encore. Elle est la femme de sa vie.

Qui est Joséphine ? Elle naît et grandit sur l'île de la Martinique, une colonie française, et appartient à la population quasi étrangère des créoles. Elle adore le mode de vie et l'exubérance du Sud, elle est attrayante, débonnaire, dépensière et généreuse, et, en outre, d'une élégance et d'une amabilité inégalées. Bonaparte en tombe amoureux dès le premier rendez-vous et il en restera épris toute sa vie.

Joséphine n'est pas responsable de la précarité de sa situation sociale qui la contraint à s'afficher avec des hommes influents. Elle est arrivée des îles à l'âge de seize ans pour épouser le général de Beauharnais, et ce mariage arrangé fait le malheur des deux époux. Ils vivent séparés, leurs deux enfants tantôt chez

■ L'amour dès le premier instant. Napoléon (1769-1821) sera toute sa vie amoureux de Joséphine, qui a presque six ans de plus que lui.

l'un, tantôt chez l'autre. Le destin de Joséphine, ex-épouse résignée, semble tout tracé. C'est alors qu'éclate la Révolution, et son mari est guillotiné en 1794. Joséphine est arrêtée et condamnée à mort, mais Robespierre la précède sur l'échafaud avant que la sentence ne soit exécutée. Elle alors remise en liberté, mais se retrouve seule, sans ressources et avec deux enfants. Son seul capital est son charme. On la voit bientôt aux côtés de parvenus énergiques qui se hissent un peu partout sur la scène politique à la faveur des troubles.

Bonaparte fait partie de ces hommes-là. L'officier corse se montre doué pour les affaires de la guerre, il est subtil, téméraire et décidé. Les cercles du pouvoir l'adulent, conquis par la clairvoyance et l'énergie combative dont il a témoigné lors de la répression d'une rébellion royaliste. Il ne lui manque que le savoir-vivre et la diplomatie : ce soldat ne se défait pas du ton rude dont il use sur le champ de bataille, même dans les salons. Joséphine, dont la voix douce et l'apparence séduisante charment ses contemporains, n'a aucun mal à conquérir ce tout jeune général dont le monde entier parle. Il lui suffit de sourire.

■ Elle n'est pas un bon parti, mais Napoléon est subjugué par la grâce, la joie de vivre et le tempérament de « la créole » Joséphine (1763-1814).

Elle est flattée quand Bonaparte lui déclare sa flamme, car sa jeunesse est passée et sa réputation laisse à désirer. Elle est abasourdie quand il lui demande sa main, et ne manifeste aucun enthousiasme. Elle n'a toutefois pas d'alternative. Bonaparte semble avoir une carrière assurée dans l'armée, alors elle accède à sa demande, sans être le moins du monde amoureuse. Le couple se marie civilement, en mars 1796, la veille du départ de Bonaparte pour l'Italie, où il va enchaîner les victoires. L'incroyable fureur avec laquelle le général Bonaparte écrase l'ennemi a peut-être d'ailleurs une raison on ne peut plus intime : la jalousie.

Joséphine a en effet jeté son dévolu sur un jeune officier immédiatement après leur mariage. Elle passe le plus clair de son temps avec lui et il l'accompagne même quand elle part à la rencontre de son mari après les accords de paix. Bonaparte est blessé au plus profond de son être par cette trahison, et sa nature méfiante n'en devient que plus dure. Mais, quand il revoit Joséphine, il est à nouveau subjugué.

Bonaparte met tout en œuvre pour obtenir le pouvoir absolu. Un décret du Sénat le proclame empereur des Français et il est sacré, en 1804, à Notre-Dame.

Ses victoires en Italie font de Napoléon un héros populaire. Commence alors une ascension politique sans précédent. La campagne d'Égypte ne fait qu'augmenter sa gloire. Devenu Premier consul, il réforme en profondeur l'administration et la justice. Après sa victoire sur les Autrichiens, il devient consul à vie. Il décide une réforme monétaire et la création d'un nouveau code civil.

Il se couronne lui-même et couronne Joséphine impératrice devant le tout-Paris, en présence du pape.

Joséphine ne comprend pas tout de suite que ce « drôle de Corse » est de ces hommes qui font l'histoire, mais elle le découvre peu à peu sous un jour nouveau. Ses succès confèrent à Napoléon une force d'attraction érotique, voire du charme, et même sa femme s'y montre sensible. Joséphine n'est pas plus calculatrice que quiconque, mais elle est extrêmement impressionnée par celui qui va de victoire en victoire, qui devient le premier homme de l'État et peut ainsi lui offrir des privilèges de plus en plus importants, des châteaux de plus en plus beaux. Elle l'aime soudain sincèrement. On ne peut dire qu'il achète son cœur, mais plutôt qu'elle le lui offre quand il lui démontre, ainsi qu'au reste du monde, ce qu'il vaut.

■ *Le Sacre de Napoléon*, de Jacques-Louis David (1806-1807). Napoléon est couronné empereur des Français le 2 décembre 1804 à Paris, en présence du pape Pie VII.

Empereur, Napoléon est tenu de faire ce que l'on attend de tout monarque : fonder une dynastie. Il leur faut des enfants. Joséphine en a déjà deux, mais elle paraît ne plus pouvoir en porter. Napoléon, qui a eu un enfant illégitime, ne peut pas être en cause. C'est ainsi que, à peine parvenue à la plus haute reconnaissance sociale, Joséphine risque la chute. Napoléon se montre, en outre, très attaché aux valeurs familiales de par son origine paysanne, et il est soumis à l'influence de sa mère et de ses sœurs, qui, toutes, se consument de jalousie envers la belle créole et ne cessent de conspirer contre elle. Se séparer de sa femme « adorée » est probablement l'épreuve la plus pénible que l'empereur doit subir dans sa vie. « Vivre à travers Joséphine – telle est mon histoire », écrit-il un jour, et l'avenir lui donnera raison : tout lui réussit tant qu'elle est à ses côtés, elle est son ange gardien, mais leur séparation sonne l'heure des défaites, de la chute, puis de l'exil. La bonne étoile de Napoléon va s'éteindre avec celle de Joséphine.

Par ailleurs, une raison purement politicienne a convaincu Napoléon : il sent bien que, malgré tous ses succès, il n'est pas entièrement accepté par les autres monarques européens, car

■ L'impératrice Joséphine et Napoléon Iᵉʳ Bonaparte, empereur des Français (tableaux de 1805).

issu d'une famille corse de la petite noblesse campagnarde. Sa position d'hégémonie européenne ne pourra être définitivement assurée que par une union avec une dynastie ancienne et puissante. C'est ainsi qu'il demande la main de la fille du tsar de Russie, avant même son divorce avec Joséphine. Il se marie finalement avec la jeune Marie-Louise de Habsbourg, qui lui donne bientôt un fils. Mais son ère de gloire est terminée. Vaincu en Russie, et plus tard à Waterloo, Napoléon abdique et est envoyé en exil.

Joséphine, qui a pressenti le divorce depuis déjà longtemps, se retire dans son château favori. Elle conserve ses apanages et le cœur de Napoléon. Il l'a sacrifiée uniquement pour des rai-

■ L'amour de Joséphine pour Napoléon croît avec sa puissance. L'empereur sacrifie toutefois sa femme (ci-dessus en médaillon) pour des raisons d'État.
À droite : *Napoléon Ier se sépare de son épouse Joséphine*, 1809, gravure sur bois, selon Defendi Semeghini.

sons d'État et elle le sait, mais elle souffre énormément de la séparation. Peu après la chute de Napoléon, elle meurt de la diphtérie. Il va lui survivre sept ans, et n'est donc guère plus âgé qu'elle quand il décède, en 1821. On rapporte que Napoléon a beaucoup parlé de Joséphine pendant son exil à Sainte-Hélène, et il aurait notamment prononcé cette phrase : « Elle était la meilleure des femmes de France. »

NAPOLÉON ET JOSÉPHINE

HISTORIQUE

Napoléon Bonaparte, en italien Napoleone Buonaparte, naît le 15 août 1769 en Corse. Son père, Carlo Buonaparte, l'envoie sur le Continent, où il fréquente les écoles militaires de Brienne et de Paris. Au vu de ses mérites militaires lors du siège de Toulon, la Convention nationale, alors au pouvoir, le nomme général en 1793. En 1795, il fait la connaissance de Marie-Josèphe Tascher de la Pagerie, veuve du vicomte de Beauharnais. Joséphine est née le 23 juin 1763 sur l'île de la Martinique, une colonie française des Indes occidentales, d'un officier français propriétaire de plantations. Elle arrive en France en 1779 pour se marier avec Alexandre de Beauharnais. Le couple a deux enfants, Eugène (1781-1824) et Hortense (1783-1837), mais n'est pas heureux. Joséphine et Alexandre se séparent et ce dernier est décapité par les jacobins en 1794, pendant la Révolution française. Joséphine, elle aussi emprisonnée, est libérée après la chute de Robespierre le 27 juillet 1794. Napoléon et Joséphine se marient le 9 mars 1796. Deux jours plus tard, Napoléon mène victorieusement les troupes françaises à la conquête de l'Italie du Nord. Il défait ensuite les Autrichiens et soumet de vastes parties de l'Italie à la domination française. Le 9 novembre 1799, Napoléon renverse le Directoire et prend le pouvoir en tant que Premier consul. Au cours des années suivantes, il étend son pouvoir sur la quasi-totalité de l'Europe, soit grâce à des coalitions opportunes, soit par des succès militaires. Il fonde, en 1804, le nouveau code civil, qui servira de référence pour le système judiciaire de nombreux États longtemps après sa mort. Le 2 décembre 1804, Napoléon se couronne empereur et Joséphine impératrice. Le couple ne réussit pas à avoir d'enfant. Divorcé fin 1809, Napoléon épouse Marie-Louise, fille de l'empereur François Ier de Habsbourg, le 1er avril 1810. Mais déjà sonne le glas qui annonce sa chute. Des défaites cinglantes le contraignent à s'exiler sur l'île d'Elbe. Après une brève interruption de son exil, en 1815, il est envoyé à Sainte-Hélène, île de l'Atlantique sud, loin de l'Europe, où il est définitivement banni. Il y meurt le 5 mai 1821. Sa chère Joséphine était décédée sept années auparavant, le 29 mai 1814, dans sa résidence de La Malmaison.

ET...

À lire :

Napoléon et Joséphine, leur roman, de Jean Savant, Fayard, Paris, 1960.

Napoléon et Joséphine, de Guy Breton, Édito-service, Genève, 1982.

Douce et incomparable Joséphine, de Bernard Chevalier, Payot et Rivages, Paris, 1999.

Napoléon, de Max Gallo, Robert Laffont, Paris, 1997.

À voir :

Napoléon, d'Abel Gance, avec Albert Dieudonné, musique d'Arthur Honegger, France, 1927, copie restaurée en 1971.

Napoléon, de Sacha Guitry, avec Raymond Pellegrin, Daniel Gélin, Jean Gabin et Sacha Guitry, France, 1954.

À visiter :

Le château de la Malmaison, à Rueil-Malmaison, dans l'ouest de Paris.

L'AVIS DE L'AUTEUR

Il tomba aussitôt amoureux, elle se moqua de lui. Plus tard, la situation fut inversée : il la quitta et elle sombra dans le désespoir. En dépit de tout, ils sont restés unis jusqu'à la fin.

Bettina Brentano et Achim von Arnim

Bettina, la romantique, se languit d'Achim et confie sa mélancolie aux ondes : « *Bien de l'eau coulera sous les ponts du Main avant que je ne vous revoie...* »

■ Le beau poète romantique Achim von Arnim (1781-1831). Portrait de l'époque.

On dit du romantisme qu'il n'a découvert l'amour que comme une fin en soi et une justification du couple. Le romantisme célèbre la passion et met en opposition sentiments et conventions. Beaucoup d'hommes et de femmes de talent essaient alors de vivre leur art comme le veulent et, soudain, le permettent les idéaux du romantisme. Cette démarche, aisée à suivre en poésie, l'est moins dans la vie. Certains réussissent toutefois à concilier sentiments et usages, amour et couple, passion et quotidien. Les écrivains Bettina Brentano et Achim von Arnim font partie de ceux-ci.

C'est Clemens Brentano qui présente Achim von Arnim, son meilleur ami, à sa sœur Bettina. Pendant longtemps, leur relation reste purement amicale. Bettina passe beaucoup de temps à Francfort-sur-le-Main, où elle cultive ses relations. Elle lit et écrit des

livres et des poèmes, et elle invente une toute nouvelle forme d'écriture, le roman épistolaire. C'est une jeune fille que l'on qualifierait de nos jours d'exaltée et de capricieuse, ou tout simplement de folle. Elle dit elle-même qu'elle est « extravagante ». Mais son intelligence ne fait aucun doute, et elle sait tirer parti de son excentricité. Elle dit ce qu'elle pense, voyage habillée en homme, flirte avec Goethe, le « prince des poètes », et se fait remarquer en toutes circonstances. Les règles de bonne conduite sont, à l'époque, claires et rigoureuses pour le sexe féminin : les femmes se doivent d'être effacées et la modestie est leur plus

bel atout. Mais le romantisme a une tout autre conception du rôle des sexes, et on assiste alors aux premières tentatives d'égalité entre hommes et femmes, du moins pour ce qui concerne le couple et les liaisons sentimentales. Bettina en est l'une des pionnières.

■ La romantique qui se disait « extravagante » : Bettina Brentano, plus tard von Arnim (1785-1859). Dessin au pastel.

Et Achim von Arnim ? C'est un homme d'une grande beauté et les biographes qui se sont penchés sur ses premières œuvres lui ont découvert, *a posteriori*, plusieurs affaires de cœur importantes avant qu'il ne se donne corps et âme à Bettina.

Ils se connaissent bien depuis longtemps, mais ne s'unissent qu'après un long délai. Arnim a, en effet, cherché refuge à Königsberg avec la cour après la défaite des Prussiens à Iéna.

■ Lettre de Bettina Brentano au prince de Pückler-Muskau, en 1832. Bettina est une adepte des échanges épistolaires.

■ Visage romantique de Bettina sur un dessin d'époque, *Portrait avec couverture de laine*, de Ludwig Emil Grimm.

À son retour, il n'a de cesse de demander sa main à Bettina et il lui dédie son recueil de nouvelles, *Der Wintergarten*. Bettina, alors âgée de vingt-six ans, accepte volontiers. Ils se marient à Berlin dans le plus grand secret en 1811. Ils s'instal-

Après son mariage, Bettina arrêta de cultiver sa coquetterie papillonnante, mais elle laissa toujours libre cours à sa nature anticonformiste et rebelle. Elle eut quatre garçons et trois filles, qu'elle éduqua selon des principes permissifs, on dirait aujourd'hui antiautoritaires. L'un des enfants mourut dans un accident, les autres atteignirent l'âge adulte et certains se consacrèrent à des métiers artistiques.

lent alors au château de Wiepersdorf, propriété d'Arnim, où ils sont extrêmement sollicités entre les lectures, la poésie, l'agriculture et l'éducation de leurs sept enfants. Bettina et Achim von Arnim suivent de très près les événements politiques en Europe. La poésie et les rêves ne leur suffisent pas, ils veulent agir en faveur de l'unité de l'Allemagne, de la liberté et de la démocratie. Achim von Arnim a tendance à se résigner face à la politique décevante de la Prusse, mais Bettina est là pour l'aiguillonner et le pousser à écrire. Achim supporte moins bien que sa femme ces trop nombreuses obligations et il meurt en 1831, peu avant son cinquantième anniversaire. Bettina est extrêmement affligée par sa mort, mais elle n'est pas femme à se laisser abattre par la douleur. Elle continue à écrire, édite ses célèbres romans épistolaires et publie les romans et les nouvelles de son mari. Elle intervient, en outre, de temps à autre sur la scène politique du Vormärz :

■ Détail d'une lettre adressée par Achim von Arnim à son ami Clemens Brentano, le frère de Bettina, datée de Iéna et Weimar, 16-20 décembre 1805.

■ *Soirée de quartette chez Bettina von Arnim*, aquarelle de Carl Johann Arnold, 1854-1856. Après la mort prématurée de son mari, Bettina continue à mener une vie sociale et littéraire.

■ Sur ses vieux jours, Bettina s'engage de plus en plus dans la politique.

■ Après leur mariage, Achim et Bettina von Arnim s'installent au château de Wiepersdorf, près de Juterborg (Brandebourg). On voit ici la façade du château, photographiée de la cour, et la chambre de Bettina à l'étage supérieur. Le château de Wiepersdorf abrite aujourd'hui une maison des artistes.

pour réhabiliter les « Sept de Göttingen » et pour décrire, dans un « Livre des pauvres », la misère des couches sociales les plus défavorisées, notamment celle des tisserands de Silésie. Elle aurait rencontré Karl Marx et accueilli dans sa maison de Unter den Linden des auteurs proscrits, interdits et persécutés. Elle n'a de cesse d'intervenir en faveur des réfugiés et des prisonniers politiques, d'envoyer des recours en grâce au roi et d'écrire des tracts. Les étudiants portent aux nues l'infatigable combattante de la liberté, à laquelle ils rendent hommage par une retraite aux flambeaux. Elle meurt à Berlin, en 1859, à l'âge de soixante-quatorze ans.

BETTINA BRENTANO ET ACHIM VON ARNIM

HISTORIQUE

Bettina Brentano (née Anna Elisabeth Brentano) naît le 4 avril 1785. Elle est la treizième enfant d'un commerçant du nom de Peter Brentano. Elle est éduquée par des religieuses catholiques. Âgée de douze ans à la mort de son père, elle est envoyée chez sa grand-mère, la femme de lettre Sophie de La Roche. C'est dans cette maison ouverte au monde qu'est posée la première pierre de la carrière littéraire future de la jeune fille. En 1798, Bettina fait la connaissance de son frère Clemens, qui lui présente à son tour, en 1802, son ami Achim. Né le 26 janvier 1781, Ludwig Joachim von Arnim perd sa mère alors qu'il n'est encore qu'un enfant, et il est lui aussi éduqué par sa grand-mère. Clemens Brentano l'a rencontré au cours de ses études scientifiques à Göttingen. Liés à vie par une solide amitié, ils travaillent ensemble à la publication de leur recueil de chansons populaires *Des Knaben Wunderhorn* (*Le Cor enchanté de l'enfant*, 1806-1808), que Gustav Mahler mettra plus tard en musique. Bettina et Achim se voient alors souvent et leur amitié se transforme en amour. Ils se fiancent au cours de l'hiver 1810 et se marient, dans le plus grand secret, le 11 mars 1811. Achim dédie à sa femme son premier ouvrage *Der Wintergarten*, un recueil de nouvelles. Le couple est intimement lié à Goethe pendant de longues années. Dans son

ouvrage épistolaire, *Correspondance de Goethe avec une enfant*, Bettina donne une existence littéraire à cette amitié. Une dispute violente avec Christiane, la femme de Goethe, met brutalement fin à leurs relations au cours de l'hiver 1811. Entre 1812 et 1827, Bettina met au monde sept enfants. Elle vit tantôt séparée de son mari, à Berlin, tantôt sur la propriété rurale de Wiepersdorf, qui assure le minimum vital aux bouches de plus en plus nombreuses de la famille. Le choix du lieu de résidence, le manque d'argent et l'éducation des enfants sont autant de sujets qui dégénèrent en disputes et crises conjugales. Achim décède subitement le 21 janvier 1831. Au cours des deux décennies suivantes, Bettina continue à publier les œuvres de son mari. À partir de 1840, elle s'engage politiquement et socialement pour soutenir avec courage le mouvement populaire pré-révolutionnaire. Elle s'éteint le 20 janvier 1859, entourée de ses enfants, la veille du vingt-huitième anniversaire de la mort d'Achim.

 ET...

À lire :
Bettina von Arnim, d'Helmut Hirsch, J. Chambon, 1994.

Romantisme et révolution : lettres et articles, de Bettina Brentano von Arnim, Paris, Syros, 1981.

À visiter :
La tombe du couple à Wiepersdorf (Land de Brandebourg), où se trouve leur propriété rurale et le château, qui est aujourd'hui une maison des artistes.

L'AVIS DE L'AUTEUR

Ce couple uni dans le romantisme a mené une existence en partie heureuse, en partie gâchée par des difficultés matérielles. Beaucoup d'enfants, peu d'argent, une vie intellectuelle intense.

Percy B. Shelley
et Mary Wollstonecraft Shelley

Pour Percy, Mary possède tous les avantages
de la nature humaine. Elle a un « *sourire avenant
et émouvant* ». Tendre et douce, elle est cependant
« *très capable des indignations et des haines
les plus ardentes.* »

C'est ainsi que le poète Percy Bysshe Shelley décrit Mary, la fille de son mentor, William Godwin. La maison de ce philosophe et écrivain, connu pour ses positions sociales critiques, est, en 1814, le lieu de rendez-vous incontournable de l'intelligentsia révolutionnaire londonienne. On y discute de tous les conflits et de toutes les questions que la Révolution française a laissés en suspens, en particulier de la condition des pauvres et de l'émancipation des femmes. Un homme peut-il être loyal quand il a faim ? Une femme peut-elle ressentir un véritable amour pour l'homme avec qui elle doit composer pour le bien de ses enfants ? La soumission est-elle voulue par Dieu ? Dieu existe-t-il ? Shelley nie son existence. Son œuvre *Sur la nécessité de l'athéisme* lui vaut d'ailleurs d'être renvoyé de l'université d'Oxford. Maintenant, il est reçu à la table de Godwin, qui le prend au sérieux et avec qui il discute de poésie et d'idées réformatrices.

Mary n'a que seize ans. Ses portraits représentent une jeune fille au visage de madone et aux yeux immenses. Elle vient juste de réintégrer le giron paternel, après avoir passé une partie de son enfance auprès de sa famille en Écosse, car sa mère, la célèbre militante féministe Mary Wollstonecraft, est morte à sa naissance.

C'est une jeune fille instruite, qui comprend la portée des débats et est admise à y participer. Elle aimerait y prendre la parole, mais elle n'ose pas. Elle boit les paroles de Shelley, ce beau jeune homme brun qui fait beaucoup parler de lui avec ses poèmes extatiques et ses visions révolutionnaires. Shelley est marié. Il a enlevé sa femme, Harriet, alors qu'elle n'avait que seize ans, et elle l'accompagne parfois à ces réunions. Le couple attend son deuxième enfant. La famille de Shelley est fortunée. Le père, un gentilhomme campagnard, réprouve les choix de son fils et le lui fait sentir en ne lui donnant que peu d'argent. Godwin emprunte malgré tout souvent au jeune poète et celui-ci accepte bien volontiers : qu'importe l'argent quand on partage les mêmes idéaux ? Mary admire donc Percy pour sa générosité. Mais cette admiration cède bientôt la place à des sentiments beaucoup plus profonds. On peut imaginer l'histoire d'amour entre le poète marié et la fille de son protecteur comme une liaison cimentée par l'esprit de révolte et l'attrait du lyrisme entre deux êtres extrêmement sentimentaux et assoiffés de connaissances.

Environ trois mois après la rencontre de Percy et Mary dans la maison de Godwin, le couple s'enfuit pour un périple sur le Continent. Ils emmènent avec eux Claire, la belle-sœur de Mary, mais laissent Harriet Shelley, enceinte, William Godwin, déconfit, et la société londonienne sous le choc – ainsi que les admirateurs de Percy. Ils voyagent, visitent la France et la Suisse. Le monde leur appartient. Dès le début de leur relation, Mary et Percy, pour qui lire et écrire sont des

■ Mary Godwin (1797-1851) n'a que seize ans quand elle fait la connaissance du romancier anglais Percy B. Shelley (1792-1822). Leur liaison est scandaleuse : le couple, uni par sa sensibilité et sa soif de connaissances, s'enfuit quelques mois après sa première rencontre. Shelley abandonne sa femme, enceinte, et son premier enfant.

Percy et Mary ont décidé de fuir Londres pour vivre leur amour sur le Continent. Dans son journal intime, Percy décrit leur fuite, dans la nuit du 27 au 28 juillet. Il a commandé une calèche qui arrive vers quatre heures du matin et attend avec anxiété le moment propice. Il ne croit pas au succès de leur fuite, « *le danger se dissimule jusque dans la certitude* ». Les quelques préparatifs qu'il reste à faire lui semblent interminables. Mais « *quelques minutes s'égrenèrent encore : elle était maintenant dans mes bras. Nous étions sur la route de Douvres* ».

activités vitales, tiennent le journal de leur vie commune.

Les trois jeunes gens reviennent au nid en automne, car l'argent leur fait défaut. Harriet Shelley met au monde un garçon. Percy est heureux. Mary, enceinte, est souvent indisposée et profondément confuse. Shelley caresse à cette époque l'idée de prendre Harriet et ses enfants avec lui et de vivre dans une sorte de communauté avec Mary et Claire. Il encourage un vieil ami à faire des avances à Mary : n'étant pas pour l'exclusivité en amour, il veut ouvertement montrer qu'il ne fait pas d'exceptions pour lui-même. Mais Mary ne parvient pas à s'enthousiasmer pour les expérimentations sociales de son amant. Certes, elle a été éduquée librement par Godwin, c'est-à-dire loin des notions religieuses et de la morale, et, au grand dam de celui-ci, elle revendique cette éducation. Elle défend son

■ C'est dans la maison de son père que Mary fait la connaissance de Percy. Le philosophe et écrivain William Godwin (1756-1836) y reçoit des intellectuels pour débattre des idées sociales progressistes. L'amour romantique entre sa fille et Shelley, qui bafoue les conventions, le laisse néanmoins dans le désarroi. Ci-dessous : les Shelley, lord Byron et des amis, lors d'une promenade en bateau sur le lac Léman.

> Mary se passerait volontiers du cadre fantastique du lac et des montagnes qui touchent le ciel, dans lequel elle ne peut assouvir son amour. Que n'a-t-elle « *un jardin et [...] que Claire ne soit pas là – et je veux remercier mon bien-aimé pour toutes ses marques de faveur* ».

amour contre les obligations et les conventions sociales, mais elle ne veut cependant pas aller plus loin. L'homme de sa vie doit être le seul, exclusivement.

L'enfant de Mary meurt peu après sa naissance. Le couple en a bientôt un deuxième, William, que ses parents adulent. Shelley repart sur le Continent, toujours avec Mary et Claire. Ils louent une maison au bord du lac Léman, où le poète lord Byron occupe une villa où il tient sa cour. Les hommes font souvent de la voile, Mary écrit son journal intime. Le soir, on débat et on donne lecture : les histoires de revenants, très à la mode à cette époque, sont particulièrement prisées pour ces longues nuits.

Peu de livres ont connu un tel succès. *Frankenstein ou le Prométhée moderne* a été traduit dans presque toutes les langues, a donné lieu à d'innombrables films et le livre est, aujourd'hui encore, dans les rayons des librairies. Les histoires d'hommes artificiels, alors très en vogue, échauffaient les esprits, soulevaient des problèmes éthiques et divisaient la critique.

■ Enfant du romantisme, Mary Wollstonecraft n'a que dix-neuf ans quand elle écrit, avec l'aide de Percy, le roman d'horreur *Frankenstein ou le Prométhée moderne*. Boris Karloff joue ici le rôle du monstre dans le film de James Whale, tourné en 1931.

C'est Byron qui, un soir, lance l'idée d'écrire chacun un conte de revenants. Enthousiastes, tous se mettent à l'œuvre. Mary est toutefois la seule qui va aller jusqu'à rédiger un roman, *Frankenstein ou le Prométhée moderne,* qui paraît en 1818.

Tout le monde s'accorde aujourd'hui à reconnaître la qualité de ce livre. Il est l'œuvre d'une jeune fille de dix-neuf ans qui n'a jamais vraiment atteint la notoriété et dont on n'imagine pas qu'elle puisse en être l'auteur. Il paraît anonymement et d'aucuns en attribuent la paternité à Shelley. Le « monstre » fait une entrée triomphale dans la fantaisie des lecteurs et des spectateurs, qui lui donnent sans tarder le nom de son géniteur. Frankenstein est, en effet, le nom du médecin suisse que Mary a imaginé et à qui elle fait créer un être humain artificiel à partir de morceaux de cadavres, et non le nom de la créature. Percy contribue grandement à la parution de ce livre : il conseille Mary, l'encourage et participe même à la rédaction, mais seulement à la demande de sa femme. L'écriture est le moyen grâce auquel le couple communique, se comprend, s'inspire et célèbre son amour. Mais les nuages s'amoncellent bientôt à

Figée dans son chagrin, Mary confie à son journal qu'après la mort de son mari le monde n'est plus que du « *sable mouvant qui se dérobe sous les pieds* ».

■ *Frankenstein*, de Mary Shelley, exerça une très grande influence sur le développement de la *gothic novel*, le roman d'horreur anglais, en tant que genre littéraire à part entière. Dans *Gothic*, Ken Russel prend comme point de départ de son film d'horreur une nuit au cours de laquelle Mary Shelley imagine, avec un vampire, ses histoires à faire dresser les cheveux sur la tête.

l'horizon : Harriet Shelley se suicide et Percy se voit retirer le droit de garde des enfants qu'il a eus avec elle. Il fait de Mary sa seconde épouse, et elle donne naissance à une petite fille qui meurt à Venise d'une infection. Son frère William la suit peu après, et le couple se retrouve de nouveau sans enfants.

Un an plus tard, à Florence, Mary met au monde un garçon qu'ils appellent Percy, leur seul enfant qui deviendra adulte. Mary commence un nouveau journal. Trois ans plus tard, Shelley périt en mer dans le golfe de la Spezia dans une tempête. La mer ne rend son corps que quelques jours plus

Mary confie à son journal la douleur de la mort de Percy. Elle pleure les huit années pendant lesquelles elle vécut « dans la plus totale liberté avec un homme dont l'esprit était si supérieur au [sien], qui éveillait et guidait [ses] pensées ». Elle implore les étoiles, pour « qu'elles baissent leur regard vers [ses] larmes et qu'elles boivent [ses] soupirs ».

tard, à Viareggio. L'auteur d'une riche œuvre lyrique, dont des récits poétiques et des œuvres dramatiques, n'a alors que trente ans. Sa veuve n'en a même pas vingt-cinq. Mary écrit d'autres romans et des récits de voyage, et elle publie les œuvres de son mari. Elle se retire en Angleterre, où elle meurt à cinquante-trois ans, en 1851, regrettée par son fils, Percy, et sa belle-fille.

PERCY B. SHELLEY ET MARY WOLLSTONECRAFT SHELLEY

HISTORIQUE

Mary Wollstonecraft, née le 30 août 1797, est l'enfant unique de la militante féministe Mary Wollstonecraft (1759-1797), qui meurt peu après son accouchement, et du libre penseur politique William Godwin (1756-1836). L'éducation prodiguée par son père lui ouvre des horizons scientifiques inhabituels pour cette époque et imprégnés de la pensée sociale révolutionnaire. De retour d'un séjour de deux ans en Écosse, elle fait connaissance en mai 1814, sous le toit paternel, du jeune poète Percy Bysshe Shelley. Né le 4 août 1792 dans une famille noble, Percy a été renvoyé de l'université d'Oxford, en 1811, pour avoir participé à la rédaction d'un pamphlet athée. Cet incident, ainsi que son mariage le 29 août 1811 avec Harriet Westbrook, une jeune fille de condition modeste, provoquent la rupture de ses relations avec son père. Harriet, dont il se sépare en octobre 1814, se suicidera. Mary et Percy se marient alors, le 30 décembre 1816. C'est au cours d'un séjour en Suisse, pendant l'été qui précède leur mariage, que sont jetées les bases du roman d'horreur de Mary Shelley, *Frankenstein ou le Prométhée moderne*, publié en 1818. Ovide avait décrit, dans les *Métamorphoses*, le Prométhée classique comme le titan puni pour avoir créé des hommes et des femmes avec de l'argile et leur avoir, en outre, donné vie. Le roman est adapté au théâtre du vivant de son auteur, mais c'est incontestablement Boris Karloff qui a incarné de la façon la plus impressionnante le personnage du monstre créé par Frankenstein, dans un film tourné en 1931 qui respecte fidèlement la devise de John Milton mise en préface de son roman par Mary Shelley : « T'ai prié-je, toi mon créateur, que tu me fasses homme avec de l'argile ? Que tu viennes me tirer des ténèbres ? » Après la mort de son mari, le 8 juillet 1822, Mary retourne à Londres en 1823, avec Percy, son unique fils survivant. Elle raconte ses revers de fortune dans son ouvrage *Le Dernier Homme* (1826), et publie les œuvres lyriques de son mari avec ses propres annotations. Elle écrit d'autres romans, ainsi que des essais et des récits de voyage. Victime de plusieurs attaques d'apoplexie, elle meurt, soignée jusqu'à son dernier souffle par son fils, Percy, et sa femme, le 1er février 1851, à Londres.

 ET...

À lire :

De l'amour : essais et préfaces choisis, de Percy B. Shelley, Métailié, Paris, 1991.

Mary Shelley : la mère de Frankenstein, de Muriel Spark, Fayard, Paris, 1989.

À voir :

Frankenstein, de James Whale, avec Boris Karloff, États-Unis, 1931.

Frankenstein Junior, de Mel Brooks, avec Gene Wilder, Marty Feldman, Peter Boyle et Teri Garr, États-Unis, 1974.

Gothic, de Ken Russel, avec Gabriel Byrne, Julian Sands et Natasha Richardson, États-Unis/Grande-Bretagne, 1986.

✳ L'AVIS DE L'AUTEUR

Le couple le plus aventurier, le plus moderne, le plus courageux et le plus fou s'aima et souffrit aussi longtemps qu'il exista : beaucoup d'écrits (également en commun) – et le drame de la mort des enfants...

Quasimodo et Esméralda

« *N'ayez crainte ! Je suis votre ami ! Je suis venu vous regarder dormir. Cela ne peut pas vous nuire, n'est-ce pas, que je vous regarde dormir ? Que cela peut-il faire que je sois ici quand vous avez les yeux fermés ?* »

Quasimodo sait bien qu'il faut un certain courage pour supporter sa vue. Mais il a sauvé Esméralda de la potence, il lui donne asile dans la cathédrale, et il ose s'approcher d'elle. « Émue, la gitane ouvre les yeux. Et elle voit le pauvre petit être bossu, recroquevillé dans un renfoncement du mur, dans une attitude de douleur et de résignation. Elle s'efforce de vaincre le dégoût qui monte en elle. "Viens", lui dit-elle doucement. "Non, non, répond-il, la chouette ne se pose pas dans le nid de l'alouette." »

Le bossu est un enfant trouvé. Il a été élevé par Frollo, l'archidiacre de Notre-Dame, qui lui confie la charge de sonneur de cloches. Quasimodo ressemble à l'un de ces monstres sculptés dans la pierre et qui ornent les façades de la cathédrale, mais il est doté d'un cœur plein de désir romantique. Bien qu'il n'ait qu'un œil, il se montre plus clairvoyant que la majorité de ses contemporains.

■ Il ne veut pas qu'elle voie sa laideur. Gina Lollobrigida en Esméralda, et Anthony Quinn en sonneur de Notre-Dame, dans le célèbre film tourné en 1956.

Il sait que la gitane Esméralda est la plus belle enfant sous le soleil, que son unique péché est sa beauté, et que sa condamnation à mort n'est sûrement pas la sentence d'un procès équitable.

Esméralda est danseuse. Elle sillonne Paris en tous sens avec sa chèvre, et sa grâce envoûte les gens. Mais elle mène une existence dangereuse, car certains mauvais garçons la considèrent comme une proie. Aussi a-t-elle grand besoin du soutien des bas-fonds parisiens, des mendiants, voleurs et autres vagabonds de la cour des Miracles, pour vaquer sans dommage à ses occupations. Mais ces anges gardiens sont impuissants face à Frollo, cet ecclésiastique haï du peuple. Un feu obscur brûle dans son esprit et ronge sa piété. Il ne connaît pas le bien et se redoute lui-même. Cet homme de Dieu n'est pas obsédé par sa charge, mais plutôt par la belle Esméralda. Ne parvenant pas à la conquérir, il manigance contre elle une accusation de sorcellerie et de meurtre. Quasimodo comprend son diabolique stratagème et cache Esméralda dans son domaine. Chez lui, dans la maison de Dieu, elle est en sécurité. Pas un soldat, pas un milicien, pas un policier ne peut en franchir le seuil.

■ Symbole de la civilisation humaine, le protecteur, qui est laid, ne pose pas la main sur la femme de toute beauté. Karl von Steuben, *Esméralda*, 1839.

Quasimodo et Esméralda se regardent, ils parlent, rient et plaisantent. Ce n'est pourtant pas chose aisée, car Quasimodo est sourd, l'ouïe irrémédiablement endommagée par le vacarme des cloches. Il a sauvé la vie d'Esméralda et la cathédrale, qui est désormais leur maison, rayonne grâce à cette nouvelle présence.

Notre-Dame de Paris se déroule en 1482. Ce roman, paru en 1831, est considéré comme la plus importante épopée du romantisme. Au centre de l'histoire se trouve la magnifique cathédrale gothique dont Victor Hugo voulait protéger la dignité et le mystère face à l'avance inexorable de la modernité.

Hélas, une fois de plus, Frollo est le plus fort. Quand le peuple des voleurs, mendiants et misérables envahit l'île sur la Seine pour délivrer Esméralda, il requiert la force pour le disperser et suspend le droit d'asile religieux dans Notre-Dame. Esméralda est alors conduite au supplice et pendue. Du parapet de la tour, Quasimodo et Frollo assistent à l'horrible spectacle. Mais le sonneur ne supporte pas de voir l'archidiacre s'en réjouir et il le pousse dans le vide.

Esméralda et Quasimodo sont-ils un couple ? Pas au sens où ils peuvent espérer le bonheur et l'accomplissement, certes, mais par la volonté du destin. Il l'aime, il la sauve, il la porte dans ses bras. Naturellement, elle en aime un autre, un beau capitaine. Comment pourrait-elle, toutefois, ne pas être émue par ce carillonneur qui risque sa vie pour elle et qui la contemple dans son sommeil ? « Viens », dit-elle en lui tendant la main. Ce geste rédempteur comble tous les vœux du bossu : il n'est plus un monstre.

Le sonneur et la danseuse sont l'image originelle de *La Belle et la Bête*. L'histoire de ce couple, dans ses préludes, nous évoque le conte *Le Roi Grenouille,* et elle se prolonge dans *King Kong*. Les légendes où une belle femme embrasse un

■ La belle et la bête :
Maureen O'Hara et Charles Laughton dans la version cinématographique de *Notre-Dame de Paris* tournée en 1939 par William Dieterle.

■ Polyptyque avec des scènes de *Notre-Dame de Paris*, de Victor Hugo, par Auguste Couder, 1837. On y voit au centre le couple d'amoureux, Esméralda et Phébus, surpris par le doyen Frollo.

■ Couverture de l'édition originale de *Notre-Dame de Paris*, de Victor Hugo, paru en 1831. Le roman est traduit en allemand la même année.

monstre et le transforme en prince charmant grâce à son baiser sont réservées aux enfants. Les adultes doivent accepter que Quasimodo reste tel qu'il est, et que King Kong ne devienne pas un être humain, même si la jeune fille surmonte sa peur et lui offre son amitié. N'en est-il d'ailleurs pas ainsi dans la vie ? Le couple de *La Belle et la Bête* nous apporte toutefois la consolation de savoir que tout être, aussi laid, défiguré et difforme soit-il, mérite d'être aimé et peut attirer la sympathie. Il nous fait passer un autre message encore : le désir, en tant que pulsion et extase, possède un archétype animal qui se moque des critères esthétiques et a, au besoin, recours à la violence. Ni King Kong ni Quasimodo ne fera jamais le

■ Le personnage de Quasimodo a naturellement été exploité par Walt Disney, qui fit de son histoire émouvante une œuvre populaire. Scène du dessin animé *Le Bossu de Notre-Dame*, de 1996.

moindre mal à sa compagne si fragile, mais rien ne pourrait le faire renoncer à l'espoir de tenir en son pouvoir l'objet de son désir. Les couples tel celui de *La Belle et la Bête* sont, de ce point de vue, le symbole de la civilisation humaine : elle commence le jour où le premier homme sauvage renonce à abuser de la femelle qui lui plaît et qu'il tenait prisonnière. La tendresse maternelle, qui rend la femme capable de ne pas s'arrêter à la laideur du monstre amoureux parce qu'elle devine son âme, doit être considérée comme un élément de son attrait érotique.

QUASIMODO ET ESMÉRALDA

HISTORIQUE

Les images que nous évoque la rencontre fatidique entre Quasimodo, sonneur fort laid, et Esméralda, danseuse de toute beauté, proviennent en grande partie de scènes des quelque dix films qui lui ont été consacrés depuis 1905. Leur scénario est directement inspiré du roman de Victor Hugo, *Notre-Dame de Paris*, vraisemblablement le plus important ouvrage littéraire du romantisme français. Mais, dans sa portée narratrice, celui-ci va bien au-delà de la simple histoire d'amour. Né en 1802, Victor Hugo a fait d'importantes recherches sur la période transitoire entre le Moyen Âge et la Renaissance : son roman comporte d'ailleurs de longues réflexions philosophiques sur le sujet. Dans le contexte du soulèvement populaire de la révolution de juillet 1830 en France, cette œuvre, parue un an plus tard seulement, reflète les conflits de cette époque. Parmi les personnages principaux, seuls deux ont réellement vécu : Pierre Gringore (Gringoire dans le roman), poète français né vers 1475, qui fut le chef de file de la corporation des bouffons « Enfants sans souci » et qui est, dans le roman, le mari officiel d'Esméralda, ainsi que le roi Louis XI (1423-1483), qui régna en tyran. Les autres personnages, le doyen Frollo et son frère, ainsi que Esméralda et Quasimodo sont tous fictifs, de même que les rois des mendiants et l'officier. Cependant, on peut considérer que la cathédrale Notre-Dame joue le rôle de « personnage principal », car sa présence est décisive pour l'atmosphère du roman et de tous les films qui lui sont consacrés. Commencé en 1163, ce magnifique ouvrage de la fin du gothique, avec ses tours de soixante-huit mètres de haut et ses nombreuses annexes, ne fut achevé que deux siècles plus tard. La cathédrale ne se contente pas d'être la coulisse de cette histoire, elle se pose en symbole de la culture traditionnelle monastique et cléricale de l'époque. La première version cinématographique significative du roman date de 1939. Charles Laughton y joue le rôle du sonneur, auquel il parvient, malgré son masque hideux, à donner des traits profondément humains dans le décor en noir et blanc, et, de ce fait, particulièrement lugubre, de la cathédrale. Le film en couleurs de 1956, qui met en vedette l'actrice Gina Lollobrigida, semble déjà beaucoup plus plaisant. Nous ne parlerons pas du dessin animé, en comparaison très kitch, réalisé en 1996 par les studios Disney.

ET...

À lire :
Notre-Dame de Paris, de Victor Hugo, Librairie générale française, Paris, 1999.

À voir :
Notre-Dame de Paris, de Wallace Worsley, avec Lon Chaney Sr., Patsy Ruth Miller, États-Unis, 1923.

Quasimodo, de William Dieterle, avec Charles Laughton et Maureen O'Hara, États-Unis, 1939.

Notre-Dame de Paris, de Jean Delannoy, avec Anthony Quinn et Gina Lollobrigida, France, 1956.

À visiter :
Musée de la maison de Victor Hugo, place des Vosges, à Paris.

✳ L'AVIS DE L'AUTEUR

Les amoureux voués à la mort s'aiment par un regard et un sourire, mais qui renferment tout un monde.

Robert Schumann et Clara Wieck

« *N'oubliez pas le "oui"* », dit Schumann à Clara avant leur mariage, donnant ainsi le *la* d'une partition pour piano à quatre mains.

■ La pianiste Clara Schumann, née Wieck (1819-1896).

Robert Schumann, alors étudiant en droit à Leipzig, passe une soirée chez une amie et il entend Clara, la fille du très sévère professeur de musique Friedrich Wieck, jouer du piano. Sous le charme, il décide de réaliser un vieux rêve : devenir virtuose, sous la houlette du père de Clara. Il devient donc l'élève de Wieck en même temps que son locataire. Son enthousiasme du début est malheureusement réduit à néant, peu après, par la paralysie subite d'un doigt. Clara, en revanche, bien qu'encore enfant, a déjà réussi à percer : elle entreprend de longues tournées et est applaudie partout. Elle compte Goethe parmi ses admirateurs, mais personne n'aime autant la jeune fille pianiste que Schumann. Clara et Robert sont depuis longtemps liés par une tendre amitié. Aux dures heures d'exercice communes succèdent de longues promenades, au cours desquelles Robert amuse la jeune fille avec ses jeux et ses histoires sans cesse renouvelés. Le visage de Clara flotte devant ses yeux quand il compose. Quand elle atteint l'âge de seize ans, il doit se rendre à l'évidence : il l'aime. Il rompt ses fiançailles avec une autre jeune fille et demande sa main à son père. Mais Friedrich Wieck ne l'entend pas de cette oreille. Il ne pense pas un seul instant à donner sa perle de fille, qui représente à ses yeux tout ce qu'il n'a pas pu devenir dans le domaine musical, à un semblant de musicien inconstant, qui plus est de condition modeste. Clara se plie tout d'abord à la volonté de son père, mais, un soir de l'année 1837, alors qu'elle joue les *Études symphoniques* qu'il a composées, Robert, qui est dans le public, doit se rendre à l'évidence : elle l'aime !

Leurs rencontres se limitent toutefois à des rendez-vous secrets dans le parc. Cette longue attente et la guerre qu'il doit mener sans cesse contre Wieck découragent Robert. Et quand Clara le prie, sur une nouvelle intervention de son père, de rompre leurs fiançailles qui viennent, malgré tout, d'être célébrées, il sombre dans une dépression profonde et douloureuse. Il pense au suicide. Clara ne peut pas renier plus longtemps son amour pour Robert, et le couple se marie, le 12 septembre 1840, à l'église du village de Schönefeld. Schumann a déjà trente ans. Cette année-là, il écrit plus de cent trente chansons et atteint le sommet de sa créativité.

Commence alors une vie de couple harmonieuse, qu'ils décrivent amplement dans leur journal intime commun, faite de quotidien petit-bourgeois, de cris d'enfants et de musique romantique. Mais il y a aussi des tensions, car ils ne disposent que d'un piano et Schumann y travaille souvent comme un damné, des heures durant, inaccessible et froid. Des journées entières passent ainsi sans que Clara ne puisse répéter. Robert, déchiré intérieurement, souhaiterait que sa femme, la mère de leurs enfants, envisage de renoncer à sa carrière de pianiste. Au contraire, en 1844, elle entreprend une tournée qui la mène jusqu'à Moscou. Schumann se retrouve dans l'ombre de sa célèbre épouse, mis à l'écart. On lui demande même s'il est également musicien ! À Leipzig, on lui refuse le droit de succéder à Mendelssohn à la tête de l'orchestre du Gewandhauset. Blessé, il va s'installer à Dresde. En mai 1849, la ville est secouée par la révolution. Wagner et ses amis se précipitent sur les barricades, mais Schumann, lui, part avec sa famille, qui compte maintenant huit enfants. Il est nommé directeur de la musique à Düsseldorf en 1850, mais, en proie à de

■ De son vivant, il resta dans l'ombre de sa femme : Robert Schumann (1810-1856).

■ Un quotidien petit-bourgeois, des cris d'enfants et de la musique romantique. Six des huit enfants du couple Schumann.

■ Thème et début
de la première variation
des *Études symphoniques*,
de Robert Schumann,
première édition.

■ Robert et Clara Schumann
sur une lithographie de 1847.

premières affections nerveuses, il doit bientôt démissionner. La famille se fait cependant de nouveaux amis : Johannes Brahms, qui n'a que vingt ans, et le violoniste Joseph Joachim témoignent à Schumann toute l'admiration dont il a besoin. En 1853, son état s'améliore et le couple connaît une nouvelle phase de bonheur. Pour son anniversaire, Clara reçoit un piano à queue. Elle écrit : « Ne suis-je pas la plus heureuse des femmes ? »

Robert se sent gagné par la maladie et il prie sa femme de se maintenir éloignée de lui, afin qu'il ne la blesse pas pendant les crises où il ne se contrôle plus. Son sentiment de culpabilité ne cesse de croître jusqu'au jour où, pris de panique, il se jette dans le Rhin. Il est sauvé de la noyade et demande lui-même, plus tard, à être admis dans un hôpital psychiatrique. Pendant les deux sombres années qui suivent, sans Robert, Brahms se montre pour Clara un ami attentionné, lui prodiguant conseils et affection, sans que l'on sache exactement quelles sont leurs relations. Clara voit son mari une dernière fois juste avant sa mort le 29 juillet 1856. Elle garde le souvenir vivace de cette dernière rencontre, du sourire qu'il lui adresse, malgré le gros effort de cette ultime étreinte.

Clara Schumann n'a alors pas encore atteint le sommet de sa carrière. Elle écrit des chansons, des morceaux pour piano et un concert pour piano, et se consacre à l'œuvre de son mari, qu'elle fait connaître à travers toute l'Europe. Elle meurt quarante ans après lui, le 20 mai 1896, considérée comme l'une des plus grandes virtuoses du XIXe siècle.

ROBERT SCHUMANN ET CLARA WIECK

HISTORIQUE

Quand Robert Schumann vient au monde à Zwickau, le 8 juin 1810, la littérature romantique, forte d'écrivains comme Hölderlin, Brentano et Novalis, est à son apogée en Allemagne. La librairie paternelle regorge de leurs ouvrages. Le père de Robert, qui a détecté précocement les dispositions de son fils pour la musique, meurt, hélas, en 1826 sans avoir eu le temps de prendre en main son éducation musicale. Ce n'est qu'en 1830, alors qu'il étudie le droit, que Robert décide de s'orienter vers cet art. Il prend des cours de piano chez Friedrich Wieck, le père de Clara. Née le 13 septembre 1819 avec un don inné pour le piano, Clara donne, dès son plus jeune âge, des concerts en public. Victime d'une paralysie à un doigt, Schumann doit renoncer en 1832 à sa carrière de pianiste, et il se consacre dès lors à la composition. À cette époque, sa relation avec Clara est purement amicale. En 1834, Robert se fiance avec Ernestine von Fricken. Quand Clara rentre, en avril 1835, d'une longue tournée, il se rend compte de son amour pour elle. Il rompt donc ses fiançailles et demande sa main. Mais le père de Clara, qui a de l'ambition pour sa fille, n'apprécie pas de voir baisser son influence auprès d'elle et il interdit toute rencontre aux jeunes gens. Ce n'est que le 12 septembre 1840, à l'issue d'un procès de deux ans contre Friedrich Wieck, que le mariage peut enfin être célébré. Ils auront huit enfants, mais ne cessera jamais de se produire avec succès. Elle monte pour la première fois sur scène sous le nom de Mme Schumann à Leipzig, en 1841. Robert traverse alternativement des phases d'extrême créativité et de dépression profonde. Au cours des cinq premières années de sa vie avec Clara, il compose pas moins de cent cinquante chansons, deux symphonies, plusieurs morceaux pour piano, un oratorio et son célèbre *Concerto en la mineur pour piano*. Clara essaie d'éviter toute contrariété ou excitation à son mari, mais sa maladie progresse irrémédiablement et ses hallucinations nocturnes ne font qu'empirer. Conscient de son état, Robert Schumann tente de se suicider en sautant dans le Rhin le 27 février 1854, mais on le sauve de la noyade. Peu après, en octobre 1854, il doit abandonner sa toute nouvelle fonction de directeur de la musique à Düsseldorf. Il meurt le 29 juillet 1856 à l'hôpital psychiatrique d'Endenich, près de Bonn. Son dossier médical laisse penser à une syphilis en phase terminale. Après la mort de son mari, Clara se produit de nouveau sur scène. Elle meurt le 20 mai 1896. Signe de sa notoriété, son effigie a orné les billets de cent marks.

ET...

À lire :
Lettres d'amour, de Robert et Clara Schumann, Buchet-Chastel, Paris, 1991.

Clara Schumann ou l'Œuvre et l'amour d'une femme, de Brigitte François-Sappey, Éditions Papillon, Genève, 2001.

À voir :
Passion immortelle, de Clarence Brown, avec Katharine Hepburn, États-Unis, 1947.

À écouter :
The Songs of Clara Schumann, 2002.

Schumann : œuvre de jeunesse, Clara Wieck (compositeur), 1995.

À visiter :
Le musée Schumann à Düsseldorf-Ehrenhof, où se trouvent nombre de souvenirs du couple.

La maison natale de Robert Schumann à Zwickau.

L'AVIS DE L'AUTEUR

Deux génies musicaux et une horde d'enfants, tout pour une idylle. Mais la maladie et la concurrence entre ces personnes créatives mettent à mal l'harmonie du couple.

Karl et Jenny Marx

Loin de Jenny, Karl garde constamment devant les yeux l'image de sa femme, « ... *je t'embrasse de la tête aux pieds, et je tombe à genoux devant toi [...] je vous aime.* » Le Maure fondateur du marxisme, tel le Maure de Venise, est capable de s'enflammer pour d'autres causes que la politique.

■ Le père de Jenny von Westphalen (1814-1881) estime que la jeune baronne mérite un meilleur parti. Le mariage a enfin lieu, après des fiançailles de sept ans.

Karl Marx et Jenny sont alors déjà mariés depuis treize ans. De leurs quatre enfants, l'aînée, Jenny, est morte dans sa douzième année, et le dernier peu après sa naissance. Karl et Jenny auront par la suite d'autres enfants, mais trois seulement atteindront l'âge adulte. Lui s'épanouit pleinement dans son travail, alors que son épouse, maîtresse de maison et mère de famille, le soutient. N'est-ce pas un couple tout ce qu'il y a de plus normal, en cette seconde moitié du XIXᵉ siècle ?

Pas du tout ! Ce qu'endure la famille Marx va bien au-delà de tous les schémas de la normalité bourgeoise. Et pourtant, tous, père, mère et enfants, souhaitent ardemment entrer dans ce schéma protecteur. Mais la mission de Karl Marx, qui élabore une théorie pour l'émancipation des travailleurs, ne le leur permet pas. À Berlin, alors qu'il n'est encore qu'étudiant, Karl Marx est déjà en relation avec des camarades révolutionnaires : attaques politiques et revendications libertaires envers l'État très réactionnaire de Prusse sont à l'ordre du jour. On se bat avec sa plume, on publie des journaux et on critique la censure avec véhémence. L'État contre-attaque, avec des interdictions de publication et des expulsions.

Karl Marx et Jenny von Westphalen ont tous deux grandi à Trèves. Jenny, de quatre ans l'aînée, doit s'armer de patience avant de pouvoir vivre avec Karl. Sa famille aux nobles origines refuse cette union, qu'elle considère comme une mésalliance. La jeune baronne mérite évidemment mieux que cet écrivaillon sans le sou, d'origine juive de surcroît, et qui, en outre, a déjà eu maille à partir avec la police. Peu importe que Jenny et Karl se connaissent depuis l'enfance et que le père de Jenny lui-même ait participé à l'instruction de Karl, qu'il estime doué. Compréhension ne rime pas toujours avec union. Il ne leur reste plus qu'à s'aimer en secret et à attendre des jours meilleurs. Le couple peut enfin se marier en 1843, à Kreuznach, après sept longues années de fiançailles, puis part pour Paris. Jenny, une très belle femme au visage tendre et doux, qui a déjà vingt-neuf ans, met bientôt au monde une première fille, Jenny.

Karl Marx aimerait bien offrir à sa femme un train de vie moins chiche, mais, pendant leurs premières années de vie commune, il ne parvient même pas à lui assurer un gîte stable. Le docteur en philosophie aux boucles brunes, colérique au point d'être surnommé « le Maure » par ses amis, n'est pas le mari idéal. Expulsé de Paris

■ Karl Marx (1818-1883), « le Maure », sur un dessin de 1836, alors qu'il est encore étudiant.

■ Quand ils sont de loin de l'autre, ils s'écrivent. Lettre de Karl Marx à sa femme, en date du 21 juin 1856.

Dans une lettre, peu de temps après leur mariage, Jenny confie à son mari son angoisse face à l'avenir. Elle ne regrette pas de s'être jetée sans réfléchir à son cou, mais elle a besoin d'être tranquillisée : « *Apaise mes craintes. On parle beaucoup trop de revenus stables autour de moi.* »

Erste Seite des Briefes von Marx an seine Frau Jenny von 21. Juni 1856.

à la demande du gouvernement prussien, il cherche refuge à Bruxelles avec sa famille. Les Marx restent trois ans dans cette ville traditionnellement ouverte aux réfugiés. Jenny y met au monde une deuxième fille, Laura, puis un premier garçon, Edgar. Mais même Bruxelles ne supporte pas Marx. L'auteur du tout récent ouvrage programmatique *Manifeste du Parti communiste* est arrêté au début 1848, l'année de la révolution, et sa femme déférée devant un juge. Jenny est relâchée après deux heures d'interrogatoire au cours desquelles elle ne révèle pour ainsi dire rien, malgré l'inquiétude qui la taraude de savoir leurs trois enfants seuls à la maison. Karl est également libéré dans la soirée, mais avec l'ordre formel de quitter la Belgique sur-le-champ.

Londres accueille alors la famille d'exilés. Malgré les soucis récurrents d'argent et de santé des enfants, les Marx y développent une importante activité politique dans le milieu, guère légal, de la jeunesse socialiste. Des émigrants d'origine allemande, russe et française débattent chez eux de l'avenir de l'Europe et de la classe ouvrière. Friedrich Engels, ami intime et partenaire intellectuel de Karl, vient s'installer à Londres. Dès lors, il aide la famille financièrement et

■ Friedrich Engels (derrière à droite) et Karl Marx avec ses filles, Jenny, Eleanor et Laura, en mai 1864, à Londres.

moralement. Hélène, la gouvernante, traverse sans coup férir les périodes fastes comme les plus difficiles. Des poètes fréquentent leur maison, des marginaux y demandent asile, des indicateurs s'y infiltrent. On ne peut pas dire que Jenny Marx y tienne salon, mais elle n'en est pas moins témoin de rencontres historiques de portée mondiale. Elle s'en rend parfaitement compte, soutient son mari et l'encourage dans son travail, auquel elle participe d'ailleurs activement. Karl passe ses nuits sur des livres et écrit, pendant la journée, au British Museum. Il travaille même pendant les repas. La situation dramatique dans laquelle vivent Jenny, « le Maure » et leurs enfants ne les empêche jamais de trouver au sein de leur couple et de leur communauté un petit recoin d'intimité, qui leur offre un semblant de bien-être et de normalité et leur donne l'énergie nécessaire pour tenir bon.

Cette description est-elle idéalisée ? En partie, oui, car on sait que Jenny Marx en est quelquefois arrivée à un point proche de la rupture. Des témoignages parlent, chez elle, d'effondrement, de crises, de maladies, de fuites. Contrairement aux idées reçues, l'amour tend à faillir dans l'épreuve, et on ne peut prétendre que, tels Baucis et Philémon, Karl et Jenny ont vieilli côte à côte dans un amour mutuel. Il est notoire que Karl Marx a eu un enfant avec la gouvernante, mais on ignore comment se sont comportés les intéressés, que ce soit Jenny, Karl ou Hélène, face à cet événement. Peut-être Jenny menace-t-elle son mari de divorcer s'il ne fait pas en sorte qu'il ne se soit, pour ainsi dire, rien passé. Il faut donc, vraisemblablement, que l'enfant quitte la maison. Cependant, Engels en reconnaît officiellement la paternité, et on trouve beaucoup d'écrits attestant de sa bonté, mais il semble, en revanche, que personne ne se soit senti ému par la détresse d'Hélène face à cette solution humiliante pour elle. Les hommes ne sont pas les seuls à la traiter comme un être humain de deuxième classe, car Jenny n'est pas en reste. Apparemment, elle donne

■ Jenny von Westphalen et Karl Marx se marient en 1843 à Kreuznach. Le couple part ensuite pour Paris. On voit ici la première page de leur acte de mariage.

■ Karl Marx jouant avec ses enfants. Marx les aime, mais n'est pas un père attentionné. Il consacre sa vie au combat révolutionnaire, et sa famille vit dans l'incertitude et de façon très modeste.

l'impression d'être plutôt bourgeoise dans ses mœurs privées. Elle refuse, par exemple, de fréquenter Mary Burns, la compagne d'Engels, qu'elle dit asociale. Et si Jenny accepte de renoncer au bien-être dans lequel elle souhaiterait vivre, elle ne peut pas, malgré tout, s'affranchir des convenances.

Karl Marx se rend bien compte que Jenny von Westphalen aurait mérité un mari attentionné et un bon père pour ses enfants. Il a conscience de ne pas être cet homme-là, mais il se contente d'une observation sans complaisance de la situation, à son habitude, sans rien changer à son comportement.

À son futur gendre, Paul Lafargue, il confie, en 1866, son inquiétude quant à l'incertitude de ses revenus. Certes, il referait la même chose s'il devait tout recommencer, mais, lui explique-t-il, sans se marier. Karl Marx lui dit souhaiter protéger sa fille « contre les écueils sur lesquels la vie de sa mère s'est brisée ».

Brisée ? Quelle femme ne souhaiterait pas recevoir, après treize ans de mariage, une lettre dans laquelle son mari écrit : « Je t'embrasse de la tête aux pieds » ? L'amour qui unit Jenny et Karl a tenu jusqu'à la dernière heure, malgré les dures épreuves qu'il a subies. Jenny meurt, en 1881, d'un cancer, à l'âge de soixante-huit ans. Son mari la suit un peu plus d'un an après.

■ L'auteur du *Capital*, tel que le monde le connaît. Marx consacre dix-sept années de sa vie à la rédaction du premier volume de son œuvre principale, qui paraît en 1867. Cette photographie a été prise la même année.

KARL ET JENNY MARX

HISTORIQUE

Karl (Heinrich) Marx, fils de Heinrich Marx (plus précisément Marx Levi, en hébreu Mardochai), et de sa femme Henriette, est né à Trèves, le 5 mai 1818. Afin de pouvoir exercer des fonctions de magistrat, son père s'est converti à la religion protestante, en 1824. Jusqu'à son entrée au lycée, à l'âge de douze ans, Karl et sa sœur Sophie sont instruits par Ludwig von Westphalen, le père de sa future femme, en compagnie de ses enfants. Contrairement à son frère Edgar, Jenny von Westphalen, née le 12 février 1814, n'a pas la possibilité de poursuivre sa scolarité. Karl étudie le droit à Bonn, en 1835, puis à Berlin, à partir de 1836, et passe son doctorat à Iéna, en 1841. En 1842-1843, il est rédacteur au *Rheinische Zeitung* (La Gazette rhénane). Jenny et Karl se fiancent en 1837, mais ne se marient que le 18 juin 1843, à Kreuznach, après la mort, en 1842, du père de Jenny. Ils partent pour Paris à la fin de la guerre, ville où Karl Marx commence, en 1844, à travailler en étroite coopération avec Friedrich Engels (1820-1895). Le gouvernement prussien fait pression sur la France pour faire expulser Marx. Il se réfugie donc avec sa femme et leur fille, Jenny, à Bruxelles. Des six enfants qu'ils auront encore, quatre meurent dès leur plus jeune âge, « victimes de la misère bourgeoise », comme le dit lui-même leur père. Début 1848, après la révolution,

Karl Marx, mais aussi sa femme, fait un court séjour en prison et est expulsé de Belgique. Peu de temps auparavant, il avait publié, à la demande de la Ligue des communistes, le *Manifeste du parti communiste*. La révolution de mars 1849 est matée et Marx s'exile à Londres, *via* Paris, avec sa famille et Hélène Demuth, la gouvernante avec laquelle Marx aura, en 1851, un fils, Frederick. Friedrich Engels assume la paternité de cet enfant illégitime. La famille Marx vit à Londres dans une très grande indigence. Cette pauvreté ne sera réellement surmontée qu'à partir de 1855, avec la parution régulière d'articles de Marx dans le *New York Daily Tribune*, ainsi que grâce aux dons de Friedrich Engels, qui vient d'hériter. Le premier tome du *Capital* paraît en 1867. Les tomes suivants de cette œuvre monumentale à laquelle son auteur a consacré dix-sept années de sa vie ne paraîtront qu'après sa mort. Souffrant, depuis 1876, d'un cancer de l'intestin, Jenny meurt le 2 décembre 1881. Karl Marx doit encore subir l'épreuve de la mort, en janvier 1883, de Jenny, sa fille aînée, emportée par un cancer de la vessie. Il meurt lui-même peu après, le 14 mars 1883, à Londres.

 ET...

À lire :

Karl Marx, de Boris Bove, Hatier, Paris, 2002.

Jenny Marx ou la femme du diable, de Françoise Giroud, Presses Pocket, Paris, 1993.

À visiter :

La maison de Karl Marx à Trèves, et la salle de lecture du British Museum, où Karl Marx a écrit *Le Capital* (siège numéro 67).

L'AVIS DE L'AUTEUR

L'exil en commun, une grande détresse et une grande souffrance. Le couple et les individus étaient souvent proches du point de rupture, mais ils ont su résister.

Richard et Cosima Wagner

57

En août 1867, Richard Wagner, réfugié politique qui a trouvé asile en Suisse, se trouve invité à une soirée parmi quatre femmes dans une villa au bord du lac de Zurich. Tous, gens éclairés, sont des ennemis de la monarchie. L'une de ces femmes, Minna, est la femme de Richard Wagner. Avec eux se trouvent Cosima et Hans von Bülow, un couple de jeunes mariés. Hans von Bülow joue du piano et Wagner présente des extraits de *Siegfried*, qu'il vient d'achever. Peut-être la maîtresse de maison lit-elle également quelques poèmes, que Wagner mettra plus tard en musique. La quatrième dame est une amie intime de Wagner, Eliza Wille, avec laquelle il ose aborder tous les sujets. Elle peut être un intermédiaire ou transmettre des informations. Wagner use, dans sa vie, d'un minimum de diplomatie secrète. Ce jour-là, il a plus que jamais besoin d'elle : il est amoureux de Mathilde Wesendonck. Or, elle est mariée avec l'homme qui lui accorde l'asile, son hôte.

Wagner loge dans une annexe de la villa et il voit sa bien-aimée tous les jours. Mais il parvient à se maîtriser – mieux, même : il savoure presque cette situation compliquée. Wagner, en fait, mène intérieurement la vie des héros de ses opéras, et, pour ces derniers, la bien-aimée est toujours inaccessible. C'est ainsi que l'art lui rend la vie supportable. Certes, Mathilde aime en lui le compositeur et le poète, mais elle ne témoigne aucun intérêt à l'homme. Son mari lui suffit, et

■ Richard Wagner (1813-1883) et Cosima von Bülow (1837-1930), grande admiratrice de sa musique.

elle se montre franche avec lui. Minna Wagner, en revanche, est jalouse, et, après quelques scènes peu glorieuses, le compositeur amoureux doit chercher asile ailleurs. L'œuvre qu'il compose alors est *Tristan et Iseult*, l'histoire d'une femme mariée à l'un des meilleurs amis de son amant, mais qui finit par rejoindre ce dernier pour mourir avec lui.

Bien des choses se sont passées entre-temps lorsque, le 10 avril 1865, dix ans après cette fameuse soirée, les mesures de cet opéra résonnent pour la première fois au cours d'une répétition dirigée par Hans von Bülow. Non seulement l'histoire de la musique s'est enrichie de l'une de ses principales œuvres, mais Richard Wagner, qui a fui à travers toute l'Europe non pas devant ses ennemis politiques, mais devant ses créanciers, s'est acquis le soutien de Louis II de Bavière. Il dispose enfin des moyens nécessaires à la réalisation de son rêve : faire de sa vie un « chef-d'œuvre dans son ensemble ». C'est ce même jour que lui naît une fille, dont la mère n'est ni Minna Wagner ni Mathilde Wesendonck, mais Cosima von Bülow.

En réalité, Cosima est une Liszt. Elle est le fruit de la liaison illégitime entre Franz Liszt et Marie d'Agoult. Elle n'a que dix-neuf ans quand elle devient Mme la baronne von Bülow, et cette

■ La vie en tant que « chef-d'œuvre dans son ensemble ». Richard Wagner entouré de Cosima, Liszt et von Bülow.

union n'a rien du mariage d'amour. Hans se dit prêt à se sacrifier pour le bonheur de Cosima et, au besoin, à lui redonner sa liberté. Le couple est toutefois uni autour d'un tout autre sujet : la musique de Richard Wagner. Elle en est une auditrice enthousiaste, il en est le chef d'orchestre. Il connaît par cœur, et dans les moindres détails, les partitions du maître. Il trouve toujours d'emblée la bonne tonalité pour les nouvelles œuvres.

En revanche, il en connaît mal le compositeur. Certes, le premier opéra de jeunesse de Wagner est *La Défense d'aimer,* mais, s'il est une chose qu'il ne s'est jamais défendue, c'est bien d'aimer. Ne le démontre-t-il pas assez clairement dans *Tristan et Iseult ?* Tristan n'a-t-il pas ravi Iseult, sa bien-aimée,

■ Quand l'opéra devient réalité. De l'amour secret entre Cosima et Richard naissent deux enfants, Iseult et Siegfried.

des bras de son ami ? Non, Wagner ne connaît pas d'inhibition, ni dans ses opéras ni dans la vie. C'est ainsi qu'il convoque lui-même le couple von Bülow à Munich pour l'été 1864, car il entend y produire *Tristan et Iseult* sous la direction de Hans von Bülow. À cette époque, il vit séparé de sa femme depuis deux ans. Il connaît déjà ses sentiments pour Cosima, qui est plus jeune que lui de vingt ans, et il sait l'amour qu'elle lui porte. Ils se sont en effet rencontrés un an auparavant, à Berlin.

Ce n'est toutefois qu'à l'arrivée de Cosima chez Wagner, le 29 juillet 1864, que leur relation perd toute ambiguïté. Elle vient sans son mari, qui doit la rejoindre huit jours plus tard. Ils ont une semaine devant eux. Les enfants Bülow dorment dans la chambre voisine. C'est ainsi que le 10 avril 1865 résonnent, simultanément et pour la première fois, les notes de *Tristan,* avec Hans von Bülow au pupitre, et les vagissements d'Iseult, la fille de Wagner et de Cosima. Von Bülow ignore-t-il vraiment qui est la mère de cet enfant, malgré son prénom ? Le chef d'orchestre est alors certainement trop obnubilé par ses partitions. En outre, à cette époque où il est de mise d'appeler *Tristan* des bateaux à vapeur et des locomotives, Iseult n'est pas particulièrement remarquable. Quoi qu'il en soit, personne ne joue cartes sur table. C'est encore Cosima qui jongle le plus habilement avec la situation. Tout d'abord à Munich, entre les deux hommes, puis de Munich au nouvel asile suisse où Wagner s'est retiré, conscient d'avoir surestimé son influence à la cour de Bavière. Cosima, qui a déjà mis au monde une deuxième fille de Wagner, mène une double vie : deux hommes, deux foyers.

Leur histoire se poursuit dans un cadre digne d'un opéra : c'est sur le Gothard, en septembre 1868, alors que Richard et Cosima partent pour l'Italie, qu'ils conçoivent Siegfried, leur unique fils. À Gênes, Wagner demande à Cosima de rester avec lui. Ils sont pris dans une violente tempête à Faido, et c'est à grand-peine qu'ils se sortent sains et saufs des trombes d'eau et des éboulements de rochers. Est-ce un avertissement du destin, ou le rappel d'un autre opéra, *La Walkyrie,* où un frère et une sœur s'unissent contre toute vraisemblance et au mépris des usages pour, finalement, être tués par la volonté des dieux ? Opéra et vie ne font plus qu'un. Quelques jours plus tard, Cosima retourne à Munich auprès de son mari et lui expose la situation, puis elle rejoint Wagner. Ils se marient finalement en 1870.

Quand la presse révèle la double vie de Cosima, son mari provoque le rédacteur du journal en duel. Un deuxième article ne fait qu'aggraver la situation : la prétendue réparation par le roi de l'honneur du couple, qui n'en est plus un, serait digne d'une opérette.

■ Caricature de la relation entre Wagner, von Bülow et sa femme. Des années durant, Richard Wagner et Cosima von Bülow entretiennent une liaison amoureuse à l'insu du chef d'orchestre, qui est l'ami de Richard Wagner.

■ Caricature
de l'antisémitisme de Wagner.
Le créateur de musique céleste
germanique devient
le compositeur favori des nazis.
L'attitude de Cosima contribue
à cette appropriation.

Mais, comme dans *La Walkyrie*, l'héroïne s'attire la colère des dieux par cette décision. En effet, Cosima ne parvient pas à surmonter le sentiment de culpabilité qui la taraude depuis qu'elle a provoqué le malheur son ex-mari, et elle rend la vie pénible à ses enfants. Et Richard, qui a, lui aussi, plongé un ami dans le malheur, sa conscience ne le travaille-t-elle pas ?

À la naissance de Siegfried, une troisième femme, Judith Gautier, entre dans la vie de Wagner. « Aimez-moi et n'attendons pas pour ce faire le Royaume des cieux protestant : il doit être extrêmement ennuyeux ! Amour ! Amour ! Aimez-moi, à jamais ! » Le rapprochement avec cette femme se fait à quelques heures seulement de sa mort, à Venise, le 13 février 1883, juste après une

Wagner aime peut-être davantage la vie que l'opéra. Il aime ses enfants, et même ceux qui ne sont pas de lui l'appellent « père ». Et il a toujours aimé les femmes.

dispute avec Cosima. Après la disparition brutale de son mari, celle-ci se consacre entièrement à son œuvre pendant les quarante-sept ans qui lui restent à vivre.

■ « Par la présente, nous
avons l'honneur de vous faire
part de notre mariage
en l'église protestante
de Lucerne, le 25 août de cette
année. » Bien que pris près
de deux ans après leur mariage,
ce cliché est considéré comme
la photographie officielle
de leur union. Wagner était
nettement plus petit que
Cosima. Aussi, pour la photo,
est-elle assise et doit-elle lever
les yeux vers lui.

RICHARD ET COSIMA WAGNER

HISTORIQUE

Richard Wagner naît le 22 mai 1813, en pleines turbulences des guerres de libération contre l'empereur Napoléon. Son père, un gradé de la police, meurt quelque six mois plus tard du typhus. Un ami de la famille, l'acteur Ludwig Geyer, assume le rôle de père vis-à-vis de Richard. Son évolution musicale à venir est déterminée par la découverte précoce de la musique de Beethoven, et il décide de devenir musicien. Il étudie le piano puis l'harmonie, en 1831-1832, auprès de Christian T. Weinlig. Il écrit son premier opéra, *Les Fées*, à vingt ans, à Würzburg, où il est maître de chœur. On assiste alors, dans les nombreux petits États qui composent l'Allemagne, à l'avènement d'un premier mouvement démocratique national, dans lequel Wagner s'engage. Il se marie en 1834 avec la chanteuse Minna Planer, et vit à Magdebourg, à Königsberg et à Riga, avant de s'enfuir à Londres puis à Paris, criblé de dettes, en 1839. Le succès à Dresde de ses opéras, *Rienzi, le dernier des tribuns* et *Le Vaisseau fantôme*, lui permet d'obtenir, dans cette ville, la charge de maître de chapelle de la cour de Saxe. Ayant participé aux révoltes de Dresde pendant la révolution de mars 1849, il est contraint de s'exiler à Zurich. C'est au domicile parisien de Liszt qu'il fait, en 1863, la connaissance de sa fille Cosima, qui a tout juste seize ans. Née le 25 décembre 1837 d'une union illégitime, elle est en grande partie élevée chez des gouvernantes. Elle se marie en 1855 avec Hans von Bülow, le chef d'orchestre des œuvres de Wagner. Elle rencontre de nouveau Wagner en 1857 à Zurich, alors qu'il s'y trouve avec sa femme. Le couple va mal et Minna se sépare définitivement de son mari volage en 1862. Pendant l'été 1864, Wagner et Cosima entament une liaison à l'insu de Hans von Bülow. En 1865, le musicien trouve en Louis II de Bavière un mécène qui finance ses travaux de composition, le sauvant ainsi du surendettement chronique dans lequel il vit. Les tensions politiques le contraignent encore une fois à s'exiler en Suisse. En novembre 1868, Cosima s'installe chez Wagner. C'est alors qu'elle révèle à son mari sa double vie avec celui-ci. Elle divorce, puis, le 25 août 1870, elle épouse Wagner, avec qui elle a eu entre-temps trois enfants. Le couple s'installe en 1871 à Bayreuth, où Louis II de Bavière finance la construction d'un théâtre dédié à la représentation des œuvres de Wagner. Il sera inauguré en 1876 avec la première de *L'Anneau du Nibelung*. Wagner meurt le 13 février 1883. Sa femme assure jusqu'en 1906 la direction du Festival de Bayreuth. Jusqu'à sa mort, le 1er avril 1930, elle veillera sur l'héritage musical de son mari.

 ET...

À lire :
Richard et Cosima Wagner : radioscopie d'un couple, de Geoffrey Skelton, Buchet-Chastel, Paris, 1986.

Cosima la Sublime, de Françoise Giroud, Plon, Paris, 1996.

À voir :
Feu magique, de William Dieterle, avec Yvonne De Carlo et Rita Gam, États-Unis, 1956.

À visiter :
La villa Wahnfried, à Bayreuth, où Richard et Cosima Wagner ont vécu.

L'AVIS DE L'AUTEUR

Un couple scandaleux de la fin du Romantisme avec un style de vie excentrique, mais uni par des sentiments très forts.

Arthur Rimbaud et Paul Verlaine

« *Oui, crois-tu seulement que la vie serait plus facile avec d'autres qu'avec moi ?* » demande Arthur Rimbaud avec colère à son ami Paul Verlaine, qui l'a quitté. Paul ne résiste pas longtemps : il envoie bientôt des lettres implorantes en Angleterre, car il voudrait revoir son ami au moins une fois. Arthur fait ses bagages.
Ils se retrouvent à Bruxelles en 1873.

■ Le poète français Arthur Rimbaud (1854-1891) veut briser les conventions.

Arthur ne croit plus à l'avenir avec Paul. Les premiers temps de leur vie commune, à Paris, aussi fous et débauchés qu'ils aient été, les ont inspirés et comblés. L'année précédente, ils se sont tous deux rendus à Londres, où ils ont travaillé comme dockers et voituriers, et ont appris l'anglais. Pendant cette période excitante et enrichissante, ils ont eu besoin l'un de l'autre pour vivre et ont écrit alors leurs plus beaux poèmes. Et maintenant ? Rimbaud en a assez des incessantes altercations avec Verlaine, de son apitoiement sur lui-même et de ses jérémiades à propos de sa famille. Ils se sont déjà séparés à plusieurs reprises, mais se sont autant de fois réconciliés. Lorsque Arthur revoit son ami à Bruxelles, il sait que rien ne va plus entre eux et il lui annonce leur rupture. Verlaine s'enivre, part

■ Paul Verlaine (1844-1896) découvre le talent de son jeune camarade, le poète Rimbaud. Gravure à l'eau-forte d'Anders Zorn, 1895.

■ *L'Absinthe*, d'Edgar Degas, 1876. Verlaine aspire à une paisible vie bourgeoise quand il fait la connaissance de Rimbaud. Ensemble, ils écument les cafés et les bouges parisiens où ils rendent hommage à l'alcool. Verlaine se laisse volontiers tenter par l'absinthe.

précipitamment et revient avec une arme à feu. Rimbaud veut partir par le train l'après-midi même pour Paris. Alors son ami le met en joue et appuie à trois reprises sur la détente : la première balle l'atteint au poignet, les deux autres le manquent. Verlaine tombe à genoux et demande à Rimbaud de l'abattre.

Il est à peine calmé, mais il veut accompagner son ami sur le quai de la gare. Mais il perd encore la raison et enlève la sécurité de son arme. Pris de panique, Rimbaud se met sous la protection d'un policier. Verlaine est alors arrêté et déféré devant le tribunal

■ Verlaine présente Rimbaud au cercle des poètes parisiens, mais ceux-ci ne se sentent pas reconnus par le jeune homme, et réciproquement. *Coin de table*, d'Henri Fantin-Latour, 1872. À gauche : Paul Verlaine et Arthur Rimbaud.

pour tentative de meurtre. Il est condamné à deux ans de cachot assortis d'une peine de travaux forcés. Il s'effondre à l'annonce de ce jugement.

Arthur Rimbaud est originaire de Charleville, dans les Ardennes. C'est un jeune homme précoce et extrêmement doué, que ni la maison ni l'école ne peuvent retenir. Il n'a que quinze ans quand il fugue pour la première fois de chez sa mère, une femme pieuse et dure, aux principes d'éducation très stricts. En 1871, en pleine guerre franco-allemande, il part pour Paris sur une invitation du célèbre poète Paul Verlaine, à qui il a envoyé ses vers et qui a aussitôt reconnu son talent.

Paul Verlaine est très introduit au Parnasse, une école de poésie qui donne le *la* à Paris. Il vient de se marier et va bientôt être père, et il souhaite une vie simple et paisible. Rimbaud détourne son aîné d'autant plus aisément de cette voie que ce dernier s'est épris de lui et éprouve un net penchant pour l'alcool et la vie nocturne. En compagnie de l'adolescent, il fait la tournée des bars, cafés et autres bouges parisiens, buvant de l'absinthe, fumant du haschisch et provoquant les bourgeois. Les écrivains que Verlaine présente à son ami ne se sentent pas appréciés par celui-ci, et réciproquement : n'est-il pas venu à Paris pour briser les conventions tant poétiques que sociales, pour remettre en question, franchement et radicalement, les principes du bien et du mal, du supérieur et de l'inférieur, de la beauté et de la laideur ? Dans ses ivresses, dans l'engourdissement total, le désordre et le débordement des sens, il croit pouvoir accéder au plus profond de la connaissance. Lui, Rimbaud, continuera là où Verlaine a arrêté. Il se veut un véritable « voyant », et il voit en Verlaine un compagnon pour ce voyage aux confins de l'expérimentation. « La débauche et la soumission sont animales, et la

■ Rimbaud dessiné par Verlaine. Quand son ami veut l'abandonner, Verlaine tire sur lui avec un pistolet.

■ *Verlaine à l'hôpital*, dessin de F. A. Cazals, 1890. Le poète meurt des suites de la syphilis en 1896.

■ Vers 1880, Rimbaud loge fréquemment au Grand Hôtel d'Aden. Il travaille alors en Afrique pour un exportateur de café, puis devient trafiquant d'armes. On le voit ici parmi des soldats britanniques de l'infanterie de marine.

■ Paul Verlaine (tableau de 1891) quitte la poésie pour enseigner puis tente de devenir paysan.

racaille dégoûtante doit être balayée », dit-il, bien que persuadé que la pureté de la souffrance est à jamais bannie de ce monde. Il ne retrouvera pas la candeur de l'enfant qui peut jouer au paradis sans même avoir conscience de toute cette impureté.

Rimbaud n'a que vingt ans quand il range définitivement sa plume. Il a peu publié et se considère comme un raté. Il commence à sillonner l'Europe, apprend plusieurs langues, travaille comme agent d'un exportateur de café en Abyssinie et se met finalement à son compte dans un trafic d'armes et d'ivoire. Il ne saura jamais qu'il a fondé le mouvement appelé symbolisme, et les plus jeunes artistes de ce mouvement ignorent que leur idole est encore en vie. Atteint d'une tumeur à la jambe en 1891, il meurt à son retour en France, dans un hôpital de Marseille, à trente-sept ans seulement.

Verlaine, dont la poésie compte parmi les plus riches en musicalité et en finesse, exerce par la suite d'autres métiers : il devient professeur puis il fait un essai dans l'agriculture, mais il est repris par son goût pour l'alcool et revient vivre à Paris. Il meurt, solitaire et dans la plus grande indigence, en 1896.

ARTHUR RIMBAUD ET PAUL VERLAINE

HISTORIQUE

Jean Nicolas Arthur Rimbaud est né le 20 octobre 1854. Il passe son enfance sous la férule d'une mère catholique très stricte, dans le cadre provincial étriqué de sa ville natale, Charleville (Ardennes). Au lycée, Georges Isambard, son professeur de rhétorique, encourage ses prédispositions littéraires. Rimbaud fugue à plusieurs reprises et finit par atterrir, en février 1871, à Paris, où la révolte qu'il exprime à travers ses poèmes s'harmonise avec l'atmosphère insurrectionnelle de la Commune. Cet été-là, il écrit au poète parisien Paul Verlaine, de dix ans son aîné, et lui rend visite fin septembre. Verlaine est enthousiasmé par la métaphore courageuse de son poème *Le Bateau ivre*.

Paul Verlaine, fils d'officier, vient au monde le 30 mars 1844. Sa participation à la Commune lui coûte sa place de fonctionnaire de la Ville de Paris. Il a épousé, un an auparavant, Mathilde Mauté, qui n'a alors que seize ans. Il la quitte peu après la naissance de leur enfant, le 30 octobre 1871, pour rejoindre Rimbaud, dont il s'est épris. Ils se rendent à Londres, où il abandonne Rimbaud. De retour à Paris, il se ravise et rejoint son ami à Bruxelles. Il mène alors une recherche de l'extase, abusant de drogues et d'alcool. Sa femme demande leur séparation de corps en 1872 et obtient le divorce en 1874. Le 10 juillet 1873, quand la séparation avec Rimbaud

devient inévitable, il tire sur son ami avec un pistolet. Il est condamné à deux ans de prison et enfermé à Mons. Une brève rencontre à Stuttgart, en mars 1875, s'achève une fois de plus par une dispute. Rimbaud se détourne de la poésie après son œuvre à caractère autobiographique *Une saison en enfer*. La publication des *Illuminations* n'aura lieu, sans qu'il le sache, qu'en 1886. À partir de 1880, Rimbaud sillonne l'Éthiopie et la Somalie, comme agent de comptoir, explorateur et trafiquant. Amputé d'une jambe, en raison d'une tumeur à un genou, il meurt à Marseille le 10 novembre 1891. Verlaine ne réussit pas à s'affranchir complètement de l'alcool, malgré des réminiscences intermittentes du catholicisme de ses parents et le succès de ses écrits. Des coups du destin, comme la mort par le typhus d'un ami proche ou celle de sa mère, le font chaque fois rechuter. Il meurt de la syphilis le 8 janvier 1896.

 ET...

À lire :

Arthur Rimbaud, d'Enid Starkie, Flammarion, Paris, 1982.

Œuvres poétiques complètes, de Paul Verlaine, Robert Laffont, Paris, 1992.

Poésie, d'Arthur Rimbaud, La Différence, Paris, 1989.

À voir :

Total Eclipse, l'Affaire de Rimbaud et Verlaine, d'Agnieszka Holland, avec Leonardo DiCaprio, David Thewlis, Romane Bohringer, États-Unis, 1997.

L'AVIS DE L'AUTEUR

Une relation passionnée et difficile entre les deux poètes. L'un est secrètement tenté de retourner avec sa femme et son enfant, l'autre est un solitaire inconditionnel. L'épilogue : violence et solitude.

Marie et Pierre Curie

« *Le grand succès du professeur Curie et de sa femme est la meilleure illustration de l'adage* : conjuncta valent, *l'union fait la force. Ceci nous oblige à considérer sous un jour nouveau la parole de Dieu : Il n'est pas bon que l'homme soit seul, je veux lui créer une compagne.* »

C'est avec ces mots que le président de l'Académie royale de Suède rend hommage, en 1903, au couple Curie qui vient d'obtenir le prix Nobel de physique. La femme du professeur Curie fait figure d'auxiliaire, ce qui est courant à cette époque. Aujourd'hui, on réalise mieux le courage qu'il a fallu à Marie Curie pour faire ses études et les résistances qu'elle a dû vaincre pour devenir physicienne.

Marie Salomee Sklodowska est originaire de Pologne. Elle aime sa famille et sa patrie, mais c'est pour la science, en particulier la physique, qu'elle ressent la plus grande passion. Quand elle sort de l'école, elle travaille tout d'abord comme préceptrice et comme gouvernante, et elle économise de l'argent. Sa sœur veut, en effet, étudier la médecine, et elle-même désire partir à Paris, car les grands professeurs de physique enseignent alors à la Sorbonne. Ses excellents résultats lui permet-

■ Marie Curie (1867-1934), originaire de Pologne, ici sur une photographie prise en 1890.

tent d'obtenir une bourse. Marie vit de façon extrêmement modeste, n'accordant aucune importance aux plaisirs, au confort ou aux vêtements. C'est une chercheuse dans l'âme. Bien qu'elle essaie de se consacrer à sa seule et unique passion, la physique, et refuse d'envisager le mariage, son admirateur, Pierre Curie, y met tant d'ardeur qu'il la convainc de fonder un foyer, quoique le terme « laboratoire » soit, dans leur cas, plus approprié. Tout comme elle, Pierre est un physicien aussi inébranlable qu'extrêmement doué, et ils sont comblés par leur travail, qui cimente leur union. Ils ont néanmoins deux filles, Irène et Ève, et, malgré leurs travaux très prenants, ils consacrent beaucoup de temps à leur éducation ainsi qu'à leur instruction. Marie remplit volontiers son rôle de mère, ne considérant jamais sa situation de maîtresse de maison et de chercheuse comme une double charge.

Pierre Curie est issu d'une famille alsacienne. Son père se dit libre-penseur et il se charge lui-même de l'éducation de ses fils. Pierre, élève surdoué, achève ses études de physique à l'âge de dix-huit ans et occupe ensuite un poste d'assistant à l'université. Quand il rencontre Marie, il est déjà immergé dans la recherche fondamentale. Tout un univers d'intérêts communs

■ Pierre Curie (1859-1906) achève à dix-huit ans de brillantes études de physique.

Bricoleurs, penseurs et expérimentateurs, Marie et Pierre Curie sont si éloignés de l'ambition humaine qu'ils passent, pendant longtemps, quasi inaperçus en France, où ils travaillent avec peu de moyens, dans des laboratoires de fortune.

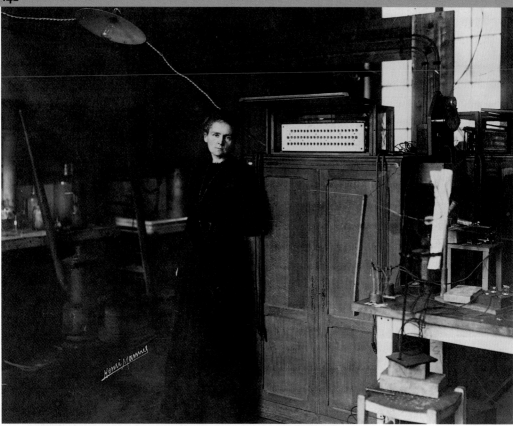

■ Leur laboratoire est aussi leur domicile. Marie et Pierre Curie se définissent comme des chercheurs en phénomènes naturels. Ils ont isolé deux nouveaux éléments, le radium et le polonium, et découvert la radioactivité.

s'offre soudain à eux. Pierre et Marie Curie ne sont, ni l'un ni l'autre, avides de reconnaissance ou d'argent.

Mais qu'ont-ils donc découvert ensemble ? Ce ne sont pas des techniciens, mais plutôt des chercheurs en phénomènes naturels. En 1895, W. C. Röntgen découvre une source de rayonnement naturel : l'uranium. Les Curie poursuivent ses recherches et isolent deux nouveaux éléments, le radium et le polonium, ce dernier étant, pour répondre à un vœu de Marie, baptisé d'après le nom de sa patrie. Ils se consacrent, dès lors, à l'étude de la radioactivité, une notion conçue par Marie.

Pierre ressent bientôt des douleurs, qu'il qualifie de rhumatismes. Marie souffre d'infection au bout des doigts et, sur ses vieux jours, sa vue est fortement perturbée, ainsi que le fonctionnement de ses organes. On sait maintenant qu'ils étaient tous deux irradiés, mais eux ignorent que la force naturelle qu'ils ont découverte, et dont ils espèrent tirer de grands bienfaits pour l'humanité, renferme un tel potentiel de destruction. Pierre Curie meurt accidentellement, en 1906, à quarante-sept ans. Marie est inconsolable. Au retour du printemps, la

■ Marie Curie, en 1910, dans son laboratoire parisien. Elle continue seule ses recherches après la mort de son mari, en 1906. Elle sera plus tard assistée par Irène, sa fille. Marie Curie obtient un second prix Nobel, celui de chimie, en 1911.

■ Une scène du film pour la télévision, *Marya Sklodowska-Curie, une Jeune Fille qui changea la face du monde* (1972). Marie Curie (Christine Wodetzky) est marquée par les quatre longues années de dur labeur dans un laboratoire insuffisamment équipé. Le succès est toutefois proche. Pierre Curie (Hans Dieter Schwarze) semble ne pas être affecté par les revers. Tous deux vont bientôt révéler la radioactivité au monde scientifique.

renaissance de la nature la rend nostalgique : « Les arbres se couvrent de feuilles et le jardin est vert… Tu aurais trouvé ça beau et tu m'aurais appelée pour me montrer les pervenches et les narcisses en fleurs. » Même la tombe de son mari ne parvient pas à lui faire admettre sa disparition. Émue par la beauté du cimetière, elle se réfugie derrière son voile de veuve pour tenter de la rendre supportable.

La carrière de Marie Curie n'est pas terminée pour autant. Elle continue ses recherches, seule, tout d'abord, puis avec sa fille, Irène, comme assistante. Une Américaine lui offre de financer ses travaux et met, enfin, à sa disposition les moyens nécessaires à ses recherches de plus en plus coûteuses. Marie Curie aurait pu être la première femme à entrer à l'Académie des

■ *Conjuncta valent*, l'union fait la force. Les travaux de recherche du couple Curie sont consacrés par le prix Nobel de physique en 1903. Ils ont vraisemblablement été irradiés au cours des longues années de travail au contact de matières radioactives. Pierre Curie meurt dans un accident à quarante-sept ans, et Marie, gravement malade, à soixante-six ans.

sciences, mais elle ne réunit pas assez de voix sur son nom. En revanche, elle obtient un second prix Nobel, celui de chimie, en 1911. Elle meurt à soixante-six ans, gravement malade. C'est Albert Einstein qui rédige le discours funèbre. Il fait l'éloge de son « intuition courageuse, mais aussi du don de soi et de la ténacité » qui lui ont permis de réaliser l'exploit scientifique de mettre en évidence et d'isoler des éléments radioactifs, dans des conditions de travail « telles qu'on en a rarement rencontré dans l'histoire de la science expérimentale ».

MARIE ET PIERRE CURIE

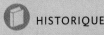

HISTORIQUE

Maria Salomee Sklodowska est née à Varsovie le 7 novembre 1867. Fille d'un professeur de physique et de mathématiques, c'est une élève surdouée et achève ses études secondaires avec mention, en 1883. Dans un premier temps, elle travaille comme préceptrice, puis comme gouvernante pour financer les études de médecine de sa sœur, à Paris. Elle la rejoint plus tard dans la capitale française, et sa sœur l'aide à son tour, à partir de 1891, à payer ses études de mathématiques et de physique. Après des années de travail et de privations, Marie termine major de la promotion 1893 de physique, et, un an plus tard, elle obtient la deuxième meilleure note en mathématiques. En ce printemps 1894, Pierre Curie fait partie de ses admirateurs. Né le 15 mai 1859, il est fils de médecin. Son père prodigue lui-même son instruction à cet enfant surdoué. Avec son frère Jacques, Pierre découvre à vingt et un ans la piézoélectricité des cristaux. À partir de 1882, il occupe la fonction de directeur de laboratoire à l'université parisienne de formation des ingénieurs, où il reprend ses études dans le domaine du magnétisme, thème du doctorat qu'il obtient en 1895. Marie Sklodowska repousse ses demandes en mariage successives, mais le couple finit toutefois par convoler en justes noces le 25 juillet 1895. Ils continuent ensemble les recherches d'Henri Becquerel et mettent en évidence la radiation du thorium. Marie isole, à partir de plusieurs tonnes d'un minerai, la pechblende, de toutes petites quantités d'un élément jusqu'alors inconnu, le radium. C'est elle qui invente, en 1898, la notion de « radioactivité » pour définir son rayonnement. Cette découverte est récompensée, en 1903, par le prix Nobel de physique que le couple Curie partage avec Becquerel. En 1911, Marie Curie obtient un second prix Nobel, de chimie cette fois, pour avoir isolé le radium. Le couple a deux enfants, Irène, en 1897, et Ève, en 1904. Pierre Curie est écrasé par un omnibus le 19 avril 1906, et Marie lui succède à la Sorbonne, devenant ainsi la première femme titulaire d'une chaire universitaire. En 1914, elle prend la direction de l'Institut du radium, à Paris, qui, sous sa houlette, devient rapidement un centre de physique nucléaire. Elle meurt, le 4 juillet 1934, d'une leucémie provoquée par la radioactivité. Sa fille, Irène, poursuit ses travaux et obtient avec son mari, Frédéric Joliot-Curie, le prix Nobel de chimie en 1935.

ET...

À lire :

Marie Curie, de Susan Quinn, Odile Jacob, Paris, 1996.

Pierre Curie, d'Anna Hurwic, Flammarion, Paris, 1998.

À voir :

Madame Curie, de Mervyn LeRoy, avec Greer Garon et Walter Pidgeon, États-Unis, 1953.

Monsieur et Madame Curie, de Georges Franju, avec Nicole Stephane et Lucien Hubert, France, 1953.

Marie Curie, une femme honorable, de Michel Boisrond, avec Marie-Christine Barrault, France, 1990.

✳ L'AVIS DE L'AUTEUR

Une chercheuse et un chercheur qui réussirent à concilier un travail très accaparant avec leur vie de famille. Leur succès se fit aux dépens de leur santé : ils découvrirent la radioactivité et se contaminèrent, sans le savoir.

Rosa Luxemburg et Leo Jogiches

« *Sois humble, daigne laisser s'exprimer ton amour…*
ne crains pas de t'être rabaissé si tu m'as accordé
aujourd'hui trois sous de valeur de plus que
je ne t'en ai accordé… tu dois te soumettre…
je te vaincrai par la force de l'amour », écrit Rosa
Luxemburg, en 1895, à Leo Jogiches, avant d'envoyer
mille baisers à son « *trésor, son petit fripon* »
et d'ordonner : « *Envoie-moi immédiatement*
une photographie de toi ! »

Dans cette lettre envoyée en 1895 à Leo Jogiches, son compagnon, Rosa Luxemburg jongle de manière déconcertante avec le langage de l'amour et la terminologie du pouvoir. « Rabaisser, soumettre, vaincre » côtoient « embrasser » et « trésor », les sollicitations succèdent aux ordres, et cette lettre ne donne pas une impression de sérénité dans le couple. Celui-ci tiendra pourtant encore seize ans et sera, au vu des lettres et des chroniques de l'époque, très heureux sur de longues périodes. Toute relation de couple est simultanément une relation de pouvoir, mais les forces différentes que chacun des partenaires met dans la balance s'équilibrent aussi longtemps que les sentiments sont réels. Ce n'est qu'en cas de crise qu'émergent les désaccords et les disparités. Rosa Luxemburg a vraisemblablement un sens aigu des transferts de pouvoir, elle qui n'a qu'un seul et unique but dans la vie : le combat pour la reconnaissance politique de la classe ouvrière et la social-démocratie – alors illégale. Elle a sans cesse affaire avec les stratégies, les calculs et les anticipations du pouvoir. Leo Jogiches est son compagnon de route et de combat.

Lui aussi s'épanouit entièrement au sein du mouvement ouvrier, dans son travail d'organisation et de conspiration. Leo et Rosa n'ont pas le moindre espace à consacrer à la vie privée ou à des loisirs en commun qui entretiendraient leur relation.

Ils sont souvent séparés, car le travail au sein du Parti est l'occasion d'expéditions dangereuses, qui se terminent d'ailleurs fréquemment en prison. Rosa a écrit près de mille lettres à Leo. Le combat commun pour un but supérieur est un bon terreau pour la passion. Les missives de Rosa Luxemburg à son compagnon montrent clairement qu'ils ont su concilier les sacrifices de la lutte pour la liberté et la tension érotique. Rosa Luxemburg est issue d'une famille aisée de juifs polonais. Elle grandit à Varsovie et entre rapidement en contact avec le milieu révolutionnaire clandestin. À dix-sept ans, elle quitte sa patrie pour aller étudier en Suisse. Petite et douce, elle n'en possède pas moins une énergie incroyable. Les professeurs de Zurich auprès desquels elle achève, en 1890, ses études d'économie politique, sont séduits par son intelligence et son talent d'écrivain. C'est à cette époque qu'elle rencontre Leo Jogiches.

■ Couple de révolutionnaires : Rosa Luxemburg (1870-1919) et Leo Jogiches (1867-1919).

Leo, originaire de Vilnius, est également issu d'une famille juive aisée, et, tout comme sa future compagne, il se tourne de bonne heure vers les groupes révolutionnaires. Le couple exercera plus tard une très grande influence sur la social-démocratie à Berlin.

Rosa Luxemburg se sent particulièrement attirée par le mouvement ouvrier polonais, et Leo Jogiches par son pendant russe. En 1905, quand la révolution éclate en Russie, ils se rendent tous deux en Pologne avec de faux passeports pour prôner l'union des groupes socialistes polonais et lithuniens. Elle prétend être une journaliste allemande, du nom d'Anna Matschke, et lui Otto Engelmann, son collègue. La police secrète russe ne tarde toutefois pas à percer à jour leurs manœuvres et ils se retrouvent en prison. Rosa réussit à acheter sa liberté, et Leo à s'évader. Ils se retrouvent à Berlin, mais leur relation est terminée. On ne peut que se perdre en

■ Une vie dédiée au combat politique. Réunion de la ligue spartakiste pendant l'automne 1918 pour préparer le congrès fondateur du KPD, avec, entre autres, Karl Liebknecht, Franz Mehring, Wilhelm Pieck, Rosa Luxemburg et Leo Jogiches.

spéculations sur la raison de cette rupture, le plus probable étant qu'ils ont, chacun de son côté, connu quelqu'un d'autre. Ils souffrent énormément de cette séparation, mais ils restent liés l'un à l'autre, s'écrivent et travaillent côte à côte pour le Parti et la révolution. En outre, ils seront presque simultanément assassinés. Rosa Luxemburg et Leo Jogiches mènent une vie aventureuse, sauvage, dangereuse, et ce à une époque où la bienséance place au-dessus de tout les formes et les us, l'ordre et la soumission. Leur mode de vie provoque autant le scandale que leurs idées et leurs actes. Ce n'est ni leur souhait ni leur volonté, il ne peut tout simplement pas en être autrement. Ils se seraient peut-être volontiers mariés pour fonder une famille : « … Un petit, un tout petit bébé ? N'aurais-je jamais le droit d'en avoir un ? Jamais ? » écrit Rosa, amoureuse, dans une lettre à Leo. Non, jamais ne s'offrira à eux le cadre propice à la réalisation d'un tel désir.

Mais il faut ajouter à cela les obstacles anodins et pratiques de la bureaucratie : Leo vit illégalement en Suisse et ne peut donc pas présenter les papiers nécessaires à leur mariage. De son côté, Rosa a contracté, en 1898, un mariage blanc avec un citoyen prussien, afin de pouvoir agir au sein du Parti en Allemagne sans risquer l'expulsion. Aussi grand que soit son amour, elle ne peut même pas satisfaire son envie de vivre maritalement avec Leo.

Ce sont tous deux des révolutionnaires de métier, ils changent sans cesse de nom et d'identité, plongent dans la clandestinité, font des séjours en prison. Ils sont en cavale permanente.

Le Parti et la révolution, et non la sphère privée, constitueront toujours les fondements de leur vie commune. Pourtant, ils en ont tous deux voulu ainsi. Ils savent pertinemment qu'ils ne peuvent pas tout avoir. Les rêves d'épanouissement et de vie familiale s'estompent avant même d'avoir pris corps, devant les perspectives historiques mondiales et le danger qui pèse à chaque instant sur leurs vies. Rosa et Leo sont successivement l'un pour l'autre Junius et Tyszka, Gracchus et Grosovski, Spartacus et Kryzstalowicz. Ils sont compagnons, confidents et officiers de la révolution. Ils sont particulièrement courageux, combatifs, et on peut penser aujourd'hui, *a posteriori,* qu'ils ont raison, avec leurs positions politiques prônant un mouvement de masse et non, comme leurs détracteurs socialistes, la dictature du Parti. À travers un grand nombre de pamphlets, Rosa Luxemburg fustige le réformisme du Socialistische Partei Deutschland (SPD) et sa tendance à composer secrètement avec l'ennemi, plutôt que de lui faire front. Quant à Leo Jogiches, homme d'action et non écrivain, il est doué d'un grand courage et d'une capacité de décision fulgurante. Il est considéré comme un conspirateur exalté et une tête brûlée qui exècre les compromissions. Tout cela a l'air vraiment grandiose, mais la réalité quotidienne du révolutionnaire est le plus souvent misérable. Il végète en prison, se bat avec des compagnons bornés et dépend souvent, sans argent ni toit, de l'hospitalité d'anciens compagnons. Les visions magnifiques d'un monde nouveau et le caractère inéluctable de sa construction réunissent Rosa et

■ Le couple Rosa Luxemburg et Leo Jogiches tiendra seize ans. La lutte révolutionnaire ne permet pas d'avoir une vie privée. Mariage et famille en sont exclus.

■ La vie de révolutionnaire professionnel de Jogiches est faite de dangers et de privations, elle est souvent misérable. Il fait de fréquents séjours en prison. Photographie de Leo Jogiches prise par la police.

Leo, toujours présents l'un pour l'autre, au-delà même de la désunion de leur couple. La déclaration de la Première Guerre mondiale plonge Luxemburg et Jogiches dans la perplexité. Avec quelques très rares compagnons, dont Karl Liebknecht, ils refusent de faire écho au patriotisme triomphant avec lequel la classe dirigeante envoie ses enfants dans les tranchées, patriotisme qui sonnera, d'ailleurs, le glas du SPD. Rosa passe la plus grande partie de la guerre en prison. À peine libérée, elle se précipite de nouveau dans l'organisation de l'opposition de gauche, la ligue spartakiste, le futur Kommunistische Partei Deutschland (KPD), et participe à la révolution de novembre 1918. De nouveau arrêtée, elle est assassinée, avec Karl Liebknecht, par un commando des corps francs, en janvier 1919, après l'échec de l'insurrection à Berlin. Leurs corps sont jetés dans un canal du parc de Tiergarten. Leo Jogiches est assassiné peu après pour avoir dénoncé par voie de presse les assassins de Rosa.

À l'une de ses amies, Rosa Luxemburg confie qu'elle voudrait « *mourir à son poste* », dans une bataille de rue ou en prison. Ce but, pour aussi lugubre qu'il soit, a été pleinement atteint.

■ La femme, petite et douce, qui mit tant de choses en mouvement. Rosa Luxemburg à son domicile berlinois, en 1907. Leur couple se sépare quand Leo Jogiches revient de Russie. Ils restent cependant partenaires dans le combat politique, jusqu'à la fin de leur vie.

ROSA LUXEMBURG ET LEO JOGICHES

HISTORIQUE

Rozalia Luksenburg, fille d'un juif négociant en bois, naît le 5 mars 1870 en Pologne, territoire alors partagé entre l'Allemagne, l'Autriche et la Russie. Le Reich vit sous la férule de Bismarck, tandis qu'un gouvernement prolétaire, la Commune de Paris, est depuis peu au pouvoir dans la capitale française. On construit des usines partout. Pour la majorité des ouvriers, cela signifie douze heures de travail quotidien, six jours par semaine. Bismarck promulgue une loi qui, jusqu'en 1890, interdit les activités socialistes. Rosa fait des études secondaires jusqu'à un niveau inhabituel pour son milieu et étudie, à partir de 1889, à la faculté de Zurich, la seule qui soit alors ouverte aux femmes. Pour les formalités de police, elle abandonne son nom polonais au profit de Rosa Luxemburg, et donne 1871 comme année de naissance. En 1890, la très éloquente Rosa tombe amoureuse de Leo Jogiches, un révolutionnaire russe né en 1867 à Vilnius, et qui a fui la Russie tsariste. Il vit depuis sous une fausse identité à Zurich. Ensemble, ils fondent, en 1893, le parti social-démocrate du royaume de Pologne (SDKP). Rosa contracte, en 1897, un mariage blanc pour obtenir la nationalité allemande. En tant que représentante de l'aile gauche du SPD, elle s'élève rapidement jusqu'à une position dirigeante au sein de ce parti. Simultanément, elle s'émancipe, d'un point de vue politique, de son mentor et bien-aimé Leo. Celui-ci ne viendra habiter Berlin qu'en 1890. En 1905, Leo participe à la première révolution russe. Il s'enfuit en 1907 et rejoint Berlin, mais Rosa et lui se séparent. Ils continuent néanmoins, côte à côte, leur travail politique. Rosa enseigne à l'école du Parti, le SPD, et ils s'opposent ensemble à la guerre qui se prépare. Rosa passe l'année 1915 en prison. Elle est libérée pour une courte période et mise ensuite en détention dite préventive. À partir de 1916, Leo reprend la direction de la ligue spartakiste qui, pendant la révolution de novembre 1918 à Berlin, deviendra le KPD. Rosa Luxemburg est assassinée avec Karl Liebknecht, le 15 janvier 1919, par des officiers de l'organisation d'extrême droite des corps francs. Leo ne s'enfuit pas, mais dénonce, au contraire, les véritables assassins dans *Rote Fahne*, le journal du KPD, acte qu'il paie de sa vie le 10 mars 1919.

ET...

À lire :

Lettres à Leo Jogiches, de Rosa Luxemburg, Denoël, Paris, 2001.

J'étais, je suis, je serai : Correspondance 1914-1919, de Rosa Luxemburg, Maspero, Paris, 1977.

Une femme rebelle : vie et mort de Rosa Luxemburg, de Max Gallo, Presses de la Renaissance, Paris, 1992.

À voir :

Rosa Luxemburg, de Margarethe von Trotta, avec Barbara Sukowa, Daniel Olbrychski, Otto Sander, RFA, 1985.

À visiter :

La tombe commune de Rosa Luxemburg et Karl Liebknecht, à Friedrichsfelde, le cimetière principal de Berlin-Lichtenberg.

✳ L'AVIS DE L'AUTEUR

Deux héros révolutionnaires courageux qui ont voulu faire tourner la roue de l'Histoire, sans égards pour leurs adversaires ou pour eux-mêmes, et qui ont connu une fin atroce.

Oscar Wilde et Lord Alfred Douglas

Quand leurs regards se croisent pour la première fois, Oscar Wilde est envahi par un étrange sentiment d'effroi. Il sait tout de suite qu'il vient « *de rencontrer quelqu'un dont la personnalité est si fascinante que, si je la laisse faire, elle aspirera tout mon être, tout mon esprit, jusqu'à mon art.* »

Quand il écrit ces mots, Oscar Wilde a trente-cinq ans et il travaille à son livre, *Le Portrait de Dorian Gray*. Il espère connaître lui-même la passion qu'il prête à son héros à travers ses vers. Cela, d'ailleurs, ne va plus tarder.

Le roman de Wilde est un succès, tout comme, plus tard, ses pièces de théâtre, ses contes et ses méditations. Le poète irlandais est une figure notable de la bonne société londonienne, qui admire en lui le dandy, l'orateur éblouissant et le boute-en-train. La grande vie représente à ses yeux plus que la littérature. Il proclame : « J'ai mis mon génie dans ma vie, je n'ai mis que mon talent dans mes livres. »

En 1891 – il a alors trente-sept ans –, Oscar Wilde rencontre l'étudiant lord Alfred Bruce Douglas. Bien que marié et père de deux enfants, Wilde est depuis de longues années déjà un familier du milieu des prostituées aussi bien que des bars clandestins fréquentés par des jockeys et de jolis jeunes hommes. Mais, maintenant que « Bosie », comme Douglas se fait appeler, est entré dans sa vie, le jeu avec le feu tourne à l'obsession dangereuse.

Aux côtés de Douglas, Wilde connaît tout d'abord une période d'intense créativité. Il écrit ses meilleures œuvres : *Une femme sans importance*, *L'Éventail de lady Windermere* et *Salomé*. Il a enfin de l'argent et, en « roi de la vie », il peut réaliser son rêve d'entretenir une cour. Bosie jugule avec succès un complexe d'infériorité qui le taraude, dans l'ombre de cet homme de lettres plus âgé et plus important que lui. Il écrit des sonnets, s'exerce à l'art de l'humour et voyage avec Oscar sur le Continent. Ils vont à Florence, à Alger, où ils rencontrent André Gide, et à Monte-Carlo. Oscar est un esthète. Il est heureux quand il voit quelque chose de beau et savoure les charmes du Sud en compagnie de son « être divin ». Mais leur relation est loin d'être harmonieuse, car le couple est trop disparate. Malgré son besoin de se mettre en valeur, Oscar Wilde possède, en réalité, une nature passive. Il voudrait observer, admirer, célébrer l'amour et être foudroyé par lui. Lord Alfred est, au contraire, un charbon ardent, il est actif, impatient, colérique. Il s'en va quand il ne se sent pas à l'aise et devient agressif s'il considère qu'on le sous-estime. Oscar reproche à Bosie ces scènes qui le « tuent et ruinent la suavité de la vie ». Il y a quatre ans qu'Oscar et Bosie se connaissent quand Wilde porte plainte contre le marquis de Queensbury, le père de lord Alfred, qui l'a traité en public de « sodomite », autrement dit d'homosexuel. Les amis de Wilde le tempèrent dans cette démarche : non seulement le marquis pourrait apporter des preuves de ses accusations, mais, de plus, ils savent que la bonne société londonienne est capricieuse et qu'elle se

■ Le jeu avec le feu. Sa relation homosexuelle avec l'étudiant Lord Alfred Douglas (1870-1945) causera la perte de l'écrivain irlandais Oscar Wilde (1854-1900).

complaît, par-dessus tout, à détruire ses idoles. Bosie, en revanche, le pousse : il est depuis de longues années en désaccord avec son père et il rêve d'en découdre avec lui. Wilde accède aux requêtes de son bien-aimé. Il se sent émoustillé à la seule idée de paraître à la barre du tribunal pour Bosie. Lui, le chouchou de l'aristocratie, se croit – erreur fatale – inattaquable. Que pourrait-il donc lui arriver ?

Pourtant, rien de pire n'aurait pu se produire. S'il est vrai que le public londonien adule Wilde, il n'en reste pas moins qu'il fait preuve d'hypocrisie en ce qui concerne les différences sexuelles. Aussi, quand Wilde incite la société à le blanchir du « péché » d'homosexualité, et, au contraire, à condamner pour diffamation le père du jeune homme « enlevé », la réponse est unanime et catégorique : « Non ! »

■ Pas de pardon. La société refuse d'absoudre Oscar Wilde pour son homosexualité et elle le rejette de l'Olympe. Couverture d'un ouvrage satirique anonyme s'attaquant au poète irlandais, publié en 1882.

■ Un couple disparate et peu harmonieux : un esthète entretenant un rapport contemplatif avec le monde et un actif colérique qui se sent inférieur à son amant plus âgé que lui. Bosie incite Wilde à porter plainte contre son père, et le poète se retrouve pour deux ans derrière les barreaux. Sa gloire est ruinée.

Wilde est condamné à deux ans de prison assortis d'une peine de travaux forcés. Ses biens sont confisqués, son œuvre interdite, son nom déshonoré. Sa femme quitte la Grande-Bretagne avec leurs deux fils, et il ne les reverra jamais. Plusieurs requêtes en grâce, dont une de George Bernard Shaw, restent sans suite : il doit purger sa peine. Et Wilde, qui dit avoir tant besoin de « l'atmosphère de la beauté » pour respirer, croupit dans la crasse d'un pénitencier. Au début, il n'a même pas le droit de toucher un livre.

À sa libération, Wilde suit l'exemple de Douglas et émigre en France. Il revoit Bosie, ils voyagent et écrivent ensemble,

■ *De Profundis*, l'ultime prose d'Oscar Wilde. Dans cette lettre écrite en prison, il reproche à Lord Alfred Douglas d'être le responsable de ces événements fatals. À la libération du poète, le couple se retrouve, mais l'amour est irrémédiablement brisé.

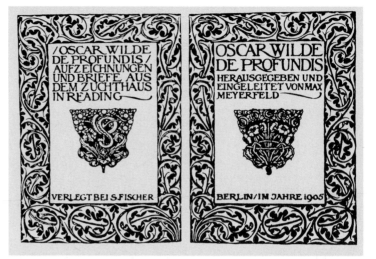

comme autrefois, mais leur amour n'a pas survécu à la catastrophe, il ne leur en reste que le souvenir. Le couple se sépare. Wilde reste en France, où, incapable de se remettre à travailler, il vit dans la misère. Bien qu'ayant hérité une fortune, Douglas se refuse à aider son ami. Oscar Wilde meurt à Paris, âgé de seulement quarante-six ans. Entretemps, Lord Douglas est retourné en Grande-Bretagne. Après une phase où il s'éloigne de Wilde, il parvient à s'en rapprocher intérieurement et se met à honorer sa mémoire.

OSCAR WILDE ET LORD ALFRED DOUGLAS

📖 HISTORIQUE

L'enfance d'Oscar Fingal O'Flahertie Wills Wilde, né le 16 octobre 1854, est marquée par son amour pour sa mère, éprise de liberté et de littérature, ainsi que pour sa sœur, de trois ans sa cadette. Son enthousiasme pour l'esthétisme, dont il devient un adepte pendant ses études de philologie à Oxford (1874-1878), explique son style de vie excentrique et raffiné. La société victorienne se moque de lui, mais sa notoriété et sa conversation brillante lui valent d'entreprendre, pendant les années 1880, plusieurs tournées de conférences. En mai 1884, il épouse Constance Lloyd, une femme fortunée, avec laquelle il aura deux enfants, Cyril et Vyvyan. En 1890 paraît son seul roman, *Le Portrait de Dorian Gray*. À la fin de l'été 1891, il fait la connaissance de lord Alfred Bruce Douglas, né le 22 octobre 1870, dont la beauté juvénile le fascine. Douglas, qui est également issu d'une famille noble, et a, lui aussi, étudié à Oxford, publie en 1894 le poème *Two Loves*, qui sera cité plus tard dans le procès contre Oscar Wilde et dont la dernière partie : « … Je suis l'amour qui n'ose pas dire son nom » est, aujourd'hui encore, une citation classique pour décrire un amour homosexuel. C'est au cours de leur voyage commun à Florence, Alger et Brighton que Wilde publie ses principales œuvres. Son ami l'incite à porter plainte en diffamation contre son père, le marquis de Queensbury, qui a accusé Wilde d'homosexualité dans la presse. Le procès, qui soulève les passions pendant deux ans, se termine, en mai 1895, par la condamnation de Wilde à deux ans de travaux forcés. Wilde est ruiné. En outre, on lui retire le droit de tutelle sur ses enfants, ce qui lui ôte tout espoir de les revoir un jour, et, comme son éditeur se détourne de lui, ses œuvres ne sont plus imprimées à grand tirage qu'à l'étranger. À sa libération, Wilde émigre en France, où Douglas a également cherché refuge pendant le procès. Ils se revoient à Rouen, mais leur relation sera, cette fois, de courte durée. Wilde meurt à Paris le 30 novembre 1900. Douglas se marie en 1902 et ne mourra que près de quarante-cinq ans plus tard, le 20 mars 1945.

ET…

À lire :
De profundis, d'Oscar Wilde, Stock, Paris, 2001.

Oscar Wilde, de Richard Ellmann, Gallimard, Paris, 1994.

À voir :
Oscar Wilde, de Brian Gilbert, avec Stephen Fry, Jude Law et Vanessa Redgrave, Grande-Bretagne, 1987.

Oscar Wilde, de Gregory Ratoff, avec Robert Morley et Ralph Richardson, Grande-Bretagne, 1960.

À visiter :
Organisation quotidienne de périples « Sur les traces d'Oscar Wilde », dans le quartier londonien de Chelsea.

✳ L'AVIS DE L'AUTEUR

Un dandy célèbre et un fils de famille noble entretiennent une « liaison dangereuse » qui vaudra à l'un la prison, à l'autre l'exil.

Eleonora Duse et Gabriele D'Annunzio

« *Premier-né de San Marco,*
Apparition mélodieuse.
Créatrice de la passion
Et de la bonté sans limite. »

Ils sont en fait aussi différents qu'on peut l'être : il vit de la célébrité et de ses signes extérieurs, il a besoin d'échos, de la considération de son public. Elle appréhende le tumulte, n'accorde aucune interview, se cache de ses admirateurs et souffre des incursions dans sa vie privée. Il est dépensier, elle est économe. Il aime le luxe, elle vit modestement. On le remarque parce qu'il intègre jusqu'à l'emphase une forte proportion d'acrobatie littéraire, d'exubérance et de riches allusions dans ses œuvres. On la distingue parce qu'elle rompt avec les conventions artificielles du théâtre contemporain au profit de la simplicité radicale. L'écrivain Gabriele D'Annunzio et l'actrice Eleonora Duse ne vont absolument pas ensemble. Ils forment toutefois un couple parce qu'ils sont unis par quelque chose de plus fort que leurs dissemblances : leur talent et leur amour de l'art.

Gabriele D'Annunzio est originaire d'une famille de commerçants de Pescara, dans les Abruzzes. Le jeune poète attire l'attention dès l'âge de seize ans, et se fait rapidement un nom dans la littérature grâce à ses œuvres lyriques et narratives. C'est une véritable tête brûlée et il a besoin – et consomme – une belle femme par inspiration et par livre. Richard Wagner est son modèle artistique, et il espère réaliser, en Italie, les visions du compositeur allemand d'une vie en tant que « chef-d'œuvre dans son ensemble ».

Eleonora Duse grandit dans une troupe de théâtre itinérante qui, sous la houlette de son père, sillonne la Lombardie. Elle monte très tôt sur les planches. À douze ans déjà, cette jeune fille douce aux grands yeux joue des rôles de maîtresse. Son extraordinaire talent s'épanouit progressivement, mais la reconnaissance absolue se fait attendre. En effet, il lui faut tout d'abord faire accepter au public que sa recherche de naturel et de clarté sur scène peut enrichir le théâtre. Elle y parvient finalement, et monte alors sa troupe, dépoussière le répertoire et s'occupe de tous les détails de la mise en scène.

D'Annunzio et Duse se rencontrent pour la première fois en 1895, à Venise. Eleonora a trente-six ans. Alors au sommet de sa gloire, elle est liée avec l'écrivain Arrigo Boito. Plusieurs tournées l'ont déjà menée aux quatre coins du monde et elle est le symbole de la diva, adulée, déifiée dans sa patrie comme dans le reste de l'Europe et outre-mer. Elle est même, en France, comparée à Sarah Bernhardt, l'idole de la nation qui, elle, adopte un style exalté et artificiel. D'Annunzio est de cinq ans son cadet. Il est l'amant d'une princesse napolitaine, avec qui il a une fille. Le romancier et poète est également connu au-delà des frontières. Gabriele et Eleonora sont tous les deux mariés, mais ils vivent depuis longtemps séparés de leur partenaire respectif. Bien que la presse se soit emparée de l'événement – le poète et la diva sont, chacun à sa manière, des vedettes très populaires et des produits d'exportation –, on ne sait que peu de choses sur leur rencontre à Venise et le début de leur amour. Gabriele en a de toute façon assez de sa princesse ; quant à Boito, il se replie complètement sur lui-même. Les amants n'ont toutefois que peu le loisir de s'aimer : Eleonora est, en effet, constamment en tournée, loin de son ami. Ils parviennent néanmoins à vivre ensemble ou, plutôt, côte à côte. Elle loue une petite maison de campagne dans les environs de Florence, La Porziuncola (le nid d'hirondelles). Il s'installe dans la villa contiguë, La Capponcina, où, affirment unanimement les biographes, il entretient une cour comme « un prince de la Renaissance ».

Pour D'Annunzio, le temps est venu de mettre en scène la version italienne de la vie en tant que « chef-d'œuvre dans son ensemble ». Il rêve d'avoir son propre théâtre, à l'image de Wagner à Bayreuth. Il ne s'est jusqu'alors pas affirmé en tant que dramaturge, mais maintenant il dispose d'une interprète merveilleuse

■ Réunis par leur talent et leur amour de l'art. L'actrice Eleonora Duse (1858-1924) et le poète Gabriele D'Annunzio (1863-1938). Ci-dessus, la couverture d'une édition de 1904 de poèmes de D'Annunzio.

■ La proximité avec le Duce.
D'Annunzio (à droite)
en conversation avec Benito
Mussolini, vers 1935.

et d'une critique de ses projets de pièces. Pour Duse aussi se lève un jour nouveau, du moins l'espère-t-elle. Cela fait vingt ans qu'elle joue presque toujours la même chose : son répertoire regorge de pièces françaises légères. Elle ne supporte plus d'interpréter *La Dame aux camélias*. Certes, on joue déjà Ibsen, et Goldoni mérite d'être remis en scène, mais l'actrice vedette veut jouer un dramaturge contemporain, un compatriote qui, comme elle, veut faire entrer le théâtre italien dans l'ère moderne.

Les six années de leur vie commune sont créatives. Gabriele écrit son grand roman *Il Fuoco (Le Feu)* ainsi que des poèmes importants. Eleonora devient de plus en plus célèbre et elle mène son art vers de nouveaux sommets. Que l'on n'assiste pas à une

Gabriele D'Annunzio et Eleonora Duse sont des travailleurs impénitents, entièrement dévoués à leur art. La grande considération artistique mutuelle, l'admiration pour l'œuvre de l'autre et le travail en commun constituent le cœur de leur couple et en assurent la cohésion.

renaissance du théâtre italien est vraisemblablement dû au fait que Gabriele D'Annunzio
n'est pas un dramaturge. Il écrit pièce sur
pièce pour sa bien-aimée, et pas uniquement
pour elle, mais ses créations sont ampoulées
et leur vocabulaire quelque peu emphatique.
Eleonora ne se laisse pas rebuter par le style
grandiloquent de son ami, car elle croit en
lui, est solidaire de son ambition théâtrale et
investit tout l'argent qu'elle a mis de côté
dans la production de ses pièces. Celles-ci
sont pourtant accueillies, au mieux, avec un
succès d'estime. Eleonora, quant à elle, est
toujours saluée avec la même unanimité.

Dans son roman *Le Feu,* D'Annunzio dresse
un portrait ambigu de la seule de ses nombreuses maîtresses qui a eu suffisamment de
tempérament face à lui. Il la dépeint comme
une femme amère, mais altruiste et désinté-
ressée, et aussi vieillissante, qui doit céder la
place à une plus jeune. Il ne fait ici qu'antici-
per la vie. Il demande son accord à Eleonora
avant de donner le livre à imprimer. Elle écrit
à l'éditeur : « Publiez le roman, une œuvre
d'art a davantage d'importance que la souffrance d'un être humain. »

Le pense-t-elle vraiment ? C'est une femme
qui se laisse émouvoir par la souffrance et qui
tire son génie théâtral de sa capacité à s'identifier à autrui. Pour D'Annunzio, en revanche, le génie exclut toute compassion humaine. Le grand poète doit mettre son œuvre
– et donc lui-même, qui en est le serviteur –
au-dessus de tout. Il a le droit d'être égoïste
et se doit d'assumer sa responsabilité en tant
qu'élu, que « surhomme ». Il ne laisse aucune
place aux sentiments des autres. Cette vision
de l'art et de la vie, marquée de l'empreinte
de Nietzsche, a amené D'Annunzio à ne
jamais éprouver le doute. Plus tard, lors de

■ Deux êtres on ne peut plus différents. Mais leurs six années de vie commune ont, d'un point de vue artistique, été extrêmement créatives. Ils veulent une renaissance du théâtre italien. Même après leur séparation, Eleonora Duse continue à interpréter les œuvres de Gabriele D'Annunzio.

son entrée en politique aux côtés de Benito Mussolini, il la développera jusqu'à une sorte de grandeur teintée d'émotions antidémocratiques.

Au début des années 1920, après une pause dans les représentations théâtrales, Eleonora se remet à jouer des pièces de D'Annunzio. Elle le pardonne ainsi à sa manière, et est considérée comme la seule maîtresse de D'Annunzio qui, après leur séparation, ait pu repartir dans la vie avec une énergie nouvelle.

Eleonora meurt de la tuberculose, en 1924, au cours d'une tournée aux États-Unis. Gabriele D'Annunzio meurt en 1938 à son domicile, sur les rives du lac de Garde. Les militaires viennent plus nombreux que les hommes de lettres à son enterrement.

ELEONORA DUSE ET GABRIELE D'ANNUNZIO

HISTORIQUE

Gabriele D'Annunzio vient au monde le 12 mars 1863, à Pescara, un village de pêcheurs sur la côte adriatique. Il est le troisième enfant d'un politicien local, Francesco Paolo, et de Luisa de Benedictis. Il fréquente le Cicongnini, un internat pour l'élite, à Prato, en Toscane, puis étudie à l'université de Rome à partir de 1881. Il débute comme journaliste. Son premier recueil de poèmes, *Primo vere*, qui paraît en 1879, est salué par la critique. Au cours des quarante années de sa carrière littéraire, il écrit la quantité énorme de plus de vingt et un millions de vers et de lignes de prose numérotés avec grande précision. Gabriele D'Annunzio se marie, le 28 juin 1883, avec Maria Hardouin de Gallese, une fille de famille aristocratique qui est enceinte de lui. Ils auront trois enfants : Mario (1884), Gabriele Maria (1886) et Ugo Venerio (1887). Lassée des nombreuses dettes et des non moins nombreuses liaisons amoureuses de son mari, sa femme le quitte et part vivre à Paris. Le premier roman de D'annunzio, *Il Piacere (L'Enfant de volupté)*, paraît en 1889. Trois ans plus tard, paraît *L'Innocente (L'Innocent)*, son roman le plus célèbre. En 1893, année de la mort de son père, la princesse Maria Anguissola-Gravina, avec laquelle il a une liaison, met au monde une fille, Renata. Eleonora Duse s'occupe, à partir de 1898, de l'éducation de celle que D'Annunzio dit être sa fille préférée.

Née le 3 octobre 1858, Eleonora est montée sur scène pour la première fois avec Alessandro (1820-1892), son père, à l'âge de quatre ans. Elle se marie le 7 septembre 1881 avec Tebaldo Checchi (en réalité Marchetti, 1843-1918) et met au monde une petite fille, Enrichetta, le 7 janvier 1882. C'est en 1895 que Gabriele fait la connaissance, à Venise, d'Eleonora Duse. De juillet 1897 à 1906, Eleonora Duse vit dans une petite maison appelée La Porziuncola, à côté de la villa de D'Annunzio. Au cours de ses tournées, elle ne joue pas uniquement les œuvres de son bien-aimé, elle enthousiasme aussi le public avec des pièces de Dumas fils et d'Henrik Ibsen. Pour des raisons de santé, elle fait, en 1909, ses adieux à la scène, mais doit remonter sur les planches, en 1921, pour rétablir ses finances. Elle meurt de la tuberculose pendant une tournée le 21 avril 1924 à Pittsburgh (Pennsylvanie). Après leur séparation, D'Annunzio quitte l'Italie, en 1910, pour fuir ses créanciers. Il s'engage pour son pays pendant la Première Guerre mondiale, puis se rapproche du fascisme, et, plus précisément, de Benito Mussolini. Il meurt le 1er mars 1938 dans sa villa de la Gardone Riviera.

ET...

À lire :
Le Feu, de Gabriele D'Annunzio, Éditions des Syrtes, Paris, 2000.

Gabriele D'Annunzio, de Paolo Alatri, Fayard, Paris, 1992.

À voir :
L'Innocent (L'Innocente), de Luchino Visconti, avec Giancarlo Giannini et Laura Antonelli, d'après le roman de Gabriele D'Annunzio, Italie, 1976.

À visiter :
Le musée D'Annunzio dans sa villa Vittoreale, sur les bords du lac de Garde.

L'AVIS DE L'AUTEUR

La grande actrice, admirée de tous, aime le célèbre poète, qui s'aime surtout lui-même.

Lou Andreas-Salomé
et Rainer Maria Rilke

> « *Je veux voir le monde à travers toi ; ainsi,
> je ne peux pas voir le monde, mais toujours
> et uniquement toi, toi, toi.* »

Au seuil du XXe siècle, Munich fait partie de ces villes qui ont une certaine classe et un certain éclat, où se retrouvent les artistes, les musiciens, les poètes et les philosophes pour faire connaissance, se lier d'amitié et se brouiller. C'est dans cette ville « éclairée » que se rencontrent pour la première fois, en 1897, un jeune poète de tout juste vingt et un ans et une femme de lettres célèbre de trente-six ans. Rainer Maria Rilke est originaire de Prague. Sa famille souhaitait le voir embrasser une carrière d'officier, et il doit maintenant tout faire pour lui prouver, ainsi qu'au monde et surtout à lui-même, qu'il est un poète-né. Lou Andreas-Salomé est la fille d'un général d'origine allemande en poste à Saint-Pétersbourg et d'une mère allemande. Elle a déjà sillonné une grande partie de l'Europe, a publié des romans, des essais et des livres sur Friedrich Nietzsche et Henrik Ibsen. Elle fréquente les intellectuels de son temps, dont Gerhart Hauptmann, Frank Wedekind, Hugo von Hofmannsthal et Nietzsche lui-même. Son mari, Friedrich Carl Andreas, est philologue et archéologue à Berlin. Lou habite également dans la capitale prussienne, mais elle a besoin de voyager. Rilke fait tout pour séduire cette femme beaucoup plus âgée que lui, et il réussit. Commence alors une histoire d'amour torride qui, au bout de trois ans, se muera en une amitié à vie.

Lou Salomé s'est fixé un but : la liberté. Elle ne veut ni se contenter du rôle traditionnel de la femme, ni rester au foyer, ni connaître les obligations d'une mère vis-à-vis de ses enfants. Sa seule et unique passion

■ Le poète Rainer Maria Rilke (1875-1926) a vingt et un ans quand il rencontre, à Munich, Lou Andreas-Salomé, de quinze ans son aînée.

est la connaissance : les secrets de l'esprit humain, de la pensée, de l'expression artistique. À peine sortie de l'adolescence, elle entreprend des voyages d'étude, tout d'abord en compagnie de sa mère, puis seule. Elle se plonge dans la théologie, la philosophie et les beaux-arts. Elle assiste à des lectures, prend part à des discussions avec des gens d'opinions diverses, lit, fait de longues pauses de réflexion, et cherche, dans tout ça, sa voie en tant qu'intellectuelle et écrivain. L'échange d'idées est son outil de travail. Elle discute ou entretient des relations épistolaires avec tous ceux dont elle peut espérer une inspiration ou une impulsion pour sa réflexion. Le cercle de ses fréquentations est très large, et les hommes sont souvent étonnés que cette femme, aussi intelligente qu'attirante, ne mette pas à profit ces conversations et ces recherches en commun de la vérité, si propices à l'intimité, pour développer une stratégie amoureuse. En fait, Lou Salomé est convaincue que le renoncement à l'épanouissement sexuel peut, dans des proportions inimaginables, accroître les capacités intellectuelles, qui la fascinent davantage que la recherche du plaisir charnel. Elle renonce donc à la séduction pour les besoins de la connaissance. Elle s'est d'ailleurs très vraisemblablement mariée sous cette condition. La liaison avec Rainer – nom que Lou lui a donné – ne se cantonne pourtant pas à la seule spiritualité. Cette femme, dont l'éducation sexuelle est en grande partie à faire, est prise sous le charme de l'étudiant avec son corps d'adolescent

■ Son style de vie est la liberté. Lou Andreas-Salomé (1861-1937), une femme de lettres fascinante.

RILKE À LOU ANDREAS-SALOMÉ :

« Je suis comme préparé pour toi
Et souris doucement quand
tu te fourvoies ;
Je sais que, partie des solitudes,
Tu iras vers le grand bonheur
Et trouveras mes mains. »

maigrichon et dégingandé, mû par de grandes ambitions, et elle tombe dans ses bras.

Rilke connaît avec Lou son premier véritable amour, un amour qui réunit aussi bien la sensualité et la curiosité spirituelle que la communauté intellectuelle, la stimulation et les différences, ou encore la tendresse, qu'elle s'exprime par les mots ou par les caresses. Il laisse volontiers cette femme cultivée pénétrer dans le royaume de sa fantaisie : elle jette un regard de connaisseur sur tout ce qui s'y bouscule, elle trie, ordonne, élimine parfois une chose et en stimule une autre. Elle inculque sans doute à Rilke la simplicité, qui, malgré les joies que procurent les enjolivements, fioritures et autres effets artistiques, est le vrai joyau de la poésie.

Salomé et Rilke passent l'été 1897 à Wolfratshausen, en dehors de Munich, avec une amie. Ils y reçoivent beaucoup, et Friedrich Carl Andreas, le mari de Lou, leur rend visite fréquemment. La vie à trois ou plus est agréable. Les hommes de Lou savent qu'on ne peut pas la juger d'après les critères habituels, elle qui, à l'encontre de toutes les conventions, retaille sans cesse le patron de sa vie, et dont personne, pas même son jeune amant, ne peut revendiquer la propriété.

Lou et Rainer ont un rêve : ils veulent aller en Russie. Lou y est née, y a grandi et en possède la langue. Rainer espère trouver

■ Le voyage en tant que source d'inspiration. Rainer Maria Rilke et Lou Andreas-Salomé avec le poète russe Spiridon Droschin, en 1900, lors d'un séjour en Russie, la patrie de Lou.

de nouvelles impulsions dans la culture et la littérature russes, mais surtout au contact des habitants et de leur simplicité. Ce voyage a lieu en 1899, à trois, avec le mari de Lou. Ils se rendent à Moscou et à Saint-Pétersbourg, ils rencontrent Tolstoï et passent les Pâques au Kremlin. Un an plus tard, ils repartent pour les mêmes destinations à deux cette fois, et ils poussent jusqu'à Kiev. Rilke en ramène l'inspiration pour *Le Livre d'heures*, et Lou la certitude d'avoir quitté trop tôt sa belle patrie. Au retour, Rainer s'installe à Berlin, tout près de sa bien-aimée, mais ils sont conscients que leur vie commune est arrivée à son terme : chacun a accédé au plus profond de l'autre. Peut-être vont-ils trop bien ensemble ?

Trop bien ? En effet, l'amour ne leur suffit plus, ils veulent désormais travailler, composer des poèmes, écrire. Cette vocation est une maîtresse exclusive qui ne tolère aucune rivale. Peut-être Rilke souhaiterait-il vivre avec la femme de sa vie, et, comme les hommes l'ont toujours fait, se consacrer à son travail – ce qu'il fera plus tard avec la sculptrice Clara Westhoff, mais Lou, à l'évidence, ne supporte plus d'entrave à sa soif de connaissances. Même l'amour n'a aucune chance. Du reste, elle a encore son mari, vers qui elle se sent de nouveau fortement attirée et qui lui assure la quiétude matérielle nécessaire à sa vie spirituelle. Sa relation avec Rainer a été une atteinte à sa liberté : une atteinte magnifique dont elle a savouré l'impact et dont elle ne diminuera ni n'oubliera jamais l'importance dans sa vie – mais c'est maintenant terminé. Elle envoie à Rainer une lettre de séparation, ils se promettent de ne plus jamais en parler, mais tous deux dérogent bientôt à cette promesse. Ils

■ Le couple d'amoureux passe l'été 1897 à Wolfratshausen, près de Munich. Ils reçoivent des amis, mais aussi le philologue Friedrich Carl Andreas, le mari de Lou. Photographie de Rainer Maria Rilke dans le berceau de verdure de Wolfratshausen.

■ L'art, en tant que sublimation de l'énergie sexuelle. Lou fait une exception à ce dogme pour le jeune poète Rilke. Au bout de trois ans, elle se trouve devant un dilemme : amour ou littérature ? Elle opte pour cette dernière.

■ L'épanouissement sensuel et spirituel. Lou et Rainer s'accordent mutuellement l'accès à leurs royaumes respectifs corporels et spirituels. C'est surtout à l'instigation de Lou que le couple se sépare au bout de trois ans. Le lien spirituel ne se dénouera pourtant jamais. Photographie du couple à Fahnensattlerhaus, leur maison de Wolfratshausen, en 1897.

s'écriront toujours et s'assureront mutuellement de leurs sentiments. Rilke se tourne vers le milieu artistique de Worpswede. Il y rencontre Clara, une élève de Rodin, et l'épouse après qu'un certain Modersohn lui a ravi Paula Becker. De ce mariage, qui ne sera pas heureux – il n'y comptait d'ailleurs pas : n'a-t-il pas appris une certaine philosophie de la vie avec Lou ? –, naît une petite fille, Ruth. En tant que poète, il se révèle digne de la confiance que sa maîtresse en la matière a placée en son talent. Lou Salomé, de son côté, fait la connaissance de Sigmund Freud et, au cours des années suivantes, elle se consacre à la psychanalyse, jetant dans cette activité son besoin de reconnaissance et son ardeur au travail. Son ami Rainer, dont l'esprit est si compliqué, lui demande si elle pense qu'une analyse pourrait lui apporter quelque chose. Elle lui déconseille cette démarche, de peur que cela nuise à son intuition artistique. Dans sa dernière lettre à Rainer, en 1925, elle lui demande de se soumettre à cette grâce qui habite la partie puérile la plus inhérente à l'homme, « ce don de soi créateur qui est si enchevêtré dans le corps », car, de là, il donne, lui aussi, une impulsion érotique à la partie incarnée dans le sens de l'œuvre.

■ Sa relation avec Lou contribue, pour Rilke, à sa vision de l'art comme aspiration amoureuse non satisfaite.

LOU ANDREAS-SALOMÉ ET RAINER MARIA RILKE

HISTORIQUE

Né le 4 décembre 1875, René Karl Wilhelm Johann Joseph Maria Rilke devait, pour satisfaire les visions de son père, embrasser une carrière militaire. Il n'en sera rien. Le soutien financier de son oncle permet à Rilke d'obtenir, en 1895, le baccalauréat. Il arrête toutefois très rapidement ses études à son arrivée à Munich, en 1896. Il rompt alors avec sa famille et décide de se consacrer à l'art. Il désignera plus tard lui-même ses premières œuvres, écrites avant 1899 et sur lesquelles il pose un regard critique, comme « des tentatives et des improvisations ». En mai 1897, Rilke rencontre Lou Andreas-Salomé, née le 12 février 1861 à Saint-Pétersbourg. Elle est mariée, depuis 1887, au philologue Friedrich Carl Andreas, mais le couple n'a pas d'enfant. Elle est, en cette fin de XIXᵉ siècle, une journaliste réputée que l'on publie volontiers. Elle a écrit des poèmes et des romans, mais aussi un livre sur Nietzsche, qu'elle fréquente depuis 1882. En juillet 1897, elle va habiter à la campagne avec Rilke et une amie. Lorsqu'elle retourne auprès de son mari, à Berlin, en octobre de la même année, Rilke emménage à proximité de chez elle. Ils font un premier voyage en Russie, du 25 avril au 1ᵉʳ juillet 1899, puis un second, de mai à août 1890. Les deux premières partie de l'ouvrage de Rainer Rilke, *Le Livre d'heures*, paraissent pendant cette relation avec Lou, en 1905. En 1899, il écrit la toute première version du *Cornette*, qui, dans son édition de 1912 en tant que premier tome de *L'Île aux livres*, se révèlera un véritable succès à long terme. Lors d'un voyage à Worpswede, à l'automne 1900, il fait la connaissance de Clara Westhoff, avec laquelle il se marie, le 28 avril 1901. Clara met au monde une petite fille, Ruth, le 12 décembre suivant. Leur vie commune dans ce paradis champêtre est de courte durée, et ils en partent à l'automne 1902. Les chemins de Rainer et de Lou se séparent et leurs échanges sont, dès lors, uniquement épistolaires. Lou se consacre exclusivement à la psychanalyse et elle devient, en 1911, l'élève et la confidente de Freud. Elle tient un cabinet de psychanalyse à Göttingen jusqu'à sa mort, le 5 février 1937. Rilke peut se consacrer toute sa vie à sa vocation, grâce à l'aide d'amis et de mécènes. Il écrit aussi longtemps que sa capacité de travail, affectée par une leucémie, le lui permet, et meurt le 29 décembre 1926.

ET...

À lire :

Correspondance avec Lou Andreas-Salomé, de R. M. Rilke, Gallimard, Paris, 1979.

Rainer Maria Rilke, de Lou Andreas-Salomé, M. Sell, Paris, 1989.

Rilke : sa vie, son œuvre, de Wolfgang Leppmann, Seghers, Paris, 1984.

Lou Andreas-Salomé : l'alliée de la vie, de Stéphane Michaud, Éditions du Seuil, Paris, 2000.

À visiter :
La tombe de Rilke, à Raron, dans le Valais. Lou Andreas-Salomé est enterrée au cimetière municipal de Göttingen.

L'AVIS DE L'AUTEUR

Elle voulut se libérer des passions charnelles pour accroître sa réceptivité spirituelle, jusqu'à ce qu'il entre dans sa vie et lui prouve que les deux ne sont pas incompatibles.

Gertrude Stein et Alice B. Toklas

« *Trembler était vie, vie était aimer, et l'un était autre-fois l'autre. Certes, cette "un" aimait cette Ada.*
Et, certes, la vie entière d'Ada était autrefois plus heureuse grâce à l'amour, plus heureuse qu'aucun autre ne pourrait jamais l'être, qu'il ait été, qu'il soit, qu'il vive jamais. »

Ada, c'est Alice Babette Toklas, et « cette un », c'est Gertrude Stein, qui dresse ainsi ce petit portrait d'Ada. Les deux femmes se rencontrent en 1907 à Paris, ville qui exerce alors une grande séduction sur nombre d'intellectuels et d'artistes américains. Gertrude est née en Pennsylvanie en 1874, dans une famille juive. Elle est élevée à Vienne, Oakland puis à San Francisco, et elle choisit de vivre à Paris en 1993. Elle lit énormément, écrit, étudie la philosophie et la psychologie. Son ambition est d'être écrivain,

■ Gertrude Stein (1874-1946), sur un tableau de Félix Vallotton, peint en 1907, l'année où elle rencontre Alice B. Toklas. L'Américaine d'origine juive fait sa connaissance à Paris, où elle vit depuis 1903 comme écrivain. Gertrude assume le rôle de l'homme.

et elle s'intéresse surtout aux langues et à l'écriture, à la forme et au style. Alice Toklas la rejoint en France pour être sa secrétaire. Née en 1877 à San Francisco, elle vient aussi d'une famille juive. Son enfance a été heureuse et protégée, et c'est assez tard qu'elle se sent attirée par Paris. Dans l'appartement de Gertrude, rue de Fleurus, elle tombe amoureuse d'une compagne qui lui restera attachée pendant toute son existence. Et leurs « vies sont plus heureuses grâce à l'amour ».

C'est précisément parce qu'Alice et Gertrude vivent ensemble intimement, en confiance, en sécurité et en harmonie, et sans se laisser perturber qu'elles peuvent assumer leur amour au grand jour, mais aussi établir des contacts très diversifiés et recevoir des amis et des collègues. Elles offrent un espace ouvert à des possibilités infinies, avec des mises en scène et des acteurs sans cesse renouvelés : la vie en tant que pièce de théâtre. Mais pas dans le sens du théâtre pur, davantage comme une remise en cause perpétuelle de sa conception. Les artistes et autres créateurs se prêtent particulièrement à ce jeu, c'est dans leur nature : ils sont condamnés à prendre éternellement un nouveau départ

21

« I love my love with a v
Because it is like that
I love my love with a b
Because I am beside that
A king.
I love my love with an a
Because she is a queen
I love my love and a a is
the best of them
Think well and be a king,
Think more and think
again
I love my love with a dress
and a hat
I love my love and not
with this or with that
I love my love with a y
because she is my bride
I love her with a d
because she is my love
beside
Thank you for being there
Nobody has to care
Thank you for being here
Because you are not
there. »

■ Poème de Gertrude Stein dédié à Alice B. Toklas.

■ Alice B. Toklas (1877-1967) vient à Paris pour servir de secrétaire à Gertrude Stein. Elle tombe amoureuse de l'artiste, qui lui est intellectuellement et socialement supérieure. Elles vivent ensemble près de quarante ans, jusqu'à la mort de Gertrude.

■ L'homme de la maison.
Portrait de Gertrude Stein, pris
par Man Ray, vers 1930.
Gertrude et Alice forment
un couple classique. Gertrude
échange ses idées avec
les artistes et les intellectuels
contemporains de renom,
tandis qu'Alice s'occupe
de recevoir leurs femmes.
En tant que secrétaire, copiste
et cuisinière, elle soulage
Gertrude des tâches
quotidiennes.

– c'est du moins ainsi qu'ils se voient à cette époque – et ils se marginalisent sciemment par rapport au mode de vie dominant. Le légendaire salon du samedi de Gertrude Stein, où se retrouvent pratiquement tous les auteurs et écrivains de renom – Picasso, Cézanne, Matisse, Picabia, Hemingway, Fitzgerald et Apollinaire ne sont quelques-unes de ces célébrités –, doit être une sorte de plateau où fuse constamment un feu d'artifice d'idées. Quiconque veut s'y laisser entraîner, aussi bien dans l'art que dans la littérature, doit savoir faire abstraction de son identité. On ne peut être qu'admiratif lorsque l'on constate que Gertrude réussit, dans cette phase d'ébullition du modernisme, à trouver son style propre. Mais qu'est-ce qui lui procure cette force et ce soutien pour faire ainsi face sur ces divers fronts ?

Sa vie commune avec Alice ! Leur relation traverse sans même tressaillir les plus mauvaises passes. C'est une équipe soudée à cœur, qui jamais ne remet en doute l'appartenance mutuelle, et qui est préservée par l'évidence d'être là l'une pour l'autre, l'une avec l'autre. La répartition des tâches est claire et serait considérée, de nos jours, comme humiliante pour Alice. Cette dernière ne le voit toutefois pas sous cet angle. Toutes deux trouvent naturel qu'Alice s'occupe des épouses de ces messieurs « importants » avec qui Gertrude débat. Celle-ci est de fait devenue, après des débuts incertains interrompus par les doutes, une femme de lettres connue. Elle est considérée, avec ses étranges expérimentations dans le domaine de l'écriture, comme un élément de l'atmosphère générale de renouveau qui marque le début du xxᵉ siècle. Alice se sent vraisemblablement valorisée à ses côtés. Son amie lui est reconnaissante de ce qu'elle fait et n'exploite jamais sa supériorité intellectuelle et sociale. Alice remplit, d'un accord tacite, toutes les fonctions utiles et importantes pour Gertrude : maîtresse, copiste, cuisinière, décoratrice et secrétaire. En bref, elle joue le rôle de la « femme dans l'ombre de l'homme ». Qu'une autre femme soit le personnage masculin ne joue aucun rôle dans la répartition des tâches : elles forment un couple classique, et les hôtes de Gertrude oublient rarement, dans leurs lettres et billets, de donner leurs amitiés à « l'épouse ».

Gertrude et Alice s'écrivent des mots doux qui, tous, débouchent sur le même constat : chacune d'elle a trouvé la partenaire idéale et son complément dans la vie. Elles forment, pour ainsi dire, un être à part entière à elles deux – Gertrude, l'intellectuelle obnubilée et hermétique, et Alice, davantage douée de sens pratique. Sont-elles satisfaites ainsi ? Oui, car elles font plus que se compléter.

Alice est souvent obstinée, et, malgré son profil sans envergure, elle force fréquemment Gertrude à faire son autocritique. Elle est sa copiste et, de fait, son premier public, et elle éprouve une certaine fierté de pouvoir contribuer, à sa mesure, au succès littéraires que connaît son amie. Gertrude, qui est d'une distraction maladive, aime la poésie du quotidien, qu'Alice incarne avec le même talent, la même fantaisie et la même capacité d'adaptation dont Gertrude fait preuve dans son rôle de prêtresse spirituelle et intellectuelle pour la *lost generation* (génération perdue) du modernisme et de sa culture déracinée. En cas de besoin, Gertrude aide au jardin et parcourt des kilomètres pour trouver un sac de pommes de terre ou des œufs – en période de guerre ou à leur maison de campagne –, les rôles étant, en temps normal, immuables. Elles se complètent et forment une entité, et le fait que Gertrude écrive la biographie de sa compagne n'est pas à prendre comme un acte de tutelle, mais comme l'expression d'une double personnalité, divisée sur le seul plan physique. Son unique préoccupation est l'écriture, et non

■ Gertrude et Alice pendant leur « voyage de noces » à Venise.

174

Quel rôle jouait la sexualité dans ce couple homosexuel ? N'ayant aucun témoignage, à ce sujet, on peut supposer qu'il était peu important, mais les poèmes d'amour de Gertrude sont sans ambiguïté : *Pussy how pretty you are* ou *Kiss my lips.* « Pussy » (ma chatte) était le nom affectueux qu'elle donnait à Alice, mais ce mot prend en argot un sens coquin. Alice était fascinée par « le ton doré et chaud de la peau de Gertrude » et en extase devant « sa voix profonde, douce, pleine, comme deux voix en une »…

une portion de vie de sa compagne qu'elle expose à sa façon. Sa naïveté, bouleversante dans les questions sociales ou politiques, témoigne de cet hermétisme d'ordinaire incompréhensible. Elle n'éprouve pas de problème de conscience à se lier d'amitié avec des collaborateurs des nazis, pas plus qu'à faire l'éloge de Pétain. Alice ne fait aucun commentaire sur le sujet. Lorsque Gertrude meurt en 1946, après quarante années de vie commune, Alice se consacre quasi exclusivement à la mémoire de Gertrude. Elle survit vingt ans à ce couple mystérieux pour lequel elle a abandonné, lors de son départ de San Francisco, patrie et identité : une décision existentielle qui a été épargnée à Gertrude, qui a toujours considéré Paris – et la poésie – comme sa patrie. Ce sentiment, Alice l'exprime, peu avant sa mort, par cette phrase : « *She was always at home through the language, but I was only at home through her.* » (Elle était toujours chez elle grâce à la langue, mais j'étais chez moi seulement à travers elle.)

■ *Paris était une femme.* Scène du film de Greta Schiller, 1996. La capitale française est, à l'époque de Gertrude et d'Alice, un lieu qui fascine les créateurs. Artistes et intellectuels, dont nombre de femmes anticonformistes, s'y rencontrent pour expérimenter de nouvelles formes de représentation, de pensée et de vie.

GERTRUDE STEIN ET ALICE B. TOKLAS

HISTORIQUE

« J'ai entendu des cloches. » C'est ainsi qu'Alice Babette Toklas, née le 30 avril 1877, rapporte sa première rencontre avec Gertrude Stein, le 8 septembre 1907, dans l'appartement parisien de cette dernière. De ce jour, les deux femmes vont rester ensemble, jusqu'à la mort de Gertrude trente-neuf ans plus tard. Leurs voies respectives montrent de grandes similitudes dès leur enfance. Gertrude, née le 3 février 1874, est, tout comme Alice, issue d'une famille d'immigrés juifs européens. Toutes deux passent une grande partie de leur jeunesse à San Francisco et ses environs, font dès leur plus jeune âge de longs séjours en Europe et perdent leur mère de bonne heure. Gertrude Stein rejoint Léo, son frère aîné, à Paris en 1903, après avoir interrompu ses études de médecine. Elle commence aussitôt à écrire. Son style expérimental a été surnommé « cubisme littéraire » : elle emploie sciemment des répétitions monotones et une forme de présent perpétuel. Alice se met bientôt à faire office de copiste, elle rédige également des textes et finit par s'installer, en 1910, dans la maison-atelier où vivent le frère et la sœur. Les dîners du samedi au 27, rue de Fleurus seront pendant plus de vingt ans le rendez-vous de la bohème artistique et de l'avant-garde parisienne. 1913 est l'année de la rupture avec Léo, qui porte un jugement négatif sur l'œuvre de sa sœur. Malgré les préjugés de cette époque, les deux femmes vivent au grand jour leur relation homosexuelle, avec une répartition claire des rôles. Alice est simultanément éditrice, cuisinière et secrétaire, et c'est elle qui tire les ficelles dans l'ombre. Gertrude hérite de son père en 1921, et les deux femmes peuvent alors vivre dans l'insouciance. Après les succès « confidentiels » qu'elle connaît dans son milieu, c'est un vrai succès public qui attend Gertrude, en 1933, avec la publication de *L'Autobiographie d'Alice B. Toklas*. Après trente années de vie commune, le couple entreprend pour la première fois, en 1934-1935, une tournée de conférences à travers les États-Unis. De retour en Europe, les deux femmes se retirent dans leur résidence d'été du Bilignin, dans la vallée du Rhône. Ce n'est qu'en 1944 qu'elles retournent à Paris où elles retrouvent, intact, leur appartement et sa précieuse collection de tableaux. Atteinte d'un cancer, Gertrude meurt, le 22 octobre 1946, des suites d'une opération. Alice veille avec soin sur l'héritage de son amie. À soixante-seize ans, elle publie un livre de cuisine pimenté d'anecdotes. Elle meurt le 7 juin 1967. Conformément à ses derniers vœux, son nom est gravé uniquement au dos de leur pierre tombale commune.

ET...

À lire :
Autobiographie d'Alice Toklas, de Gertrude Stein, L. Mazenod, Paris, 1965.

Le Livre de cuisine d'Alice Toklas, d'Alice B. Toklas, Éditions de Minuit, Paris, 1981.

À voir :
Paris was a Woman, de Greta Schiller, avec Djuna Barnes, Sylvia Beach, Gertrude Stein, Grande-Bretagne, 1996.

À écouter :
Mother of Us All, de Virgil Thomson, opéra d'après un livret de Gertrude Stein, 1992.

L'AVIS DE L'AUTEUR

L'avant-gardiste célèbre et la secrétaire falote : un couple d'amoureuses? Oui, car chacune d'elle ne se sent entière qu'à travers l'autre.

D.H. Lawrence
et Frieda von Richthofen

« Reste avec moi cette nuit ! – Non, répond-il.
Pas dans la maison de ton mari pendant qu'il est
absent. Mais tu dois tout lui dire, et nous partons
ensemble, car je t'aime. »

■ David Herbert Lawrence (1885-1930), vers 1925. L'écrivain anglais a vingt-sept ans quand il fait la connaissance de Frieda von Richthofen, la femme de son professeur d'anglais.

Un jeune homme est très amoureux. Elle a cinq ans de plus que lui et elle est mariée avec le professeur d'anglais de son bien-aimé, un brave homme avec qui elle a trois enfants. La famille vit à Nottingham. Elle avait imaginé sa vie tout autre, plus intéressante et plus exigeante. Née Emma Maria Frieda Johanna Freiin von Richthofen, elle est la fille d'une famille d'officiers et s'appelle maintenant Mrs. Ernest Weekley. Ses parents l'ont laissée partir en Grande-Bretagne, dans l'illusion naïve qu'un professeur y jouissait d'une reconnaissance sociale aussi élevée qu'en Allemagne. Mais, en Grande-Bretagne, qui n'enseigne pas à Oxford ou à Cambridge est insignifiant. Frieda n'accorde que peu d'importance aux apparences, mais elle n'accepte pas l'ennui, lié à la frustration que lui fait ressentir sa vie provinciale. Alors, ce flirt tombe à point nommé. D'ailleurs, il a de beaux yeux et du caractère, ce David Herbert Lawrence... Qu'importe qu'il n'ait pas encore complètement fini ses études, qu'il soit sans un sou vaillant et la tête pleine de rêves sur son avenir d'écrivain ! Il a le tempérament enflammé du poète, mais il est tendre, et il la regarde et l'écoute comme jamais un homme ne l'a fait auparavant. Lors d'une promenade avec les enfants, alors qu'il bricole avec enthousiasme un bateau en papier pour les petits, elle se sent submergée par ses sentiments : « Tout à coup, je sus que je l'aimais. »

Le scandale éclate quelques jours plus tard : ils abandonnent tout. Ils partent avec juste quelques valises, et Frieda ne reverra pas les siens pendant de longues années. « Mon enfant, que fais-tu là ? Moi qui t'avais toujours tenue pour quelqu'un de raisonnable ? Je connais le monde ! s'exclame, désemparé, le baron von Richthofen, son père. – Oui, c'est possible, répond-elle simplement. Mais tu n'as jamais connu le meilleur de tout. – Tu te conduis comme une fille ! » lui aurait-il alors lancé, en colère. Elle n'en a cure. Que peut donc bien être ce « meilleur de tout » ? Qu'est-ce qui peut être si fort pour qu'une femme adulte abandonne tout, enfants compris, pour un vagabond sans le sou, sans aucun regret ? La réponse paraît évidente maintenant, mais, en 1912, cette attitude est ressentie comme un affront inouï et personne, pas même ses meilleurs amis, ne comprend vraiment Frieda. À cette époque, la relation entre les sexes, tout particulièrement en Grande-Bretagne, est régie par un code de bonne conduite si strict que même les

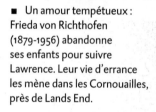

esprits libéraux ne peuvent s'imaginer ce que Frieda veut dire avec « le meilleur de tout » : le complet épanouissement de l'amour, par le cœur et les sens. Pour Lawrence, l'amour n'est ni abstrait ni romantique, et encore moins une convention sociale : c'est l'incarnation d'une authentique fusion de l'homme et de la

■ Un amour tempétueux : Frieda von Richthofen (1879-1956) abandonne ses enfants pour suivre Lawrence. Leur vie d'errance les mène dans les Cornouailles, près de Lands End.

■ Frieda von Richthofen :
la plantureuse grande femme
survit vingt-sept ans à son mari.
Elle reste au service
de son œuvre jusqu'à la fin
de sa vie.

femme. Il voit dans le mystère de l'union charnelle le centre des forces d'une nouvelle humanité, qui revendique ses instincts naturels et oppose à l'ingrate réalité un monde beau et humain. D.H. Lawrence va développer dans ses écrits cette vision philosophique qui l'accompagnera toute sa vie. Elle se trouve dans tous ses livres, et, de manière plus criante, dans le roman qui va lui assurer la célébrité mondiale, mais qui ne paraîtra dans son pays qu'en 1960 dans sa version intégrale, *L'Amant de lady Chatterley.*

Dans ce roman, une dame de la bonne société trouve le bonheur dans les bras d'un garde-chasse qui ressemble, à s'y méprendre, à Lawrence lui-même. Issu d'un milieu modeste, il aime la nature et abhorre la civilisation moderne, avec sa rage de progrès et sa superficialité. Il jette un regard condescendant vers les hommes de la ville qui se détruisent eux-mêmes dans leur soif d'argent et d'ascension sociale, et qui ne sont plus capables de ressentir la moindre émotion. « Aimer, réellement aimer, ces handicapés sentimentaux en sont incapables, et leurs femmes se dessèchent dans leur ombre. »

Le garde-chasse apprend à lady Chatterley ce que signifie être une femme. La sexualité torride qu'ils vivent lors de leurs rencontres extatiques devient le vaisseau qui les emporte loin de ce monde glacial. C'est précisément pour ces passages que le livre est mis à l'index. Or, *L'Amant de lady Chatterley* est tout, sauf un ouvrage pornographique. C'est en fait un livre puritain, autant que peut l'être son auteur, au sens le plus strict du terme : il défend ses convictions et veut les garder « pures ». Lawrence n'est pas un adepte de « l'amour libre », et toute forme de promiscuité lui est insupportable. Pour lui, l'amour est un ruban qui, une fois noué, ne se dénoue jamais. Quand deux esprits réellement semblables se sont trouvés, toute séparation est synonyme de trahison et de mort. À sa façon, l'écrivain est une sorte de fanatique. On ignore si Frieda a réellement connu l'épanouissement sexuel avec lui, comme lady Chatterley avec son garde-chasse. Dans ses mémoires, elle reste silencieuse sur ce point. Lawrence a vingt-sept ans lorsqu'ils se rencontrent, elle est sa première femme. Ce

> Quand Lawrence achève *L'Amant de lady Chatterley*, en 1928, il ne lui reste plus que deux années à vivre. Le livre est un testament de sa philosophie de la vie. Frieda est sa muse érotique, elle partage ses croyances et lui donne la force de travailler. Il écrit dans une lettre : « *Je m'imagine un monde nouveau, avec un air pur et neuf, et uniquement avec des êtres humains qui, tous, sont des nouveau-nés* – moi-même et Frieda*. » (* En français dans le texte.)

que l'on sait, en revanche, c'est qu'ils ont toujours été fidèles l'un à l'autre, dans les bons comme dans les mauvais jours, ces derniers étant, de loin, les plus nombreux. Ce naturalisme auquel Lawrence est attaché ne leur facilite pas les choses : tout doit être simple et originel, et c'est ainsi qu'il n'est pas rare que, vivant dans un coin de campagne perdu, Frieda et Lawrence mènent une existence rude, sans aucun confort, se contentant de ce que la nature met à leur disposition. En outre, Lawrence est malade. Atteint de la tuberculose, il ne peut pas se payer les cures onéreuses dont il aurait besoin. Ses livres rapportent peu et ils

■ Le mystère de l'union charnelle comme centre des forces d'une nouvelle humanité. Lawrence formule sa philosophie de la vie dans son roman *L'Amant de lady Chatterley*, dont la version cinématographique est due à Just Jaeckin, en 1981 (avec Sylvia Kristel et Nicholas Clay).

LADY CHATTERLEY'S LIEBHABE
Regie: Just Jaeckin
Im Verleih der Warner-Columbia

■ D.H. Lawrence (ici en 1925) prône une vie en harmonie avec la nature. Le couple voyage dans le monde entier, entre autres en Italie (ci-dessous : les pics enneigés du Monte Baldo, vus de Gargnano, sur le lac de Garde). Lawrence meurt à quarante-quatre ans de la tuberculose après dix-neuf ans de vie commune avec Frieda von Richthofen.

dépendent de mécènes pour le gîte et le couvert. Ils voyagent dans le monde entier, espérant trouver un climat plus propice pour le malade. Le couple, car Lawrence a exigé qu'ils se marient après le divorce de Frieda, sillonne ainsi l'Europe et va jusqu'en Australie et au Mexique.

Le plus dur, pour Frieda, est le caractère violent de son mari. Il a des accès de colère effroyables et est incapable de se maîtriser. L'écrivain Katherine Mansfield se rappelle ainsi une scène horrible : « Il la battait – il la battait comme s'il voulait la tuer – sur le cœur, sur le visage, sur la poitrine, il lui arrachait des cheveux [...] Je n'oublierai jamais cette image de Lawrence. Il était si blême, presque vert, et il frappait cette plantureuse belle femme. » Juste après, ils parlent du repas du soir, comme si de rien n'était, et, le matin suivant, il apporte à Frieda son petit déjeuner au lit. Ils vivent ainsi pendant dix-neuf ans, et Frieda ne pense pas un instant à le quitter. Pour elle, il est un dieu à qui elle sacrifie tout et dont elle supporte impassiblement les colères. On ne trouve pas un mot amer dans ses mémoires, uniquement de l'enthousiasme pour un homme qui, visiblement, sait beaucoup donner : « Tout ce qu'il touchait paraissait si nouveau, comme si cela venait juste d'être créé. »

D.H. Lawrence meurt en 1930 de la tuberculose. Frieda le rejoint, un quart de siècle plus tard, le jour de son soixante-dix-septième anniversaire.

D.H. LAWRENCE ET FRIEDA VON RICHTHOFEN

HISTORIQUE

Frieda von Richthofen est née à Metz le 11 août 1879. Le régiment de son père, Friedrich von Richthofen, y est stationné en tant que force d'occupation prussienne en France. Frieda fait ses études dans une institution catholique. En 1898, elle fait la connaissance du philologue Ernest Weekley (1865-1959), avec qui elle se marie le 2 août 1899 et part en Grande-Bretagne. La vie est monotone dans la province de Nottingham, et elle entreprend chaque été de longs voyages en Allemagne. Elle met au monde trois enfants : Charles Montague en 1900, Elsa en 1902 et Barbara en 1904. Sa rencontre, en mars 1912, avec le jeune professeur et écrivain David Herbert Lawrence marque un tournant dans sa vie. Lawrence est né d'un père mineur le 11 septembre 1885, et s'est élevé par son seul courage au poste d'enseignant. Il commence à écrire en 1905 et publie son premier roman en 1911. En mai 1912, Frieda part à Metz, chez ses parents, discrètement accompagnée de Lawrence. Quand son mari l'apprend, il demande le divorce. Frieda retourne en Grande-Bretagne, en 1913, mais Weekley l'empêche de voir ses enfants. Frieda von Richthofen et D.H. Lawrence convolent en justes noces, en juillet 1914, deux mois après le divorce officiel. Frieda ne reverra ses enfants qu'en 1920. En 1913, Lawrence publie *Amants et fils*, son premier grand roman teinté d'autobiographie. Suspecté d'espionnage, le couple n'a pas le droit de quitter le sol britannique pendant la Première Guerre mondiale. Le roman *L'Arc-en-ciel* étant interdit en 1915 pour cause d'obscénité, ils se retrouvent tous les deux sans revenus. Ils quittent la Grande-Bretagne en 1919, tout d'abord pour l'Allemagne, l'Autriche et l'Italie, puis pour Ceylan et l'Australie. Lawrence écrit des livres de voyage et des essais. Son roman *Femmes amoureuses* est, en 1921, son premier succès aux États-Unis. Entre 1923 et 1925, le couple séjourne à plusieurs reprises chez des amis à Taos, au Nouveau-Mexique. De retour en Italie, D.H. Lawrence écrit, entre 1926 et 1928, trois versions de son roman controversé, *L'Amant de lady Chatterley*, dont la moins édulcorée reste interdite en Angleterre et aux États-Unis jusqu'en 1959. Il meurt de la tuberculose le 2 mars 1930 dans un sanatorium de Vence. Frieda vit ensuite aux États-Unis et au Mexique. En octobre 1950, elle se remarie avec Angelo Ravagli, un Italien. En 1952, elle rencontre une dernière fois ses enfants et ses petits-enfants en Grande-Bretagne. Elle meurt le 11 août 1956.

 ET...

À lire :
L'Amant de Lady Chatterley, de David Herbert Lawrence, Presses Pocket, Paris, 1981.

Frieda von Richthofen, muse de D.H. Lawrence, de Jacqueline Gouirand-Rousselon, Autrement, Paris, 1998.

À voir :
Women in Love, de Ken Russell, avec Glenda Jackson, Jennie Linden, Alan Bates et Oliver Reed, d'après le roman de D.H. Lawrence *Femmes amoureuses*, Grande-Bretagne, 1969.

L'AVIS DE L'AUTEUR

Il l'arrache à sa famille, elle le suit jusqu'au bout du monde : le romancier anglais et sa muse allemande mènent une vie faite de passion et de privations.

Martin Heidegger et Hannah Arendt

« *Le démoniaque m'a atteint. La prière silencieuse de tes chères mains et ton front lumineux l'ont abrité dans une transfiguration féminine et maternelle. Il ne m'est jamais rien arrivé de tel.* »

■ Leurs regards se croisent par-dessus leur amour commun du savoir. Hannah Arendt (1906-1975) et son professeur, Martin Heidegger (1889-1976), entretiendront pendant toute une année une relation amoureuse secrète.

Ces paroles, c'est Martin Heidegger qui les prononce, à Marburg, devant un auditoire enthousiaste, au cours de l'une des nombreuses conférences qu'il donne dans les années 1920. Il parle de l'amour du savoir, de la philosophie. Parmi les jeunes étudiants qui l'écoutent se trouve Hannah Arendt. Elle n'a pas encore vingt ans, et leurs regards se rencontrent. Ils tombent amoureux l'un de l'autre, et, dans les lettres qu'ils vont échanger désormais, il n'est plus uniquement question de l'amour du savoir.

Martin est attaché à sa famille et leurs rencontres doivent rester secrètes. Est-il motivé par des raisons morales ou redoute-t-il seulement le scandale que ne manquerait pas de provoquer la relation entre un professeur relativement connu et une jeune étudiante ? Quoi qu'il en soit, il ne veut pas se séparer de sa femme.

Au début, tout se passe comme toujours dans les histoires d'amour secrètes : ils conviennent de signes qu'eux seuls peuvent comprendre, de rencontres dont personne ne doit avoir vent. Pendant un certain temps, ils gardent pour eux l'événement que représente chaque rendez-vous. De cette façon, ils n'ont rien à craindre de l'usure du quotidien. Mais, quand Hannah explique à Martin qu'elle désire davantage, il la maintient à distance. Au bout d'un an, ils cessent de se voir. Elle met fin à leur relation et part terminer ses études à Heidelberg. À l'amour pour un homme succède de nouveau l'amour du savoir.

Certes, le « roi des penseurs » interdit à Hannah l'accès à son travail spirituel, mais l'importance de sa liaison avec elle est perceptible dans toute son œuvre, jusque dans les termes. Il n'y a guère que dans le cocon familial qu'il réussit à repousser son image. Hannah façonne avec lui le quotidien de son esprit. En fin de compte, tout tourne autour d'une seule et même question : comment conserver le caractère d'exception d'une chose nouvelle ? Comment empêcher qu'elle devienne routinière ?

En 1928, la jeune femme achève ses études par une thèse sur la notion de l'amour selon saint Augustin, où l'on trouve l'influence de Martin Heidegger. Qu'elle commence peu de temps après une étude sur Rahel Varnhagen met une nouvelle fois en évidence sa proximité avec son professeur. Mais c'est une « proximité avec la plus grande distance ». Seuls les souvenirs de leur amour les rapprochent encore. À travers leur engagement politique, en revanche, ils s'éloignent l'un de l'autre, irrémédiablement. Hannah arrête de fréquenter l'université, car elle veut être libre. En outre, elle est juive, ce qui jusque-là n'était pas essentiel pour elle : « À la maison, je n'avais pas conscience d'être juive. » Mais les nazis l'ont cataloguée ainsi, et il lui faut fuir sa patrie. Elle s'enfuit de Berlin vers Paris, via Prague. Contrairement à beaucoup d'autres, elle réussit, en 1941, à atteindre New York.

Martin Heidegger, pour sa part, a trouvé une famille politique auprès des persécuteurs d'Hannah. Sur une courte période, il se laisse éblouir par Hitler. Cette attirance politique dure à peu près un an, puis Heidegger se retire dans la quiétude des sphères de l'amour du savoir.

En 1952, les chemins d'Hannah Arendt et de Martin Heidegger se croisent de nouveau. Elle peut dorénavant lui rendre visite chez lui, où la photographie de sa femme est exposée sur tous les murs. Hannah, quand à elle, a rencontré l'âme sœur. Elle ne voit Heidegger qu'en cachette, car ce n'est pas une personne avec qui on s'affiche volontiers. Sa sympathie pour le national-socialisme et pour Hitler lui a coûté sa chaire, et il a été déclaré *persona non grata* suite à son refus de faire publiquement amende honorable. C'est alors

> « *Dans la soudaineté, la rareté, brille notre être. Nous observons, protégeons – vibrons en harmonie* », écrit Heidegger dans un poème dédié à Hannah Arendt.

Hannah qui a des scrupules : raisons morales ou peur du scandale, maintenant qu'elle est une philosophe reconnue ? Elle travaille particulièrement sur un thème politique : quelles sont les motivations des systèmes totalitaires tels qu'ils sont apparus sous Hitler et Staline ? Les raisons d'Hannah de garder ses distances avec Heidegger sont certainement plus fondées que ne l'étaient, autrefois, celles que celui-ci faisait valoir. Elle le décrit dans ses lettres comme quelqu'un mû par un « mélange de vanité et de penchant au mensonge ou, mieux, de lâcheté ». Elle sait pertinemment qu'il se retranche derrière les mêmes excuses que la plupart des Allemands. Ses recherches l'amènent à la conception de la notion de « banalité du mal », car, en 1962, elle assiste, en tant que correspondante de presse, au procès d'Adolf Eichmann, l'un des hauts fonctionnaires responsables de l'extermination des juifs en Europe. Elle éprouve la surprise de ne pas se trouver en présence d'un monstre, mais d'un simple fonctionnaire. C'est en parlant de lui qu'elle élabore la notion qui la rendra célèbre. Eichmann n'est ni coupable ni immoral, il n'a tout simplement pensé à rien : il ne réfléchit pas, il est banal.

Ils forment, et c'est notoire, un couple étrange : la juive et le nazi, la chercheuse sur le thème du totalitarisme et l'égaré du totalitarisme. Ils se revoient malgré tout.

■ La juive Hannah Arendt reste liée à vie avec Martin Heidegger, malgré la sympathie passagère de ce dernier pour le national-socialisme.

L'amour du savoir, qu'elle a encore en commun avec Heidegger, la sauve, et elle peut rester fidèle à Martin : car elle réussit à séparer sa pensée du mal. En effet, une chose est claire : certes, Heidegger s'est lourdement fourvoyé en ce qui concerne son engagement politique, mais son œuvre n'est certainement pas banale. Son tort, pense-t-elle, est de se trouver dans l'erreur, comme nombre de penseurs avant lui.

Finalement, Hannah peut rester solidaire de celui qui l'appelle, mais uniquement par lettre, la « passion de ma vie ». Le 26 juillet 1967, peu sûre de son effet, elle commence ainsi une conférence dans une salle bondée : « Cher monsieur Heidegger, mesdames et messieurs ! » Ce jour-là, c'est lui qui est dans la salle pour l'écouter. Le public est déconcerté. « Est-ce que cette formule t'a été désagréable ? lui demande-t-elle ensuite. Ça me paraissait le plus naturel du monde. — Comment aurais-je pu ne pas m'en réjouir ? » répond-il. Hannah abonde en son sens, puis elle ajoute : « Ceux dont le printemps a enflammé puis brisé le cœur guériront à l'automne. »

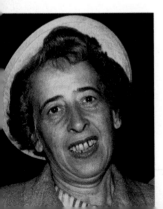

MARTIN HEIDEGGER ET HANNAH ARENDT

HISTORIQUE

Hannah (officiellement Johanna) Arendt, née à Hanovre le 14 octobre 1906, est la fille unique d'un ingénieur. Martin Heidegger, né le 26 septembre 1889, d'un père maître tonnelier, est de dix-sept ans son aîné. À sept ans, Hannah perd successivement son grand-père et son père, qui décède des suites d'une syphilis. Sa mère lui permet de fréquenter un lycée de jeunes filles à Königsberg. En 1924, son baccalauréat en poche, elle part pour la ville universitaire de Marburg. C'est là qu'elle fait la connaissance de Martin Heidegger, professeur de philosophie dans cette faculté depuis 1923, qui fut autrefois l'élève d'Edmund Husserl à Fribourg. En février 1925 commence une histoire d'amour passionnée et secrète entre la jeune étudiante et le professeur, marié depuis huit ans et père de deux garçons, qui ne veut, en aucun cas, mettre en danger sa carrière et son couple. Au cours de l'été 1925, Hannah quitte Marburg pour Heidelberg, où elle suit les enseignements de Karl Jaspers, s'éloignant ainsi de Heidegger. Ce n'est toutefois qu'en 1928, l'année de la promotion d'Hannah, que Martin accepte de mettre définitivement un terme à leur relation. Hannah Arendt se marie avec Günther Stern (plus tard G. Anders) en 1929, et obtient l'aide d'un organisme de solidarité de scientifiques allemands, ce qui lui permet de survivre pendant la crise économique qui fait

alors rage. En 1933, elle fuit le national-socialisme, s'exilant tout d'abord à Paris avant de rejoindre New York en 1941. La séparation n'est pas que géographique, elle est également motivée par des visions différentes du monde. De son exil aux États-Unis, Hannah Arendt s'engage pour le sionisme, alors que Martin Heidegger entre au NSDAP, le Parti ouvrier national-socialiste allemand. En 1951, elle publie le livre qui la rendra célèbre : *Les Origines du totalitarisme*. Au cours des années suivantes, elle fait plusieurs tournées de conférences en Europe et assiste, en tant qu'attachée de presse, au procès d'Eichmann, à Jérusalem. Elle entretient une correspondance avec Heidegger, qui a été suspendu de l'enseignement en 1945, puis réintégré en 1946 et nommé professeur émérite en 1952. Hannah et Martin se rencontrent une nouvelle fois à Fribourg en 1967, et elle lui rend visite, en compagnie d'Heinrich Blücher, son deuxième mari, au cours du printemps 1969. Avant sa mort à New York, le 4 décembre 1975, elle revoit plusieurs fois Martin, mais ces rencontres ne sont plus l'occasion d'échanges réels sur leurs positions respectives en philosophie politique. Heidegger meurt peu après elle, en 1976.

 ET...

À lire :
Hannah Arendt, d'Élisabeth Young-Bruehl, Calmann-Lévy, Paris, 1999.

Heidegger et son temps, de Rüdiger Safranski, Grasset, Paris, 1996.

Hannah Arendt et Martin Heidegger, d'Elzbieta Ettinger, Éditions du Seuil, Paris, 1995.

✱ L'AVIS DE L'AUTEUR

Le professeur de philosophie et sa meilleure élève : il était marié et dut la désavouer. Il y eut, plus tard, d'autres raisons pour des séparations douloureuses : elle était juive, il était nazi. Ils ne s'oublièrent toutefois jamais et se revirent après la guerre.

Virginia Woolf et Vita Sackville-West

« *Je prie Virginia… Je n'ai que rarement été aussi subjuguée par quelqu'un et je crois qu'elle m'aime. Pour le moins, elle m'a invitée à Richmond, où elle habite. Je suis réellement tombée amoureuse.* »

■ La femme de lettres britannique Virginia Woolf (1882-1941) en 1932.

Virginia Woolf, femme de lettres quadragénaire, rencontre en 1922 la poétesse Vita Sackville-West, de dix ans sa cadette. Toutes deux sont en passe de percer en tant qu'auteurs. Elles vivent dans des conditions extrêmement différentes, mais ont beaucoup de choses en commun : elles prennent le thé ensemble, lancent des brocards, s'écoutent et se moquent l'une de l'autre – et conviennent de se revoir. Commence alors une relation amoureuse nourrie chez chacune par l'admiration pour l'œuvre et la personnalité de l'autre, interrompue parfois par des susceptibilités, des jalousies et des impulsions de fuite, mais maintes fois renouée par des poussées passionnelles d'attirance et d'appétit sensuel.

Virginia Adeline Woolf, née Stephen, est issue de la bourgeoisie britannique. La tendre jeune fille est très intelligente et sensible, mais de santé extrêmement précaire. À vingt-neuf ans, elle se marie avec l'écrivain Leonard Woolf, un juif socialiste dont la complicité intellectuelle et le soutien matériel dans la vie quotidienne lui assurent la sécurité. Le couple possède une petite maison d'édition, Hogarth Press, qui publie Vita Sackville-West.

Mrs. Sackville-West est une descendante de la haute noblesse britannique, ce qui plaît tout particulièrement à Virginia et flatte son snobisme latent. Vita mène une existence fastueuse et règne sur une équipe de domestiques et sur ses deux fils. Ses goûts sexuels la poussent dans les bras de personnes de son sexe. Son mari, Harold, est également homosexuel, et ils vivent ainsi dans une compréhension réciproque, discutant même ouvertement de leurs nombreuses aventures respectives.

Vita est une personne énergique, pleine de vitalité et, en outre, d'une grande beauté. Virginia est timide, introvertie, hypersensible et n'a aucune conscience de son corps. Sa silhouette mince et élancée, son joli visage et ses grands yeux lui donnent un charme certain, mais le sentiment de sa valeur ne lui vient pas, comme Vita, de son corps. C'est une intellectuelle, et ses passions sont purement cérébrales. Quand elle sort ou reçoit, c'est uniquement pour briller par son esprit. Lady Sackville-West, en revanche, n'a qu'à entrer dans une pièce pour dominer déjà l'assistance. Virginia ne ressent aucune jalousie pour la prestance de son amie, dont elle admire « la présence et la beauté ». Vita, quant à elle, avec peut-être un peu d'envie, reconnaît ouvertement la supériorité intellectuelle de Virginia. Chacune est en admiration devant la vitalité et les capacités de l'autre. Vita apprend de Virginia ce qu'écrire veut dire, elle se montre avide de ses compliments et travaille beaucoup, traversant alternativement des phases d'abattement et de confiance en elle. Virginia découvre, grâce à Vita, ce que signifie posséder des sens, des mains, des lèvres, une peau et un sexe. Dès le début de son mariage, elle

■ Vita Sackville-West (1892-1962) rencontre Virginia Woolf, de dix ans son aînée, en 1924. Cette belle femme pleine de vitalité fait découvrir l'amour sensuel à Virginia, introvertie et exclusivement intellectuelle.

■ Vita, photographiée
en 1928 par Leonard Woolf,
le mari de Virginia, pour
la couverture d'*Orlando*,
un roman couronné de succès
dans lequel Virginia Woolf
érige un monument à la gloire
de sa bien-aimée.

■ Le film *Qui a peur de Virginia
Woolf?*, avec Richard Burton
et Liz Taylor, tourné d'après
la pièce éponyme d'Edward
Albee, n'a rien à voir avec
l'écrivain. L'intrigue traite
de la lutte pour la domination
entre les deux partenaires
d'un couple.

s'est soustraite aux désirs sexuels de son mari. Celui-ci connaît
et respecte les angoisses de sa femme devant l'amour physique,
et c'est Vita qui éveille Virginia au plaisir. Cette émergence de
la sensualité fait toutefois rejaillir les causes profondes de ses
angoisses. Pour autant que le révèlent leur correspondance et
leurs cahiers intimes, les rencontres entre les deux femmes
sont toujours brèves, presque furtives, et entrecoupées de
longues périodes d'éloignement (souvent dues à des voyages et
à des problèmes de santé), de doute mutuel et de désir insatis-
fait. Leur relation n'est pas simple. Vita, la dynamique, domine

le couple pour ce qui est de la sensualité et de la joie de vivre, et Virginia, l'intellectuelle, ne connaît pas son pareil en tant qu'écrivain avant-gardiste. Mais, malgré la lutte charnelle pour la domination, lutte classique au sein d'un couple, les deux femmes se donnent mutuellement ce qui a le plus de valeur, ce que l'amour peut apporter à des créateurs : la critique et l'inspiration. Virginia érige, en 1928, un monument à la gloire de sa bien-aimée dans l'ouvrage qui sera, de son vivant, son plus grand succès : *Orlando*. Vita est Orlando et traverse quatre siècles, en empruntant alternativement

« Vita vient déjeuner demain. Quel plaisir et quelle joie cela me fait ! Ma relation avec elle m'amuse : en janvier si torride – et maintenant ? Sa présence et sa beauté me plaisent également. Suis-je amoureuse d'elle ? Mais qu'est-ce que l'amour ? »

■ Portrait d'une femme extrêmement sensible et intelligente.

■ Virginia, photographiée en 1928 par Vita Sackville-West. Elle souffre d'hallucinations et d'angoisses psychotiques, et se suicide en 1941.

■ Vita en 1936 dans son cabinet de travail situé dans une tour du château de Sissinghurst.
Ci-dessous : la célèbre photographie de Gisèle Freund représentant Virginia Woolf.

l'un ou l'autre sexe. Elle se reconnaît volontiers dans ce portrait flatteur, mais n'en ressent pas moins combien son amie s'est éloignée d'elle en créant ce personnage de roman. Elle trouve inquiétant d'être si pleine de vie et de couleur dans cet être de fiction, alors que son amie la délaisse en tant que femme. « Je n'entends pas être aimée uniquement comme corps astral », fait-elle remarquer. Mais il est déjà trop tard. Les braises de leur amour commencent à étouffer sous la cendre, et, si l'on fait abstraction des tentatives sporadiques de séduction de l'une ou de l'autre, leur relation devient purement amicale et les contacts se font plus rares.

Virginia, qui souffre de poussées hallucinatoires et d'angoisses psychotiques, met fin à ses jours en 1941, vraisemblablement pour devancer une nouvelle crise. Vita, quant à elle, s'éteint à soixante-dix ans.

VIRGINIA WOOLF ET VITA SACKVILLE-WEST

HISTORIQUE

Virginia Adeline Stephen est née à Londres le 25 janvier 1882. À treize ans, elle perd sa mère, Julia. Son père, Leslie Stephen décède en 1904. Elle va alors vivre en communauté avec ses frères et sœurs dans une maison de Bloomsbury. Au cours des années suivantes, ce lieu devient un point de rencontres apprécié des jeunes écrivains et des artistes, et Virginia y fonde le Bloomsbury Group. C'est là qu'elle rencontre Leonard Woolf, avec qui elle se marie le 10 août 1912. Depuis 1904, elle écrit pour The Guardian, et elle participe maintenant au supplément littérature du Times. Son premier roman, La Traversée des apparences, paraît en 1915. En 1917, elle fonde avec son mari la maison d'édition Hogarth Press, qui devient très rapidement l'une des plus en vue de la jeune littérature et de la poésie avant-gardiste. C'est chez Hogarth Press que Vita Sackville-West publie, en 1924, son roman Séducteur en Équateur, dédié à Virginia, dont elle a fait la connaissance le 14 décembre 1922. Vita, officiellement Victoria Mary, est une descendante de la vieille famille noble des Sackville. Elle grandit dans l'immense château de Knoles, dans le sud de l'Angleterre, où elle est instruite par des précepteurs. Elle commence à écrire, dès l'âge de douze ans, des romans historiques, des biographies et des poèmes qui connaissent un certain succès. En 1910, elle rencontre le diplomate et écrivain Harold George Nicolson, avec qui elle se marie en 1913 et dont elle a deux enfants. Le mariage est, pour ce couple d'homosexuels, une parade aux attaques de la société et il perdurera, malgré les nombreuses aventures des deux partenaires. La liaison de Vita avec Virginia Woolf, dont témoignent ses cahiers intimes et de nombreuses lettres, dure, par intermittences, jusqu'à la fin des années 1920. Orlando, le roman de Virginia Woolf qui paraît en 1928, est consacré à cette liaison et décrit des pans de la vie de Vita. Une amitié intense rapproche encore les deux femmes pendant les années 1930, jusqu'au suicide, le 28 mars 1941, de Virginia, qui souffrait d'une faiblesse psychologique due en grande partie aux abus sexuels subis dès son plus jeune âge. Sur la fin de sa vie, Vita Sackville-West réalise, d'après des plans de son mari, le jardin du château de Sissinghurst, et acquiert ainsi une excellente renommée de jardinière paysagiste. Elle publie par la suite des livres consacrés à sa passion du jardinage. Elle meurt dans son château le 2 juin 1962.

ET...

À lire :
Orlando, de Virginia Woolf, Stock, Paris, 1994.

Lettres, Virginia Woolf, de Nigel Nicolson, Éditions du Seuil, Paris, 1993.

À voir :
Mrs. Dalloway, de Marleen Gorris, avec Vanessa Redgrave, Grande-Bretagne, 1997.

Orlando, de Sally Potter, avec Tilda Swinton, Grande-Bretagne, 1992.

À visiter :
Sissinghurst Castle
et ses jardins, dans le Kent, en Grande-Bretagne.

L'AVIS DE L'AUTEUR

Leur liaison fut un mélange d'excitation, de bonheur et de fatalité. Elles étaient trop différentes pour ne pas s'aimer, et trop semblables pour ne pas se repousser.

Bonnie and Clyde

« Depuis que je te connais, ma vie a changé
Nous écumons le monde, irrésistiblement, comme
une tornade.
Nous violons les lois qui ne sont pas faites pour nous.
Nous mettons tout sens dessus dessous, quand ça ne nous
convient pas.
Nous empruntons le chemin que nous voulons.
Nous faisons tout ce que les hommes normaux ne font pas.
Monde, prends garde à toi, quand nous arrivons.
Eh, vous, ne nous cherchez pas querelle, vous avez perdu
d'avance. »

Amérique des années 1930 : grosse dépression, chômage, les petites gens ont le ventre vide, les grands patrons se frottent les mains. Non seulement on doute des possibilités infinies du Nouveau Monde, mais, de plus, la morale elle-même chancelle : c'est la loi de la jungle, l'ère du chacun-pour-soi.

Dans de telles périodes, Robin des Bois ou un quelconque redresseur de torts n'est pas un romantique social désespéré, c'est le héros du moment : la récupération des richesses accaparées par ceux d'en haut par quelqu'un qui a toujours appartenu à la couche la plus modeste de la société semble soudain équitable, même s'il est inévitable qu'il y ait pour cela des victimes – puisqu'il y en a de toutes façons déjà tant.

En 1967, avec *Bonnie and Clyde*, le réalisateur Arthur Penn immerge le public dans cette atmosphère de sauve-qui-peut. Dans cette ballade criminelle, un couple tire sur tout ce qui bouge, poussé par la pauvreté, la soif d'argent, le désespoir, et aussi par l'amour. Bien que, considérés à la lumière crue du jour, ces deux jeunes à la gâchette facile se révèlent être purement et simplement deux bandits doublés d'assassins, le public ne peut s'empêcher de leur tendre la perche et d'espérer qu'ils vont s'en sortir vivants. Le personnage du criminel sympathique, figure récurrente du cinéma, doit toujours être mis en scène avec une bonne dose de suspens. Avec Bonnie et Clyde, la morale du spectateur est mise à rude épreuve, car leur agressivité et leur absence de scrupules sont clairement liées à leur fascination érotique mutuelle. Chaque coup de feu est un baiser, chaque bain de sang un acte sexuel. Dans ce sens, le couple mis en images en 1967 est le prédécesseur direct de Mickey et Mallory, les héros du film culte tourné par Oliver Stone en 1994, *Tueurs-nés*.

Fusillade et sang comme métaphore du sexe : ne serait-ce pas là une sur-interprétation ? Pas du tout. Arthur Penn accorde d'ailleurs une grande importance à la compréhension de cette métaphore par tous. Il va même jusqu'à affliger son héros, Clyde, d'impuissance. Les premières agressions, devant les yeux admiratifs de la belle Bonnie, peuvent ainsi être immédiatement interprétées comme un coït. Il serait toutefois maladroit de comprendre la carrière criminelle de Clyde comme la compensation de l'acte sexuel inachevé, en oubliant que les années 1930 et la crise économique en sont davantage l'origine. Le film fonctionnerait aussi bien si la vie sexuelle de Bonnie et de Clyde n'était pas assombrie par un tel handicap. D'ailleurs, à la fin, Clyde arrive à le surmonter et il satisfait Bonnie. Il veut l'épouser et, quand elle lui demande ce qu'il ferait de différent s'il devait tout recommencer, il répond crûment qu'il ne voudrait pas habiter avec elle « là où ils règlent leurs affaires ». En bref, il continuerait à manier le revolver.

Les « affaires à régler » – pour Bonnie et Clyde, ce sont les attaques de banques – ne remplacent pas la sexualité. Elles la reflètent et lui donnent un cadre compréhensible. L'amour, et avec lui le désir, est exactement aussi sauvage, magnifique, animal et asocial qu'une attaque de banque, exactement aussi excitant, extrême et fatal.

■ Le couple de gangsters le plus célèbre du sud-ouest de l'Amérique. L'authentique couple Bonnie Parker et Clyde Barrow (photographié vers 1930), et Bonnie et Clyde, dans le film d'Arthur Penn, tourné en 1967, avec Faye Dunaway et Warren Beatty.

■ Le revolver, l'arme suprême
pendant les années
de dépression économique.
Bonnie, *alias* Faye Dunaway,
en train de faire ses courses.

Fatal ? Oui, mais pas directement, bien sûr. La passion possède toutefois une force qui pousse aux pires actions et qui fait que l'on n'hésite pas à avoir recours au crime.

Bonnie et Clyde, Mickey et Mallory ne le diraient certainement pas ainsi. Quand Clyde se précipite dans une banque et tire, il montre sa force à Bonnie ; quand il explique fièrement à un pauvre bougre dont on a saisi la maison : « Nous attaquons des banques ! » il montre à son amour qu'il est solidaire des démunis, et quand il fomente des stratégies qui leur permettent de s'en tirer indemnes, il lui montre son intelligence. La criminalité est un cadre de vie, une scène, un contexte très familier à ce couple. On doit se cacher, vivre dans la confiance mutuelle, faire ses preuves

■ Le couple de criminels,
redouté et réputé, pille
les banques et mène la police
par le bout du nez. Bonnie
et Clyde se font parfois
photographier dans une pose
avantageuse et envoient
le cliché aux journaux.

l'un devant l'autre. On a des secrets, on souffre, on se console.
Ce n'est pas un hasard si une bonne moitié des scénarios du cinéma de divertissement se déroule en dehors de la légalité.
Bonnie et Clyde forment-ils un couple clandestin ? Non, car l'en-
tourage est au courant : si Bonnie s'enfuit avec lui, elle est depuis
longtemps adulte ; plus tard, ils rendront même visite à sa mère.
Clyde entraîne son frère dans l'aventure, et sa belle-sœur finit
pas apprécier la célébrité ambiguë que lui vaut son appartenance
à la « bande à Barrow ».

Là encore, le couple de gangsters d'Arthur Penn se révèle être un
prédécesseur des *Tueurs-nés* d'Oliver Stone : l'écho des médias
les confirme dans leur dimension criminelle et les encourage. Ils
se complaisent dans leur popularité et en connaissent l'origine :
l'envie que tous les moutons ressentent au plus profond d'eux-
mêmes de faire, une fois, ce dont ils ont envie sans se soucier des
vies humaines, de prendre tout simplement ce dont ils ont besoin
et de tuer des policiers tout en conservant la sympathie secrète
de tous les perdants. Ils n'ont pas besoin, pour cela, des acro-
bates des médias et des reporters en quête de sensations. À la fin

■ Chaque coup de feu est
un baiser, chaque bain de sang
un acte sexuel. Le crime
et l'érotisme sont intimement
liés.

■ La rançon de la jouissance.
L'ordre finit par triompher.

Bonnie Parker et Clyde Barrow ont réellement existé. Ils sillonnaient l'Amérique au volant de voitures « empruntées » et volaient, mais ne s'en prenaient jamais aux petites gens. Quand les policiers les ont enfin retrouvés, ils étaient tellement convaincus de leur invulnérabilité qu'ils ont vidé sur eux tous leurs chargeurs. La voiture du couple célèbre, criblée de balles, serait, aujourd'hui encore, visible dans un musée.

de son film, Arthur Penn attire Bonnie et Clyde dans un piège. Jusqu'à cette scène, le couple n'avait pas encore paru aussi décontracté et heureux. Warren Beatty, dans le rôle de Clyde, affiche un sourire confiant, et Faye Dunaway, en magnifique Bonnie à la chevelure blonde, met bout à bout les vers d'un nouveau poème. Et c'est à cet instant qu'éclate la pluie de balles qui ne leur laisse aucune chance. Penn montre au ralenti les soubresauts des corps sous l'impact des projectiles, comme une danse étrange. Ça aussi, c'est historique.

Évidemment, le crime doit être puni, l'amour n'a rien à voir là-dedans. L'ordre et la dramaturgie des films de gangsters l'exigent. Mais, par l'énormité et le grotesque de l'exécution, Arthur Penn désavoue – comme le fit l'opinion publique dans la réalité – le principe de l'ordre et, indirectement, il se place du côté des hors-la-loi.

■ Fusillade et sang comme métaphore pour le sexe. *Tueurs-nés*, le film culte d'Oliver Stone, tourné en 1994, assure sans ambiguïté la succession de *Bonnie and Clyde*.

BONNIE AND CLYDE

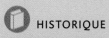

HISTORIQUE

Les nombreux films et les récits qui mettent en scène Bonnie et Clyde reposent sur l'histoire de Bonnie Parker et Clyde Barrow, personnages dont la dimension mythique estompe la vie réelle. On dispose cependant de quelques informations sur eux. Bonnie Parker, née le 1er octobre 1910 à Rowena, au Texas, est une fille d'ouvrier. Clyde Barrow, né le 21 mars 1909, est également issu d'un milieu pauvre. Son père travaille dans une exploitation de coton et devient, plus tard, pompiste à Dallas. Bonnie quitte l'école à seize ans et se marie avec son amour de jeunesse, Roy Thornton, qui se retrouve rapidement derrière les barreaux d'une prison. Elle subsiste alors grâce à un emploi de serveuse. Clyde se fait remarquer très tôt par la police pour de petits vols – ce qui est monnaie courante, en cette période de récession, parmi la jeunesse américaine pour laquelle le chômage est pain quotidien. Bonnie et Clyde se seraient rencontrés pour la première fois au chevet d'une amie commune. Bonnie a alors tout juste dix-neuf ans. Clyde fait à son tour un séjour en prison et, à sa sortie en 1932, les jeunes gens commencent par voler ensemble des voitures, avant de se lancer, à grande échelle, dans les vols et agressions en tous genres. C'est en novembre de la même année qu'ils attaquent leur première banque. Poursuivis par la police,

ils tuent à plusieurs reprises au cours de leur cavale. Il ne leur est, dès lors, plus possible de reprendre une vie légale. Entre-temps, Buck, le frère de Clyde, et son amie se joignent à eux après leur évasion de prison. On ne parle plus alors que des exploits de la « bande à Barrow ». En juillet 1933, Bonnie et Clyde réussissent à sortir indemnes d'une maison encerclée par des unités spéciales de la police. Les médias font de la surenchère sur cet événement, ce qui contribue à la naissance du mythe. En réalité, Buck a été mortellement blessé lors de la fusillade et son amie arrêtée. Bonnie, Clyde et un troisième larron sont parvenus, de justesse, à passer entre les balles. Le 23 mai 1934, leurs poursuivants réussissent à attirer le couple de gangsters dans un piège. Cette fois, ils n'échappent pas aux quelque cent cinquante projectiles qui perforent leur Ford huit-cylindres. Sentant approcher l'issue fatale, Bonnie avait donné à sa mère, au début de ce mois de mai, un poème intitulé *L'Histoire de Bonnie et Clyde*.

ET...

À lire :
Stray bullets, de David Lapham, Dark Horse France, 1997.

À voir :
Bonnie and Clyde, d'Arthur Penn, avec Warren Beatty, Faye Dunaway et Gene Hackman, États-Unis, 1967.

Tueurs-nés, d'Oliver Stone, avec Woody Harrelson, Juliette Lewis, Robert Downey Junior et Tommy Lee Jones, États-Unis, 1994.

À écouter :
Bonnie and Clyde, de Serge Gainsbourg.

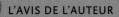

L'AVIS DE L'AUTEUR

Ils se frayaient la voie à grand renfort de balles – également pour conquérir le cœur de l'autre. Le couple de gangsters jouit de sa célébrité et de sa liberté, mais pour une période aussi courte que sanglante.

Salvador Dalí et Gala

« *Un baiser scella mon nouvel avenir ! Gala devint le sel de ma vie, le bain de trempe de ma personnalité, mon phare, mon double – MOI.* »

■ Salvador Dalí (1904-1989) et Gala (1894-1982), en 1954, sur le tournage de *L'Histoire prodigieuse de la dentellière et du rhinocéros*. L'étrange histoire de Dalí, jeune peintre encore inconnu, et de Gala, qui est mariée et de dix ans son aînée, commence en 1929 et ne prend fin qu'à la mort de Gala.

La rencontre entre Salvador Dalí, le jeune peintre espagnol, et Gala Éluard, la femme du poète français Paul Éluard, donne lieu à un véritable feu d'artifice : séduction, présentation, doute, folie. Au début, Dalí est impressionné par l'allure de grande dame de Gala, par son rayonnement érotique, par sa domination agressive, mais il se sent très vite attiré par cette femme. Gala, elle, regarde à peine ce jeune homme dégingandé qui fait tout pour se faire remarquer et prétend savoir peindre. Cependant, leur attitude ne tarde pas à changer radicalement : elle reconnaît peu à peu le talent de l'artiste, et lui respecte la vision qu'elle a de l'art. Ils parlent de peinture et se promènent sous le soleil espagnol, dans une atmosphère de confiance et d'émulation, avec la conviction intime qu'ils sont faits l'un pour l'autre. Bientôt, la grande décision est prise : « Nous ne nous séparerons jamais. » Et il en fut ainsi.

Gala est née en 1894 en Russie, sous le nom d'Helena Dimitrievna Diakonova. Jeune fille, alors qu'elle séjourne en Suisse pour une cure, elle rencontre Paul Éluard et décide de rester avec lui. Ils se marient et il la baptise Gala. Elle n'a, pour elle-même, aucune ambition dans le domaine de l'art, mais elle s'intéresse de très près à tout ce qui s'y rattache, des points de vue esthétique, humain et commercial. Gala et son mari rencontrent un jour le groupe des surréalistes autour d'André Breton. Ceux-ci espèrent trouver dans les zones irrationnelles du rêve et de la transe de nouvelles intuitions pour leur processus créateur. La sexualité est ici au cœur des débats. Les membres du groupe attendent de chacun qu'il vive et travaille à contre-courant de la tradition et de la convention. Gala est une des rares femmes qui réussissent à s'affirmer dans ce milieu principalement masculin. C'est elle qui met en contact son nouvel ami et favori, Salvador Dalí, avec les surréalistes, qui gère sa carrière, qui

l'impose à Paris et qui le fait couronner *Mister Surrealism* aux États-Unis.

Dalí est originaire de Catalogne, au nord-ouest de l'Espagne. Il se sent très tôt l'étoffe d'un génie. Il dépense autant d'énergie créatrice pour la peinture que pour la mise en scène de sa personne, qu'il utilise comme argument publicitaire de son œuvre, et, à ses yeux, son moi revêt, à peu de chose près, la même importance que son travail. Il intègre toutefois Gala à cette entité Dalí. Il la peint sans cesse et, même dans les tableaux représentant un tout autre sujet, on trouve toujours quelque part le personnage de Gala. Il est impossible de contempler des œuvres de Dalí, de parler avec ou de Dalí, de lui rendre visite ou de l'inviter sans qu'elle soit présente. Les biographes sont unanimes : elle est l'archétype de la muse. Elle est belle, séduisante, sensuelle,

■ Gala n'est-elle pas un peu petite au regard de l'artiste sur cette toile, *Autoportrait avec Gala*? En fait, elle est la muse, le modèle, la conseillère et le manager du peintre, qui la considère comme un élément central de lui-même.

■ Gala, le modèle préféré de Dalí, est sa muse. Dans *Leda Atomica* (1949), l'artiste aurait-il représenté l'importance de Gala pour son travail ? Sous la forme d'un cygne, Zeus-Dalí s'unit avec Leda-Gala, et le fruit de cette union féconde est l'art. La photographie ci-dessous, prise dans les années 1940, montre la relation du couple, faite simultanément de lutte et de dépendance.

disponible à toutes les projections imaginables, et néanmoins énergique, pratique, passionnée en affaires et modeste. Ils forment un couple idéal : le peintre et son modèle, dépendant l'un de l'autre et heureux dans leurs rôles respectifs.

Ce tableau est un peu trop beau : Gala doit tout d'abord se séparer de Paul Éluard, son mari, pour épouser Dalí, et elle abandonne sa fille à Paris. Certes, elle reste liée d'amitié avec Éluard, mais il est difficile de croire que le passage du poète au peintre se soit fait sans turbulence aucune. En outre, elle est de dix ans l'aînée de son « petit Dalí ». Comment pourrait-elle ne pas redouter de le perdre un jour ? Par ailleurs, Dalí est sans le sou. Il n'a pas réussi, malgré ses méthodes effrontées d'autopromotion, à mettre un sou de côté et Gala doit, au début, se contenter de vivre d'amour et d'eau fraîche. Leur vie n'est pas toujours rose, mais ils semblent heureux. Il l'adore, la loue, la peint, la chante ; elle lui ôte les pierres du chemin, l'encourage, l'inspire et le plonge dans l'état d'excitation sexuelle nécessaire à son travail. Les biographes font une surenchère effrénée sur leur vie amoureuse. Cela n'a rien d'étonnant puisque Dalí, au naturel excen-

trique, et Gala, la libertine aux grandes prédispositions érotiques, ne cessent de mettre en avant le
corps, le sexe, l'extase et la perversion. Dalí
s'étend volontiers sur ses penchants voyeu-
ristes, mais il tourne ses propos et en ar-
range toujours les détails de manière
qu'ils se trouvent sous l'éclairage changeant des mises en valeur provocantes
qu'il organise de sa personne. Gala, en
revanche, bien que consciente de son
corps et sexuellement agressive, est extrêmement discrète. Elle ne s'impose jamais sur le devant de la
scène, qu'elle laisse volontiers à Dalí. « Le secret de mes
secrets, aurait-elle dit un jour,
est que je ne les révèle pas. » Il n'est donc pas
étonnant que les légendes sur la vie sexuelle du couple se
contredisent radicalement. D'aucuns soutiennent qu'ils ne cessent de faire l'amour, alors que d'autres prétendent que cela ne
s'est produit qu'une seule fois. Salvador Dalí répète si souvent
qu'il préfère par-dessus tout la sodomie – mise en scène de soi-
même ou pas – que l'on finit par le croire. Les beaux postérieurs
l'excitent, et, naturellement, dit-il, Gala a le plus beau. Son homosexualité est avérée, mais l'avouer reviendrait, dans ce pays
machiste qu'est l'Espagne, à affronter un tabou. Salvador Dalí a
été lié avec Federico García Lorca, d'une amitié qui incluait les
relations homosexuelles, ainsi qu'avec Luis Buñuel, pendant leur
collaboration sur des films expérimentaux comme, par exemple,
Un chien andalou. Gala est maintenant le centre de la vie du
maître. « Je l'aime plus que ma mère, plus que mon père, plus
que Picasso et plus que l'argent », affirme-t-il un jour. Gala lui
rend son amour, et elle consacre toute sa vie à son mari et au
génie qu'il déploie.

Dalí, névrosé parmi les névrosés, anxieux et toujours prêt à cho-
quer, est lui-même profondément choqué lorsque éclate la
guerre civile. Il se range, en paroles, du côté de Franco, et ne
craint pas de trouver en Hitler un phénomène intéressant. Il devient un intime du Caudillo pendant la dictature, ce qui lui fait

■ *Gala avec homard*, 1949.
Le homard sur la tête de Gala,
l'avion qui sort de son nez : Dalí
place sans cesse sa femme
au centre de ses compositions
surréalistes.

■ Dalí et Gala mènent une vie
publique excentrique, mais
on ne sait rien, au fond, de leur
vie amoureuse.

■ Lorsque Gala meurt, à presque quatre-vingt-dix ans, Dalí n'est plus capable d'exercer son art. Il maigrit inexorablement et meurt d'un arrêt cardiaque cinq ans après sa muse.

perdre bien des amis, entre autres les surréalistes et Picasso. Mais cette prise de position n'entame en rien sa popularité mondiale. Gala lui suffit comme compagne et amie. Quand sa muse meurt, à près de quatre-vingt-dix ans, Dalí est submergé par la douleur : « Dalí n'existe plus. Tout est terminé. »

SALVADOR DALÍ ET GALA

HISTORIQUE

Salvador Dalí, à l'état civil Salvador Felipe Jacinto Dalí, est né à Figueras, en Catalogne, le 11 mai 1904. On le baptise du nom d'un frère mort en bas âge, et Dalí éprouve, comme il le dira lui-même en 1961, des difficultés à développer une identité propre. Son père, notaire, lui installe de bonne heure un atelier à la maison, et, plus tard, l'envoie étudier les arts à Madrid. Salvador Dalí est renvoyé de l'école au moment des examens, car il refuse de répondre aux questions que lui posent les professeurs. Il affirme être beaucoup plus intelligent qu'eux. Après une première exposition, en 1925, il se rend célèbre dans les milieux artistiques parisiens grâce à *Un chien andalou*, film surréaliste qu'il tourne en collaboration avec Luis Buñuel, en 1928. En 1929, quelques surréalistes parisiens, dont Paul Éluard et Gala, sa femme, lui rendent visite en Espagne. Gala est vraisemblablement née le 26 août 1894 (les biographies divergent sur ce point) à Kazan, en Russie. En 1913, Helena Dimitrievna Diakonova – car tel est son nom – fait la connaissance, dans un sanatorium suisse, d'Eugène Grindel, qui prendra plus tard le nom de Paul Éluard. Ils se marient en 1917 et ont une fille, Cécile, en 1918. Paul Éluard aime sa femme par-dessus tout, malgré ses nombreuses liaisons amoureuses. Pendant l'été 1929, Gala décide de ne pas retourner auprès de son mari et de vivre avec Dalí. En 1931, le peintre exécute la toile qui le rendra célèbre en tant que surréaliste : *Persistance de la mémoire*. Ce tableau, avec la montre molle, est caractéristique du monde symbolique des images oniriques de Dalí. La même année, il fait le premier portrait de Gala en format carte postale. Dès lors, elle est irrémédiablement liée à son œuvre. Gala et Paul Éluard divorcent en 1932 et Dalí épouse sa muse en octobre 1934 devant le consul d'Espagne à Paris. Le couple vit aux États-Unis pendant la Seconde Guerre mondiale. Dalí y est consacré *Mister Surrealism*. Sa femme gère avec soin les intérêts commerciaux communs. De retour en Espagne, Dalí est sous le feu de la critique. On lui reproche ses liens avec le dictateur Franco, ainsi que son habitude de signer des feuilles vierges, ce qui permet de faire un grand nombre de faux. À la mort de Gala, le 10 juin 1982, Dalí cherche la consolation dans le travail. Il meurt le 23 janvier 1989 à Figueras.

ET...

À lire :
Gala, de Dominique Bona, Flammarion, Paris, 1995.

La Vie secrète de Salvador Dalí, de Salvador Dalí, Gallimard, Paris, 2002.

À visiter :
Le musée Dalí, à Barcelone.

✳ L'AVIS DE L'AUTEUR

Le peintre extraverti et la gestionnaire avisée de leurs affaires, qui fut simultanément sa muse, sa maîtresse et son complément indispensable : Dalí ne se sent que la moitié d'un homme sans elle, et un être à part entière en sa compagnie.

Jean-Paul Sartre et Simone de Beauvoir

« *Dans ma vie, je peux me réjouir d'un succès incontestable : ma relation avec Sartre. En plus de trente années, nous ne nous sommes endormis qu'une seule fois en désaccord. Les nombreuses années en sa compagnie n'ont pas le moins du monde entamé l'intérêt que nous trouvions à nos discussions.* »

■ Existentialiste dans les mots et les actes. Le philosophe et écrivain Jean-Paul Sartre (1905-1980).

Le couple d'écrivains a un énorme rayonnement sur toute l'Europe : un homme et une femme, tous deux auteurs couronnés de succès et faisant autorité dans les questions de l'honnêteté intellectuelle et de l'engagement politique, tous deux forgeurs d'opinions largement reconnus et, en outre, liés par un amour que n'entachent pas les tensions classiques de la concurrence, de la jalousie et de la lutte pour la domination. Ils se montrent, au contraire, tendres et paisibles, solidaires dans l'épreuve, parfois d'opinion différente, mais toujours à la poursuite du même but.

Quand Jean-Paul Sartre et Simone de Beauvoir meurent, on se précipite sur leur correspondance et sur leurs notes privées dans l'espoir de faire vaciller ce couple harmonieux sur son piédestal. Certes, ils ont traversé des crises, ont vécu des passages difficiles lors de l'intrusion d'une troisième personne dans leur couple, ont connu les affres de la séparation, les envies de fuite et la colère, mais tous ces événements déstabilisants se sont avérés passagers et n'ont pas eu d'influence à long terme sur leur relation. Le couple d'intellectuels idéal reste alors, encore et pour toujours, Jean-Paul Sartre et Simone de Beauvoir. Cela tient moins au fait que ce sont des personnalités qui demeurent partenaires pour la vie qu'a l'association unique d'amour et de liberté, de fidélité et d'indépendance qu'ils ont vécue. Lorsque Simone et Jean-Paul font

connaissance en 1929 à l'université, elle a vingt et un
ans, et lui vingt-quatre. Ils s'accordent sur un projet
à court terme : ils vont rester ensemble deux ans,
puis ils verront. Ils aspirent sciemment à vivre séparés, non pour mettre leur amour à l'épreuve, mais
pour accroître leurs chances respectives de rencontrer quelqu'un d'autre, de faire de nouvelles connaissances. Mais, avant la fin de ce « temps d'essai », ils
savent qu'ils s'appartiennent l'un l'autre. « Tu es
pour moi la liaison dont j'ai besoin, dit Jean-Paul à
sa compagne. Les autres sont fortuites. » Comme il
n'envisage pas de renoncer à ses relations « fortuites »,
il reconnaît à Simone la même liberté qu'à lui-même, et
elle la prend. Qu'un tiers ne puisse faire imploser leur
couple réside vraisemblablement dans la profondeur et
la singularité des deux partenaires : quand ils signent
leur pacte, ils se jurent loyauté à vie, et sans doute
ont-ils, à peu près, respecté ce serment. Mais
qu'est-ce que la loyauté ? Quiconque la re-
vendique dit détenir la vérité. Est-ce possible sans états d'âme ?
Simone de Beauvoir et Jean-Paul Sartre ressentent, comme tout
un chacun, l'ambiguïté de la formulation de la « vérité », mais ils

■ Simone de Beauvoir
(1908-1986). Cette fille
de bonne famille écrit, en 1949,
la bible du mouvement
féministe, *Le Deuxième Sexe*.

■ La liberté malgré l'amour.
Le couple d'intellectuels
du XXᵉ siècle marque l'idéal
de la relation de son empreinte
et fait cohabiter cohésion
et indépendance. Cette
photographie de Jean-Paul
Sartre et Simone de Beauvoir
a été prise en 1960, pendant
des vacances à Rio de Janeiro.

ont un avantage : ils savent que ce problème est une des questions de fond de la philosophie. Tous deux étant philosophes, les échanges qu'ils ont au cours de leur vie les rendent mieux armés pour envisager des solutions, et leur donnent également plus de courage pour vivre radicalement la loyauté et l'expérimentation sociale. En effet, ils peuvent intégrer l'expérience de la vie à leur philosophie, l'existentialisme – qui met en avant la liberté de l'individu et son épanouissement

« *Sans elle*, explique Sartre, *je n'aurais pas fait les mêmes expériences. Elles n'auraient pas été spécifiques si je n'en avais pas parlé avec elle. Un geste que je décris, une situation de la vie que j'analyse – ils acquièrent leur précision, leur exactitude réaliste par l'intensité de l'expérience de Simone de Beauvoir.* »

par lui-même. Cela leur permet de faire le lien entre leur pensée et la vie quotidienne. Ils fusionnent, encore et surtout, pendant les crises.

Le couple est issu de la bourgeoisie, et leur classe d'origine n'a de cesse de les fustiger avec arrogance. Sartre grandit sans père. Simone de Beauvoir reçoit une éducation catholique très stricte, mais elle se rebelle très tôt contre son étroitesse. Pendant leurs études, ils cherchent ensemble à découvrir en quoi consiste la liberté de l'individu. Ils se ménagent cette liberté, en refusant de se marier et de se jurer mutuellement la fidélité sexuelle, mais aussi en s'abstenant de vivre sous le même toit et d'avoir des enfants. Ils ne veulent pas entendre parler de couple, pas même de vie commune, et ils se vouvoieront toute leur vie. Ils habitent toutefois l'un près de l'autre, à Paris. Ils discutent ensemble de tout ce qui est important pour leur vie sentimentale, pour leur univers de pensée et pour leur travail, et ils se soutiennent, inébranlablement, par des conseils et des actes concrets. Leur confiance et leur intimité ne cessent de croître au fil des années, et, où que ce soit, on ne parle désormais plus d'eux que comme une entité.

Sartre est considéré comme le penseur le plus important de son

époque, et il est très difficile pour Simone de Beauvoir d'exister à côté de lui. Elle s'en est éprise parce qu'elle le sent spirituellement supérieur à elle-même, mais son amour-propre lui interdit de végéter dans l'ombre d'un homme si brillant. Elle ressent le besoin, pour pouvoir rester avec lui, de se mesurer à lui, et, simultanément, de développer son style propre et de poursuivre ses propres buts. Malgré les difficultés initiales, elle persévère, consciente que Sartre a besoin d'une partenaire qui le défie et l'influence.

Tous deux entament une carrière dans l'enseignement, mais c'est comme écrivains qu'ils veulent s'imposer. Après leurs premiers succès au théâtre et en librairie – lui avec sa pièce, *Les Mouches*, elle, avec son roman, *L'Invitée* –, ils peuvent enfin démissionner de l'Éducation nationale et se consacrer exclusivement à l'écriture. La Seconde Guerre mondiale puis la décolonisation, notamment la guerre d'Algérie, modifient le cours de leur pensée : ils s'engagent politiquement, tous les deux à gauche. Quand Simone réfléchit sur elle-même, elle perçoit autre chose que la

■ La notion existentialiste de liberté s'applique aussi à leur relation, mais idéal et réalité ne coïncident pas toujours. Le couple, à Rome, en 1965.

femme avide de connaissances qui a le privilège d'étudier et d'échapper au sort traditionnel de l'épouse : elle voit le sexe féminin dans son ensemble, composé de toutes les femmes. Elle comprend peu à peu que la plupart n'ont pas la latitude de décider pour elles-mêmes. Elle découvre aussi l'existence d'une hiérarchie du pouvoir que l'individu, homme ou femme, ne peut pas renier tout simplement ou renverser par sa seule volonté.

C'est Sartre qui a poussé Simone de Beauvoir à écrire *Le Deuxième Sexe*, et, comme il le souligne, les pensées et la perception de Simone sont présentes dans toute son œuvre.

Le résultat de ses réflexions sera *Le Deuxième Sexe*, qui, au même titre que *La Femme mystifiée*, de Betty Friedan, est considéré comme la bible du mouvement féministe et comme un monument de l'histoire culturelle, qui fait entrer Simone de Beauvoir dans la littérature mondiale. Avec *L'Être et le Néant*, Jean-Paul Sartre formule son credo philosophique, et, avec *L'Idiot de la famille*, il expose sa théorie littéraire. Le foyer de ce couple d'écrivains et philosophes est son travail littéraire, et ses enfants sont ses œuvres.

■ Sartre renouvelle le rôle des intellectuels en tant que penseurs et acteurs politiques. Simone de Beauvoir s'engage pour le mouvement féministe. Le couple, en 1970, en compagnie d'un journaliste dans un café parisien.

JEAN-PAUL SARTRE ET SIMONE DE BEAUVOIR

HISTORIQUE

Jean-Paul Sartre, né le 21 juin 1905, perd son père de bonne heure et vit chez ses grands-parents jusqu'à l'âge de douze ans. Il apprend à lire très jeune et dévore tous les livres qu'il peut trouver dans la bibliothèque de son grand-père. Sa mère se remarie, et il va habiter à Paris avec sa famille. Il passe son baccalauréat en 1922. Peu après Pâques 1929, alors qu'il fait ses études à l'École normale supérieure, Jean-Paul Sartre fait la connaissance de Simone de Beauvoir, qui prépare son doctorat de philosophie sur Leibnitz. Née dans une famille bourgeoise parisienne, Simone de Beauvoir reçoit, tout comme sa sœur, de deux ans sa cadette, une solide éducation catholique. Elle passe son baccalauréat et décide, avec l'accord de son père, de devenir enseignante. Elle poursuit ses études de philosophie à la Sorbonne et est reçue en 1929 à l'agrégation (elle obtient la deuxième meilleure note, juste après Jean-Paul Sartre), ce qui lui permet d'enseigner dans les lycées et les facultés. Tout d'abord convenue pour deux ans, car Sartre veut ensuite partir pour Tokyo, leur relation se développe néanmoins au cours des années suivantes, et, malgré de longues séparations, elle évolue en une amitié intense qui durera toute leur vie. Dans un premier temps, ils travaillent tous deux comme enseignants dans plusieurs lycées. À partir de 1945,

après le succès de ses ouvrages parus en partie pendant la guerre, *La Nausée* et *Les Mouches*, ainsi que de son essai sur la philosophie existentialiste *L'Être et le Néant*, Sartre se consacre exclusivement à l'écriture. Avec Simone de Beauvoir, il fonde la revue *Les Temps Modernes*, qui devient le porte-voix de l'existentialisme. Simone a, entre-temps, elle aussi abandonné l'enseignement. Elle écrit des romans, et fait, en 1947, un premier voyage aux États-Unis qui lui donnera la substance d'un livre. Publié en 1949, *Le Deuxième Sexe* devient le livre phare du mouvement féministe. Elle obtient le prix Goncourt, en 1954, pour *Les Mandarins*. Sartre et Simone de Beauvoir sont tous deux partisans d'un socialisme indépendant. En 1964, Sartre provoque un scandale en refusant le prix Nobel de littérature. Il meurt le 15 avril 1980. Simone de Beauvoir retrace son chemin vers l'émancipation dans une suite de textes autobiographiques, dont *Les Mémoires d'une jeune fille rangée*. Elle meurt le 4 avril 1986 à Paris.

 ET…

À lire :
Le Deuxième Sexe, de Simone de Beauvoir, Gallimard, Paris, 1998-1999.

L'Être et le Néant : essai d'ontologie phénoménologique, de Jean-Paul Sartre, Gallimard, 1994.

À voir :
Les jeux sont faits, de Jean Delannoy, d'après un scénario de Jean-Paul Sartre, France, 1947.

À visiter :
La tombe commune de Sartre et Beauvoir au cimetière du Montparnasse, à Paris.

✳ L'AVIS DE L'AUTEUR

Ils formèrent le couple d'intellectuels idéal de l'après-guerre : pleins d'esprit, intéressants, sans contrat de mariage ni enfants, et, malgré tout, loyaux pour la vie l'un envers l'autre. Un modèle pour les femmes ? Pour certaines, oui.

Anaïs Nin et Henry Miller

> « *Je chante ! Je chante !... J'ai fait la connaissance d'Henry Miller. J'ai découvert un homme qui m'a plu, un homme qui valait d'être aimé, pas étouffant mais fort, un homme humain, plein de sensibilité et extrêmement réceptif. Il est comme moi.* »

Il n'est absolument pas comme elle. Tandis qu'Anaïs mange délicatement, vêtue d'une robe de velours, lui parle sans cesse, la bouche pleine, et s'essuie « avec ses doigts de prolétaire luisants de graisse », comme le fait remarquer, plutôt dégoûté, le mari d'Anaïs. Il constate même avec soulagement : « Plus je l'observe,

■ Anaïs Nin (1903-1977) en 1932, l'année où débute sa liaison avec Henry Miller.

plus je suis convaincu qu'il ne se passera rien entre eux. » Nous sommes le 1er décembre 1931, et l'époux se trompe du tout au tout. Le repas a lieu chez Anaïs et Hugo Guiler, à Louveciennes, dans la grande banlieue parisienne.

Anaïs est de souche franco-espagnole, son mari est écossais. En tant que représentant de la National City Bank à Paris, Hugo a des responsabilités, il perçoit un bon salaire et peut se permettre de donner des dîners à la maison. Et il le fait volontiers, parce qu'il est jovial et sociable, certes, mais surtout pour faire plaisir à sa femme, qu'il adule. Anaïs est jeune et belle, c'est une artiste et elle s'ennuie vite. Elle veut faire la connaissance de personnes intéressantes, de préférence des gens un peu fous, qui se moquent des conventions et nourrissent des idées originales : des peintres, des musiciens, des écrivains.

Elle vient tout juste d'achever une étude sur le romancier britannique D.H. Lawrence, l'auteur de *L'Amant de lady Chatterley*, ce livre qui a fait scandale dans les années 1920 et qui a donné naissance à une philosophie privilégiant un style de vie authentique où Éros joue le rôle principal. Voilà bien ce qui impressionne Anaïs, et ce sont des gens comme Lawrence qu'elle voudrait rencontrer. Son mari n'a-t-il pas justement parlé d'un Américain qui couche sur un matelas à même le sol chez un ami ? Qui, toute la journée, se balade comme un clochard, écumant les bars de Montparnasse, sans un sou en poche ? Qui écrit des romans qu'aucun éditeur n'accepte parce qu'ils sont obscènes ? « Hugo, s'il te plaît, invite-le ! Demain, ce serait parfait, non ? » Hugo sourit et accepte.

Quand Anaïs Nin et Henry Miller se rencontrent lors de ce fameux repas, il a quarante ans et elle vingt-neuf. Cela fait presque deux ans qu'il vit à Paris. La capitale française lui convient mieux que New York, sa ville natale, où il vivait dans la pauvreté. Là-bas, on n'aime pas les perdants. À Paris, en revanche, quand on est un artiste bohème, on peut s'intégrer assez facilement au décor de la ville. L'écrivain se sent donc apprécié à Paris, même s'il n'a jamais rien publié. Henry a découvert sa vocation littéraire à l'âge de quinze ans, mais ce n'est qu'à trente qu'il a quitté le dernier d'une longue série de petits métiers pour, décrète-t-il de façon péremptoire, « ne plus jamais accepter un emploi fixe et enfin devenir un véritable écrivain ». Il n'a, pour ainsi dire, rien à montrer : quelques articles de journaux, un poème qu'il a imprimé à ses frais et vendu pour trois fois rien dans la rue et deux romans non publiés qui traînent dans un tiroir. Henry Miller est marié, mais sa femme, comme toutes celles qui, après elle, partageront sa vie, sait bien qu'on ne peut pas compter sur lui pour entretenir une famille. Sa deuxième épouse, c'est dans les dancings de Brooklyn qu'il la rencontre. June Smith est extravagante et d'une très grande beauté, c'est une *taxi-girl* qui se fait payer par des messieurs argentés pour danser avec eux. Commence alors une relation faite de sexe, de disputes et d'excès, un *amour fou (en français dans le texte)* qui va fournir à Henry le sujet d'un livre qui fera le tour du monde. June est cette érotomane mystérieuse, la « grosse chatte » qui engloutit insatiablement les hommes.

■ Henry Miller (1891-1980) en 1932. Le New-Yorkais mène une vie de bohème à Paris et a quarante ans quand il rencontre Anaïs Nin, de dix ans sa cadette. Il découvre en elle une âme sœur avide de vivre. Ils deviennent amants quatre mois plus tard.

■ La dame parisienne piétine toutes les conventions dans cette passion torride avec le rustre new-yorkais. Tous deux s'y adonnent jusqu'à la rage. En outre, ils s'essaient de concert à la littérature pornographique.

Entre elle et Henry, ce ne sont que crises de nerfs, scènes, colères, souvent sans raison, parfois par jalousie, par exemple quand un admirateur donne à June des gages trop élevés. Le couple fait un voyage en Europe et, au retour, Henry repart seul pour Paris. June lui souhaite, de loin, la peste et le choléra.

Pour Henry Miller, Anaïs Nin représente un tout nouveau monde. Au début, il reste à distance. Il sent leur différence de classe et, en outre, il ne croit pas vraiment à l'engouement d'Anaïs pour les travaux qu'il lui envoie. Un jour, il lit son livre sur Lawrence, et il est enthousiaste : il découvre une femme qui sent et pense comme lui, avide de la vie, dont elle sait s'enivrer, et belle, qui plus est ! Certes, elle est petite et mince, mais elle a de grands yeux magnifiques et une bouche sensuelle, et Henry en tombe amoureux.

En mars 1932, quatre mois et une avalanche de lettres enflammées plus tard, le rustre new-yorkais et la Parisienne se retrouvent à l'hôtel miteux d'Henry, et ils s'en donnent à cœur joie, jusqu'à la rage. Dès lors, ils s'offrent régulièrement des « baises littéraires », comme le dit crûment Henry, à tous moments et en tous lieux, et Anaïs devient une élève zélée dans le *black lace-laboratory* (laboratoire de lingerie érotique) du « chercheur » aux instincts pleinement développés.

« *Anaïs, je te veux. Je voudrais te déshabiller, te rendre un peu triviale. J'aimerais t'avoir et te posséder, je voudrais te baiser, je voudrais t'apprendre tout un tas de choses. Peut-être même que j'aimerais t'humilier un peu. Mais pourquoi est-ce que je ne tombe pas tout simplement à genoux pour te vénérer ? J'en suis incapable. Je t'aime en riant. Est-ce que ça te plaît ?* »
Oui, cela lui plaît !

En outre, ils s'exercent ensemble à la littérature pornographique, et Anaïs apprend vite. Comme Hugo doit un jour partir en déplacement pour toute une semaine, Anaïs et Henry se retrouvent seuls et elle annonce le programme : « Je voudrais sentir en moi la violence de ta pompe, le sang bouillonnant et affolé, le rythme lent et caressant, la poussée soudaine et violente, la frénésie dans les pauses, pendant lesquelles j'entends le bruit des gouttes de pluie… quand elle éclate dans ma bouche, Henry. Oh, Henry, j'aimerais faire avec toi des choses tellement dingues que je ne sais pas comment te les dire. » Leur liaison dure toute une année, pendant laquelle Henry écrit neuf cents lettres à Anaïs, ainsi que son roman, *Tropique du Cancer,* qui lui vaudra plus tard la célébrité mondiale. Anaïs trouve le courage de devenir un véritable écrivain, elle se risque à écrire des récits et des romans. Pour lui comme pour elle, la littérature est plus importante que l'amour, et chaque rencontre est le rendez-vous de deux esprits, source mutuelle d'inspiration. « Tout de suite après, nous parlons de nos écrits », note un jour discrètement Anaïs dans son journal intime. Henry lui est reconnaissant de toutes leurs discussions. En 1944, alors qu'il a déjà enregistré ses premiers succès et que la gloire mondiale frappe à sa porte, il écrit encore : « Elle était, et est toujours pour moi, la personne la plus formidable que je connaisse – une personne dont on peut vraiment dire qu'elle est une bonne âme. Je lui dois tout. » Ils sont pourtant déjà séparés, ainsi qu'Anaïs l'a voulu.

Henry rêve en effet de vie commune, de pauvreté romantique à deux, alors qu'elle ne pense pas une seconde à quitter son mari, même dans les périodes les plus torrides de leur passion. Outre l'extase, elle a besoin de tranquillité et de sécurité. Son instinct lui dit qu'Henry est un homme pour l'amour, mais pas l'homme de sa vie. Elle se montre suffisamment intelligente et déterminée pour l'empêcher de révéler publiquement leur liaison. Il n'est toujours pas certain, même si

■ Alors qu'Henry Miller rêve d'une vie romantique à deux, Anaïs Nin n'est nullement disposée à abandonner sa vie bourgeoise avec son mari. Leur liaison tumultueuse dure un an et va influencer énormément leurs travaux littéraires.
Une grande amitié va ensuite les lier jusque dans leurs vieux jours.

c'est très vraisemblable, qu'Hugo ait été au courant. En tout cas, il se tait, par amour ou, peut-être, par savoir-vivre. La rupture entre Henry et Anaïs n'est pas soudaine, elle s'étire sur des années, pendant lesquelles chacun suit sa voie littéraire et connaît de nouvelles liaisons. Henry se marie trois fois. Puis la guerre les sépare, mais ils restent amis et leurs échanges de courrier sont continus. Ce qu'Anaïs a confié à son journal intime au tout début de leur liaison se réalise : « Henry habite pour toujours mon être, même lorsque j'attends si raisonnablement la fin de notre amour. Je vois cependant cette amitié perdurer, un roman de presque toute une vie. J'ai aujourd'hui la sensation qu'Henry sera une partie de ma vie pendant de nombreuses années, même s'il n'est mon amant que pour quelques mois. »

■ Henry Miller avec sa quatrième femme et ses enfants, Valentina et Tony, lors de vacances à Paris. La capitale française est, pour lui, le lieu de ses rêves antibourgeois.

ANAÏS NIN ET HENRY MILLER

HISTORIQUE

Anaïs Nin est née à Neuilly-sur-Seine le 21 février 1903. C'est la fille du pianiste espagnol Joaquín Nin et de la danseuse franco-danoise Rosa Culmell. Les engagements de son père contraignent sa famille à changer souvent de lieu de vie. Le départ de Joaquín, qui quitte sa famille en 1912, marque la petite Anaïs. C'est dans le bateau qui l'emporte vers New York qu'elle écrit, le 26 juillet 1914, les premières notes de son journal intime. Avec ses trente-cinq mille pages originales manuscrites, il représente la forme de littérature dominante et le forum d'autoanalyse de son auteur. Après de courtes études, Anaïs Nin se marie avec le futur réalisateur et dessinateur Hugh (Hugo) Guiler (1898-1985). Le couple s'installe à Paris en décembre 1924. En décembre 1931, elle fait la connaissance d'Henry Miller, alors auteur inconnu. Leur liaison amoureuse commence en mars de l'année suivante. Henry Miller est né le 26 décembre 1891 à New York. En 1930, il part pour Paris avec dix dollars en poche. Il a quitté son dernier emploi comme garçon de courses en 1924 pour se consacrer à l'écriture. Il se marie ensuite avec June Edith Smith, avec qui Anaïs aura également une brève liaison. Jusqu'à la publication, dans le milieu des années 1980, du journal intime d'Anaïs Nin, on ne pouvait que supposer la dimension érotique de sa relation avec Henry et June. Pendant la période de sa liaison intense avec Anaïs, Henry Miller achève son livre, *Tropique du Cancer*, qui paraît en France en 1934. Il reste toutefois interdit aux États-Unis jusque dans les années 1960 pour pornographie, mais, introduit illégalement et vendu sous le manteau, il s'avère être un best-seller. Anaïs Nin retourne à New York en 1939. En 1947, elle entame une liaison avec Robert Pole et vit désormais en partie avec lui sur la côte Ouest, et en partie à New York avec son mari, dont elle ne séparera jamais. Elle atteint la célébrité mondiale avec la publication, en 1966, de la première partie de son journal intime. Elle meurt le 14 janvier 1977 à Los Angeles, des suites d'un cancer. Henry Miller, dont le style influence la *beat generation* littéraire des années 1960, consacre la fin de sa vie à la peinture. Il meurt le 7 juin 1980, à Pacific Palisades, en Californie.

ET...

À lire :
Correspondance passionnée 1932-1953, d'Anaïs Nin et Henry Miller, Stock, 1989.

Journal 1931-1974, d'Anaïs Nin, Libraire générale française, Paris, 1987-1999.

Tropique du Cancer, d'Henry Miller, Denoël, Paris, 2000.

À voir :
Henry et June, de Philip Kaufman, avec Fred Ward et Uma Thurman, États-Unis, 1990.

Jours tranquilles à Clichy, de Claude Chabrol, d'après le roman d'Henry Miller, avec Andrew McCarthy, Nigel Havers, Barbara de Rossi, France/Italie/Allemagne, 1990.

✱ L'AVIS DE L'AUTEUR

La dame et l'auteur à scandale. Une liaison qui aura des conséquences littéraires, dues à l'érotisme des deux écrivains et la similitude de leurs buts.

Édouard VIII et Wallis Simpson

« *Mon chéri, je voudrais tant te voir, te toucher, être dans ma propre maison, je voudrais tant être mariée, et ce, avec toi.* »

■ Wallis Simpson (1896-1986) et Édouard VIII (1894-1972), sur une photographie prise en France. En décembre 1936, le roi de Grande-Bretagne et d'Irlande du Nord abdique pour devenir le troisième mari de l'Américaine.

Wallis Simpson ne peut pas être plus claire quand elle adresse ce mot à son bien-aimé, mais, celui-ci ne peut pas lui répondre, et même, pour le moment, il ne peut que dire non. Non qu'il veuille l'éconduire, bien au contraire : « Je t'aime davantage à chaque minute qui passe, et tu me manques, mon cœur », écrit-il, mais, en tant que le futur roi de Grande-Bretagne et d'Irlande du Nord, Édouard VIII ne peut pas décider seul. Il doit auparavant consulter les sphères politiques et l'opinion publique.

Quand Édouard VIII rencontre Wallis Simpson pour la première fois en janvier 1931, l'ambiance est typiquement britannique : cela se produit, en effet, pendant une partie de chasse. Wallis fait aussitôt grande impression sur le prince et sur les autres invités.

« Son langage est si brillant, aussi brillant que ses bijoux très au goût du jour de chez Cartier. C'est une femme très attirante et intelligente, très américaine », disent d'elle ses contemporains. Au bout d'un certain temps, le couple Simpson est au nombre des hôtes permanents de Fort Belvedere, la résidence du prince. Certes, le couple a du mal à assumer le train de vie luxueux que cela implique, mais ce n'est que lorsque l'amitié de Wallis pour le prince se mue en amour que leur situation devient vraiment critique.

« Wallis, lui demande son mari, se pourrait-il que le prince soit amoureux de toi ? – Mais oui, répond-elle, tout à fait consciente de la situation. Tout cela requiert une certaine dose de délicatesse pour une nouvelle romance avant mon quarantième anniversaire. » Au début, Wallis envisage de « garder les deux hommes », mais la romance entre Édouard et elle prend peu à peu de l'importance. Alors, son mari la quitte. Pourtant, ni les milieux politiques ni l'opinion publique ne s'émeuvent encore vraiment de l'histoire d'amour du prince.

Les choses évoluent brutalement à la mort du roi George V, en janvier 1936. L'amant de Wallis est désormais roi, à la tête d'une puissance mondiale, et ce à une période où le monde s'enfonce inexorablement dans des crises successives. Des dictateurs gouvernent en Italie, en Union soviétique et en Allemagne, et les bruits de bottes se précisent de façon inquiétante. En Grande-Bretagne même, la crise économique n'en finit plus. Une personnalité en qui le pays peut se reconnaître est la bienvenue, et Édouard peut renir ce rôle, car le peuple l'aime bien. En effet, il ne s'est pas contenté de suivre à la longue-vue les combats de la Première Guerre mondiale, et maintenant, en tant que roi, il n'hésite pas à se mêler aux simples

■ Wallis et Édouard au château de Candé, en France, le jour de leur mariage, le 3 juin 1937.

matelots sur le pont inférieur du porte-avions *Courageous*. Le discours qu'il leur tient s'achève dans « une atmosphère débridée et un enthousiasme des plus spontanés ». Mais, comme Édouard a déjà l'expérience d'une guerre, il est clair qu'il veut jeter dans la balance le poids de sa couronne, afin d'éviter un nouveau conflit.

Hélas, dans les affaires de cœur des monarques, la politique et l'opinion publique ont leur mot à dire. Le pouvoir et la gloire de la nation en dépendent. Le gouvernement s'oppose à l'union d'Édouard avec Wallis Simpson, née Warfield. Non parce qu'elle a quarante ans, ni parce qu'elle est américaine et potentiellement contre la monarchie, mais parce qu'elle a déjà divorcé de Mr. Spencer, son premier mari. Édouard ne serait donc pas son deuxième époux, mais son troisième. L'échec de son premier couple date de moins de dix ans, et le divorce mettant fin au deuxième n'est pas encore prononcé. Édouard s'en moque, et il aimerait que l'on demande son avis au peuple.

■ Wallis est gaie et dynamique en société. On la voit ici, en 1959, esquisser quelques pas de cha-cha-cha.

Dans un premier temps, la situation juridique est à son avantage : Wallis n'étant pas divorcée, la question du mariage ne se pose pas. Les pragmatiques, dont Winston Churchill, prônent la patience. Pourtant, cette fois, la justice fait vite et le jugement de divorce est bientôt rendu. Entre l'amour, la politique et l'opinion publique, les points de vue divergent, mais le roi a pris sa décision : il veut être le troisième mari de Wallis, bien qu'il lui faille renoncer à son trône, à son pays et à son peuple. Il abdique le 10 décembre 1936, et, la nuit même, il quitte son pays à bord d'un destroyer pour rejoindre sa bien-aimée. Le 3 juin 1937, le rêve de Wallis se réalise : Édouard

Le soir de son abdication, Édouard déclate à la radio : *« On doit pourtant me croire quand je dis qu'il me paraît impossible d'accepter la lourde charge de cette responsabilité et de satisfaire aux devoirs qui m'incombent en tant que roi, sans l'aide et le soutien de la femme que j'aime. »*

l'épouse. La presse traque leur bonheur, ainsi que les correspondants de la cour. Hitler s'intéresse également à Édouard VIII, à travers qui il espère exercer son influence en Grande-Bretagne. Ribbentrop, alors ambassadeur d'Allemagne à Londres, a déjà, dans ce but, rencontré Wallis lors d'un événement mondain.

■ Le duc et la duchesse de Windsor restent sous les feux de la rampe après l'abdication spectaculaire d'Édouard VIII. Wallis et Édouard à Palm Beach (Floride), États-Unis, en 1951.

Quelques jours seulement avant le début de la guerre, Édouard envoie à Hitler un télégramme dans lequel il exprime ses espoirs de voir la paix l'emporter, mais il n'est plus roi et ne jouit plus d'aucune influence.

Édouard fait la guerre en tant qu'officier de liaison des Britanniques en France, puis, à l'entrée des troupes allemandes, il s'enfuit en Espagne. Il part aux Bahamas avec Wallis en passant par Lisbonne. À la fin de la guerre, ils retournent en France, où il peuvent désormais vivre heureux.

Édouard dit à Wallis : « Je ne peux rien regretter, et je ne regrette rien. Je ne sais qu'une chose : je ne peux pas vivre sans toi. »

■ Édouard n'a aucun regret. Il n'aurait pas pu vivre sans Wallis. Photographie prise en 1972, l'année de la mort du duc.

ÉDOUARD VIII ET WALLIS SIMPSON

HISTORIQUE

Bessie Wallis Warfield, la femme pour qui Édouard VIII, roi de Grande-Bretagne et d'Irlande du Nord, renonce au trône, est née à Baltimore le 19 juin 1896. Son père meurt cinq mois après sa naissance, et sa mère, Alice, est dès lors tributaire de la générosité de sa famille, au demeurant fort aisée. Wallis, comme elle se fait entre-temps appeler, fait ses études secondaires au lycée d'Oldfield. À vingt ans, elle fait la connaissance de son premier mari, Winfield Spencer, un jeune pilote de l'aéronavale. Ils se marient le 8 novembre 1916, mais divorcent le 10 décembre 1927, car Winfield est alcoolique et fait preuve d'un caractère très difficile. Avec Ernest Simpson, son deuxième mari, Wallis part à Londres, où sa convivialité tout américaine lui ouvre les portes de la haute société. C'est ainsi qu'elle rencontre le prince Édouard le 10 janvier 1931, au cours d'une partie de chasse. Né le 23 juin 1894, Édouard reçoit l'éducation extrêmement rigide d'un futur roi. À douze ans, il entre à l'école des cadets de marine, puis il poursuit des études à Oxford, sans grand enthousiasme. Il participe activement à la Première Guerre mondiale, puis entreprend un voyage de cinq ans dans les pays placés sous l'autorité de la couronne. Le peuple trouve en lui un personnage proche de ses préoccupations sociales,

qui, chose extraordinaire pour un prince, rend visite aux mineurs en détresse et se soucie de leurs intérêts. Après leur première rencontre avec le prince Édouard, les Simpson comptent rapidement parmi ses hôtes permanents. À la mort du roi George V, en janvier 1936, Édouard monte sur le trône. Wallis a entre-temps demandé le divorce, qui est prononcé le 27 octobre 1936. En décembre, le roi décide de l'épouser. Les cercles conservateurs font pression sur lui, et, le 10 décembre 1936, Édouard VIII abdique en faveur de son frère George VI. Il devient duc de Windsor et prononce le soir même, à la BBC, un discours devenu célèbre, à l'intention des sujets britanniques du monde entier. Le couple se marie en France, le 3 juin 1937, en l'absence de la famille royale, et reste vivre à l'étranger. Ce n'est qu'en février 1952, à l'occasion de l'enterrement de son frère, qu'Édouard participe de nouveau à une cérémonie officielle de la maison royale britannique. Il meurt d'un cancer du larynx le 28 mai 1972 à Paris. Sa femme, décédée le 24 avril 1986, repose à ses côtés au château de Windsor.

 ET...

À lire :
Histoire d'un roi, du prince Édouard de Windsor, Amio-Dumont, Paris, 1952.

L'abdication, d'Alain Decaux, France Loisirs, Paris, 1996.

✳ L'AVIS DE L'AUTEUR

Un destin rare : un prétendant au trône d'Angleterre qui dédaigne la puissance et la gloire pour épouser la princesse de son cœur, une bourgeoise américaine effrontée, qui a déjà été mariée plusieurs fois…
C'était vraiment de l'amour, pour tous les deux.

Jean Cocteau et Jean Marais

« *Mon Jeannot, comment puis-je te remercier pour
ce miracle ? Pour cette étoile sous laquelle tu vas et viens,
et qui est une véritable étoile à côté de la mienne, qui est
seulement inscrite. Peut-être mon étoile est-elle un signe
pour la tienne, et les deux réunies forment-elles notre étoile
commune.* »

En 1937, Jean Cocteau cherche un comédien pour son *Œdipe roi*, et Jean Marais se présente. Il n'a que vingt-trois ans et n'a que très peu d'expérience. Il n'a pas terminé sa formation et sa voix, insuffisamment travaillée, n'a aucune puissance, mais, Cocteau s'en moque. Marais est le plus bel homme qu'il ait jamais vu : grand, blond, avec un corps parfait et un visage comme tiré d'un rêve heureux, c'est une divinité rayonnante.

■ Jean Marais (1913-1998) vers 1954.

Cocteau donne une chance à ce débutant. En tant que metteur en scène, il travaille tous les jours avec lui. Bientôt, le tout-Paris découvre la nouvelle vedette de théâtre, et la presse à scandale un nouveau sujet. Marais raconte dans ses souvenirs le début de leur histoire d'amour. Cocteau l'appelle et lui dit : « Venez tout de suite, il s'est passé quelque chose d'affreux. » Marais se précipite à son hôtel, et, en chemin, il passe toutes les éventualités en revue : le théâtre a brûlé, il y a eu un accident... Cocteau attend le jeune homme devant la porte et le prie de bien vouloir entrer : « Quelque chose d'épouvantable. Je suis amoureux de vous. »

Le beau Jean Marais, qui est homosexuel, est habitué aux avances de ses collègues, et il sait toujours comment se comporter. Cette fois, pourtant, c'est différent : il respecte le dramaturge, le vénère et admire son œuvre avec tout l'enthousiasme de sa

■ Le poète et réalisateur Jean Cocteau (1889-1963) voit dans le jeune Marais, d'un quart de siècle son cadet, une divinité rayonnante. L'acteur n'accepte tout d'abord les avances de son mentor que pour des raisons de carrière, mais il tombe bientôt sous le charme du charismatique Cocteau.

■ Cocteau fait de Marais, acteur sans formation ni expérience, une star adulée. L'élève et amant joue de grands rôles que son maître taille sur mesure pour lui, comme ici dans *La Belle et la Bête*, en 1946.

jeunesse, mais il ne l'aime pas. Il n'ose toutefois pas le lui dire, et il joue le jeu. Peut-être par affection, mais aussi, de son propre aveu, par calcul, car qui, mieux que Cocteau, peut favoriser sa carrière ? Marais reconnaît sans ambages être un opportuniste. Or, le miracle a lieu. La tendresse simulée se mue en passion authentique, et le geste attentionné en amour véritable. Le jeune Marais tombe sous le charme de Cocteau. Le poète, de vingt-cinq ans son aîné, compte parmi les figures les plus fascinantes du milieu artistique parisien. Il est à l'aise dans tous les arts : il a travaillé avec le compositeur Erik Satie, est un ami de Picasso, fait réaliser les décors de ses pièces par

Coco Chanel et attire régulièrement les acteurs les plus intéressants et les plus ambitieux, dont Gérard Philipe, Jeanne Moreau et Maria Casarès, sur le plateau de ses créations avant-gardistes. Maintenant, « Jeannot » doit faire partie de ce lot. Il va jouer les grands rôles que Cocteau taille pour lui, sur mesure. Insensiblement, amour et plan de carrière deviennent inextricables. Jean apprend à Jeannot ce que sont la poésie, l'ivresse, la passion et l'expression. Marais offre son cœur à son maître, mais aussi sa reconnaissance la plus sincère, qui ne tarira jamais.

■ Jean Cocteau dans un confessionnal, à Venise, en 1947.

Cocteau a écrit un grand nombre de poèmes spontanés pour son ami Marais. Pour aussi inachevée que puisse paraître cette poésie lyrique, elle n'en révèle pas moins clairement le grand épanouissement érotique auquel le poète accède avec « Jeannot » :

Ton amour me redonne
Jeunesse et beauté,
Et ton poignard me pourfend
Toujours d'un seul côté.

Ange qui me partage en deux,
Cœur noble, corps inhumain !
Je ne peux me défendre
Car tu es mon arme.

Ma porte et ma fenêtre
Étaient closes pour le soleil.
Maintenant, il me transperce
Et je suis l'égal des dieux.

Malgré son éclectisme dans le milieu parisien du cinéma et du théâtre, Cocteau n'a pas la vie facile. Il se livre volontiers à de nouvelles expérimentations et cultive une forme d'emphase effrénée qui rebute nombre de critiques. En outre, il ne peut

pas être rangé ou identifié dans une catégorie quelconque. Il écrit un jour l'histoire d'un ballet puis compose un poème, pour, le lendemain, travailler obstinément à des dessins et des esquisses de décor. Sa santé – et ses finances – souffrent de sa dépendance à l'opium, dont il n'arrivera jamais à s'affranchir. Du reste, il n'est pas abonné au succès et se montre difficile à vivre. Jean Marais n'en décide pas moins d'emménager chez lui, et il reste solidaire de Cocteau, même quand il doit, après maintes tentatives, renoncer à le libérer de la drogue. La carrière de Marais s'envole. Au cinéma comme au théâtre, il ne joue plus que les rôles principaux. Il brille tant dans les pièces de Racine que dans *La Belle et la Bête*, ou dans le rôle-titre d'*Orphée*, de Cocteau. Certes, la presse ne se prive pas de critiquer sa voix plate, et les coups bas pleuvent sur sa vie privée, mais le public l'aime et les jeunes filles s'agglutinent à l'entrée des théâtres. Il se consacre aussi à la peinture et, plus tard, il installera un grand atelier dans chacune de ses maisons.

Dès le début de leur liaison, Cocteau, soudain désespéré de savoir inévitable la fin d'un tel amour avec un jeune homme,

■ Jean Marais dans le rôle-titre d'*Orphée*, le film de Cocteau le plus connu et le plus caractéristique des années 1950. Marais joue le poète qui doit traverser plusieurs mondes de miroirs et mourir de plusieurs morts, avant d'entrer dans l'éternité.

■ Jean Cocteau (ici dans un café, en 1953) est l'une des figures les plus fascinantes du milieu artistique parisien de l'époque. Il est à l'aise dans tous les arts et avec tous les artistes en vue, mais ses films et ses pièces ne lui amènent pas que des amis parmi les critiques. En 1948, il filme sa pièce *Les Parents terribles*, avec Jean Marais dans le rôle principal (ci-dessous).

tente de donner une tournure paternelle à sa passion et s'efforce de seulement entourer de ses soins son « ange admirable ». Naturellement, il n'y parvient pas, et Jeannot se moque de lui. Mais le jour arrive où Marais tombe amoureux d'un jeune danseur. Le couple réalise alors l'exploit de se séparer avec tact et de préserver la relation de tendresse amicale. Il en est toujours un pour aller chercher conseil et compagnie chez l'autre : ils ont réellement une étoile commune. Dans la force de l'âge, ils adoptent tous deux de jeunes orphelins seuls au monde, auxquels, entre premières, tournées et scandales, ils ouvrent les portes du monde du théâtre, de la poésie, de la peinture et de la vie.

JEAN COCTEAU ET JEAN MARAIS

HISTORIQUE

Jean Cocteau, né le 5 juillet 1889, est le troisième enfant d'une famille de la grande bourgeoisie parisienne. Son père se suicide en 1898, et il grandit principalement sous l'influence de sa mère et de son grand-père. Il n'a pas vingt ans qu'il enthousiasme déjà le public parisien avec ses poèmes. Son premier recueil de poésie, *La Lampe d'Aladin*, qui paraît en 1909, est un succès. Cocteau fait bientôt définitivement partie du cercle parisien des artistes, musiciens et gens de lettres célèbres, où il côtoie Picasso, Modigliani, Gide et Satie, avec qui il travaille dès la fin de la Première Guerre mondiale. Cocteau essaie de surmonter, avec l'aide de l'opium, la mort précoce, en 1923, de son ami Raymond Radiguet. Il tente ensuite de se passer de drogue, mais, malgré plusieurs séjours en clinique, il rechutera plusieurs fois au cours de sa vie. Cocteau possède plusieurs dons artistiques. Il ne se fixe pas dans un genre défini, et encore moins dans une forme. Son œuvre très éclectique comprend des romans, des pièces de théâtre, des ballets, des poèmes, des essais, des films, des dessins, des tableaux et même des motifs pour des tissus muraux. C'est en juillet 1937, lors des répétitions d'*Œdipe roi*, qu'il fait la connaissance du jeune acteur Jean Marais. Marais (selon l'état civil Jean Alfred Villain-Marais) naît le 11 décembre 1913 à Cherbourg d'un père vétérinaire. Dans sa biographie, *Mes quatre vérités*, il évoque son enfance et sa jeunesse comme une période malheureuse, marquée par les échecs scolaires, la séparation de ses parents et les abus sexuels commis par un ami de sa mère. À partir de 1933, il joue divers petits rôles au cinéma et au théâtre, mais ce n'est qu'aux côtés de Jean Cocteau, avec qui il vit, qu'il réussit à percer. Ils tournent ensemble de grands films de l'après-guerre, dont, en 1946, *La Belle et la Bête*, le magnifique film poétique avec Jean Marais dans les rôles de la Bête et d'Avenant. En 1948, ils réalisent *Les Parents terribles*, et, en 1950, *Orphée*, une variante gracieuse et parodique du mythe classique, avec Jean Marais dans le rôle-titre. Ce dernier se sépare de Cocteau en 1948, mais leur étroite amitié ne s'éteindra qu'avec le poète, le 11 octobre 1963. Jean Marais monte sur les planches jusqu'en 1997, un an avant sa mort, le 8 novembre 1998. Célèbre pour ses nombreux rôles, il l'est moins pour ses créations en tant que peintre, céramiste et designer.

ET...

À lire :
Lettres à Jean Marais, de Jean Cocteau, Albin Michel, Paris, 1987.

À voir :
La Belle et la Bête, de Jean Cocteau, avec Jean Marais, et Josette Day, France, 1945.

Les Parents terribles, de Jean Cocteau, avec Jean Marais et Yvonne de Bray, France, 1948.

Orphée, de Jean Cocteau, avec Jean Marais, Maria Casarès, François Périer et Marie Déa, France, 1949.

À écouter :
Poèmes, de Jean Cocteau, dits par l'auteur.

L'AVIS DE L'AUTEUR

Le poète déjà célèbre tombe amoureux du jeune et bel acteur. Au début, ils ne croient pas, ni l'un ni l'autre, que ce grand sentiment trouvera un écho. Mais tous deux se trompent. L'homme plus âgé conquiert la beauté de la jeunesse par son esprit et son art, et ce sans compromis.

Rhett Butler et Scarlett O'Hara

« Je ne t'aime pas davantage que tu ne m'aimes, moi.
Et, si c'était le cas, tu es la toute dernière personne
à laquelle je le dirais. Que Dieu ait pitié de l'homme
qui t'aimera vraiment. Tu lui briserais le cœur,
mon amour, toi, fauve cruel et dangereux. »

Bien sûr qu'il l'aime davantage qu'elle ne l'aime, et elle lui brisera le cœur. Il vient, enfin, de lui demander sa main. Elle lui avoue alors qu'elle n'est pas amoureuse de lui, mais qu'elle accepte uniquement parce qu'il·est riche. « Mon Dieu, s'emporte-t-il, impatient, ne peux-tu donc penser qu'à l'argent ? — Parfaitement, répond-elle effrontément. Que Dieu m'en soit témoin, je n'ai pas la moindre envie de me retrouver de nouveau sans le sou sur cette terre. » Scarlett O'Hara ne veut plus jamais être pauvre ou avoir faim. Elle n'a guère plus de vingt ans, mais elle a déjà vécu une guerre, deux mariages et deux grossesses, et elle va maintenant s'engager dans un troisième mariage tumultueux, qui se terminera mal.

Nous sommes dans les années 1860. Le sud des États-Unis a perdu la guerre de Sécession, et la crème de la société georgienne, à laquelle appartiennent Scarlett O'Hara et Rhett Butler, se bat pour sa survie et son honneur.

Scarlett préfère mourir, plutôt que faire des affaires avec l'ennemi, le Yankee. Elle n'est pas de cette trempe. Il y a belle lurette qu'elle se moque des conventions, et Rhett, quant à lui, ne sait même pas ce que c'est. Tous deux sont forts, passionnés et sans scrupules. Ce sont deux francs-tireurs, et

■ Un couple légendaire. Le public international se passionne pour le choix des acteurs, pour le tournage du film d'après *Autant en emporte le vent*, le roman épique de Margaret Mitchell sur les États du Sud. Après une distribution difficile, le rôle de Scarlett est confié à Vivien Leigh (1913-1967). Dès le début, Clark Gable (1901-1960) est pressenti pour celui de Rhett Butler.

ils sont faits pour s'entendre. Mais, si Rhett le sait, Scarlett ne le remarquera que quand il sera trop tard.

Elle a tout juste dix-sept ans, et lui le double, quand ils se rencontrent pour la première fois. C'est le printemps, les champs de coton viennent d'être labourés, les familles riches se rencontrent à Twelve Oaks, la plantation des Wilkes. La guerre va éclater le soir même, mais personne ne le sait encore. Scarlett s'amuse, entourée de ses nombreux admirateurs. Elle a jeté son dévolu sur Ashley, le séduisant fils des Wilkes, mais il est si différent d'elle que jamais elle ne le comprendra. Il s'intéresse à la musique, il lit, c'est un rêveur. Scarlett apprend qu'il veut épouser Mélanie, sa cousine, ce qui la met hors d'elle : comment peut-il oser lui préférer, à elle, une beauté si prisée, cette femme insignifiante ? Avant que les fiançailles ne soient annoncées, elle va trouver Ashley dans le salon et lui avoue son amour.

Ashley la repousse et quitte la pièce. De colère, Scarlett jette un vase contre le mur. Le projectile frôle Rhett, qui a épié la scène, caché derrière un fauteuil. Rhett est ravi. « Vous n'êtes pas un gentleman », lui reproche Scarlett. Et lui de répondre : « Et vous, pas une dame. Mais les dames ne m'intéressent pas. Elle n'ont ni le courage ni le manque d'éducation nécessaire pour dire ce qu'elles pensent. » Cette remarque caractérise Rhett : il apprécie

■ Scarlett sait qu'elle attire les hommes, mais son cœur appartient à Ashley, le bel esprit. Scarlett O'Hara, entourée de ses admirateurs, dans une scène de *Autant en emporte le vent*, de Victor Fleming, tourné en 1939.

■ Les tourments de l'amour et de la guerre. Alors que Scarlett et Rhett se cherchent en vain, la guerre fait rage.

■ Les tentatives de séduction de Rhett n'ont que peu de succès auprès de Scarlett, mais il réussit tout de même à la faire rire.

■ Le sarcasme est l'arme de Rhett, ici avec Ashley, l'homme dont Scarlett est amoureuse.

les femmes qui doivent se battre pour obtenir ce qu'elles veulent, dussent-elles pour cela enfreindre les règles. Il reconnaît tout de suite en Scarlett une âme sœur. Cette première rencontre donne le ton, cru et impertinent, qu'aura leur relation : ce sera une lutte perpétuelle, jusque dans le mariage. Scarlett est loin de comprendre le compliment qui se cache sous les mots de Rhett. Elle quitte la pièce, en colère, avec une seule pensée en tête : se venger d'Ashley. Deux semaines plus tard, elle épouse un jeune homme qu'elle ne connaît pratiquement pas. Au bout de deux mois, elle est veuve : son mari a été l'une des premières victimes de la guerre.

Scarlett quitte Tara, la plantation de son père, pour Atlanta. C'est une ville presque aussi jeune qu'elle, qui lui plaît parce qu'elle est turbulente et peuplée de gens énergiques qui savent se servir de leurs coudes. Là, elle retrouve Rhett : le briseur de blocus, le profiteur de guerre, la canaille. Il invite la toute jeune veuve à danser, ce qui fait scandale. Il lui offre des chapeaux venus de Paris, il l'amuse, mais il l'exaspère avec son ton sarcastique, car elle ne parvient pas à savoir s'il lui fait sérieusement la cour. Rhett est différent de tous les hommes que Scarlett a connus et qui se laissent mener par le bout du nez. Lui joue avec elle : il accompagne ses déclarations d'amour de réflexions caustiques et provocantes, et il se ménage toujours une échappatoire, car il sait pertinemment que s'il fait un seul aveu, s'il montre la moindre faiblesse et met son cœur à nu, Scarlett le méprisera comme elle méprise en secret tous les hommes – à part Ashley, bien sûr, qu'elle aime toujours.

Cependant, les Yankees prennent Atlanta et Scarlett doit fuir. Elle réussit à rejoindre Tara, mais plus rien n'y est comme avant. Sa mère est morte, son père est devenu fou et ses sœurs sont malades. De plus, la plantation est détruite. Pourtant, Scarlett ne se laisse pas abattre. Elle se tue au travail pour nourrir sa famille, mais cela ne suffit pas : il lui faut de l'argent pour sauver Tara. Alors, elle accepte de se remarier avec un homme aussi fortuné qu'ennuyeux et qui était promis à sa sœur. Hélas, il est, à son tour, tué lors d'un échange de tirs avec des soldats yankees. La voie est donc libre pour Rhett auprès de Scarlett. Ils se marient, mais n'en continuent pas moins à s'affronter. Elle ne peut pas lui donner son cœur, car il appartient toujours à Ashley. Une petite fille naît, et pourrait les souder, mais elle meurt accidentellement. Malgré leur fortune, les Butler sont malheureux.

Ils trouvent refuge dans l'alcool, et, quand ils se croisent, ce ne sont que méchancetés, insultes et souffrances. Rhett finit par quitter Scarlett, et c'est seulement alors qu'elle réalise ce qu'il représente pour elle. Elle le lui dit, mais Rhett répond sèchement : « Pas de chance. » Ce sont ses derniers mots. Il sort et disparaît dans le brouillard. Dans le roman, Scarlett ajoute : « Demain est un autre jour. »

L'œuvre de Margaret Mitchell, *Autant en emporte le vent* (1936), et le film en deux parties tourné par les studios Selznick (1939) doivent leur

■ Le désir de distinction. Ashley, le bel esprit rêveur, fait la sourde oreille aux déclarations de Scarlett.

■ Rares sont de tels moments de tendresse. Le couple joue au chat et à la souris pour, parfois, parvenir à se rejoindre. Ce n'est que dans la lutte, armés de leurs sarcasmes et de leur ironie blessante, que Scarlette et Rhett connaissent des instants d'intimité.

immense succès populaire à cette histoire d'amour qui ne se concrétise pas, parce que le couple ne réussit pas à se trouver vraiment. Rhett et Scarlett incarnent l'Amérique : le matérialisme et l'énergie, mais aussi la sentimentalité et le désir d'accéder à une sphère plus raffinée. Le Sud, qui a perdu la guerre, doit se défaire de ses valeurs aristocratiques et changer sa conception du monde. Mais le désir individuel de « quelque chose de plus », l'aspiration à la beauté gratuite sont toujours présents. Scarlett ne peut aimer un homme aussi égoïste et déterminé qu'elle, car elle aspire à tout autre chose et se consume sans espoir pour Ashley, le bel esprit. Pour Rhett, c'est tout le contraire : les dames distinguées l'ennuient et la femme de ses rêves doit être de sa trempe : entreprenante, courageuse et franche. À sa manière, il est pourtant tout aussi romantique que Scarlett : il admire la noble et douce Mélanie, et garde son amitié à Bell, la demi-mondaine.

Un éditeur américain a osé demander, en 1995, à un auteur du Sud d'écrire une « suite » à *Autant en emporte le vent*, dans laquelle le héros et l'héroïne se retrouvent enfin, après de multiples errances. Cette entreprise est un véritable hold-up de l'œuvre originale, et son succès économique est dû, en grande partie, à un important matraquage publicitaire. La magie du roman de Margaret Mitchell opère parce que la conclusion laisse le lecteur jouer de son imagination devant la question : Scarlett regagnera-t-elle le cœur de Rhett ? Ce « deuxième tome », qui prétend terminer l'histoire de Scarlett et Rhett, est une attaque posthume à l'encontre de Margaret Mitchell et de sa création.

■ La chimère américaine. Deux combattants, taillés dans le même bois, mais qui se perdent irrémédiablement.

L'inéluctabilité de l'incompréhension entre Scarlett et Rhett donne à ce roman sentimental une profondeur tragique, et elle dénonce indirectement la chimère américaine : le pragmatisme téméraire, qui confère toute sa force à ce rêve, ne donne jamais accès à un monde plus raffiné. Qui plus est, le besoin d'élévation, qui s'exprime à travers le désir de Scarlett pour Ashley, ne fait pas bon ménage avec la mentalité américaine de recherche du profit. Le rêve américain perdure, mais il reste du domaine de l'idéal, de même que restent inassouvis l'aspiration de Rhett pour le cœur de Scarlett – elle lui donne déjà ses mains et son corps – et le désir de distinction de celle-ci.

RHETT BUTLER ET SCARLETT O'HARA

HISTORIQUE

Il ne faut pas moins de dix ans, de 1926 à 1936, à Margaret Mitchell (1900-1949) pour écrire son épopée monumentale sur les États du Sud. C'est d'ailleurs le seul livre de cette journaliste de l'*Atlanta Journal*. Publié en 1936, *Gone with the Wind* rencontre d'emblée un franc succès. Malgré le nombre important d'ouvrages traitant du *Old South*, plus d'un demi-million d'exemplaires du roman sont vendus dans les six mois qui suivent sa parution. Traduit en vingt-sept langues, il a, depuis sa publication, été lu par trente millions de personnes. En 1937, Margaret Mitchell reçoit le très convoité prix Pulitzer. Le livre paraît en Allemagne la même année, et, jusqu'en 1941, date de son interdiction, il en sera vendu quelque trois cent soixante mille exemplaires. David O. Selznick, un producteur indépendant d'Hollywood, achète les droits d'adaptation cinématographique peu après la parution du roman, et Sidney Howard travaille sur le scénario jusqu'à la fin de l'année 1937. Entre-temps, l'Amérique tout entière se passionne pour la distribution des rôles principaux. En août 1938, Clark Gable (1901-1960) signe le contrat pour le rôle de Rhett. Pour celui de Scarlett, mille quatre cents jeunes femmes sont auditionnées, mais le tournage débute sans que l'on ait trouvé l'actrice idéale. La scène de l'incendie d'Atlanta nécessite la présence de doublures, et c'est parmi elles que David O. Selznick remarque une jeune actrice britannique, Vivien Leigh (1913-1967). Il s'enthousiasme : elle sera Scarlett ! Les contrats sont signés en 1939. Pour l'époque, le film représente une entreprise gigantesque. Tous les décors sont reconstitués en studio, il faut coudre 2 868 costumes et 1 230 uniformes, et faire venir 1 000 chevaux, 375 chiens, des centaines d'ânes, des bœufs, des cochons et des poules. À la fin du tournage, trois régisseurs se sont succédé, on a changé le réalisateur et le scénario a été réécrit. L'énergie de David O. Selznick est récompensée : avec trois cents millions de spectateurs, son film est pour longtemps le plus grand succès cinématographique d'Hollywood. Il reçoit, en outre, dix oscars en 1940. Avec son roman, Margaret Mitchell a posé la première pierre d'une légende dont la force d'attraction ne se dément toujours pas, comme le prouvent aujourd'hui les innombrables pages que lui consacrent ses fans sur Internet.

ET...

À lire :
Autant en emporte le vent, de Margaret Mitchell, Gallimard, Paris, 1992.

À voir :
Autant en emporte le vent, de Victor Fleming, avec Vivien Leigh et Clark Gable, États-Unis, 1939.

À visiter :
Le musée de Margaret Mitchell, à Atlanta, Georgie, États-Unis.

L'AVIS DE L'AUTEUR

L'aventurier aime la femme énergique, mais elle voue son cœur à un bel esprit et laisse passer son bonheur sans le saisir. Une méprise tragique, mais la fin reste à imaginer.

Rick Blaine et Ilsa Lund

« *Je te regarde dans les yeux, petite.* » Cette phrase est une des plus connues de l'histoire du cinéma. Et quand Humphrey Bogart la prononce rapidement, tendrement et pourtant presque incidemment, toutes les femmes souhaiteraient être à la place d'Ingrid Bergman.

■ « Je te regarde dans les yeux, petite. » Humphrey Bogart (1899-1957), dans le rôle de Rick…

Casablanca, le film préféré des Américains, a été tourné en 1942 par Michael Curtiz d'après une pièce de théâtre. Le film est l'une des armes les plus puissantes d'une propagande de la dérision qui a opposé Hollywood, humaniste et patriote, aux nazis. Aujourd'hui encore, tout un chacun sent monter en lui un flot d'émotion quand, dans le Café américain de Rick, les Français, qui ont fui l'occupation allemande, entonnent *La Marseillaise* et que leurs voix étouffent le chant nazi. Rick, qui donne l'impression de se tenir en dehors de toutes les querelles politiques, n'intervient pas et risque ainsi la fermeture de son établissement. Mais il montre par là de quel côté il se range : du côté des hommes honnêtes, de la liberté et de l'amour.

De l'amour ? Oui, car Rick fait en sorte qu'un couple puisse fuir Casablanca, sans que la jeune fille ait à payer le prix habituel au capitaine Renault – avec, dans ce rôle, l'inoubliable Claude Rains. Rick se montre généreux et équitable, même s'il se compose d'habitude un personnage cynique. Dans son cœur brûle en effet un chagrin d'amour, dont seul Sam, son pianiste noir, connaît l'existence. Rick a fait la connaissance d'Ilsa à Paris, et il l'y a perdue. Mais il lui dira de nouveau, à Casablanca : « Je te regarde dans les yeux, petite. » Dans ce film, on ignore si c'est l'histoire d'amour qui sert l'action politique, ou si la politique n'est qu'une toile de fond pour les sentiments. Chacun peut le ressentir à sa manière.

L'Américain Rick Blaine quitte Paris pour Casablanca, où il ouvre une boîte de nuit qui devient rapidement le lieu de rencontre des réfugiés de toutes origines. Les exilés européens y côtoient les trafiquants et les profiteurs de guerre.

Tout y est permis ou presque, même les jeux de hasard, mais il est toutefois rigoureusement interdit d'y chanter *As Time Goes by,* la chanson fétiche d'Ilsa et Rick. Aussi, quand Rick entend Sam en jouer les premières notes, il se précipite sur lui. Le pianiste se contente de tourner la tête et de lui désigner une femme du regard : c'est elle qui a demandé cette chanson. Ilsa est ici, dans son bar, en compagnie de Victor Laszlo, un réfugié politique recherché. Rick ingurgite une belle quantité d'alcool avant de trouver le courage d'affronter ces retrouvailles.

Ilsa lui raconte alors son histoire : elle était encore presque une enfant quand elle s'est mariée avec Victor, l'homme qui est maintenant à la tête de la lutte clandestine contre Hitler dans un pays d'Europe centrale. Quand elle a rencontré Rick à Paris, elle croyait son mari mort, car il avait été fait prisonnier et envoyé dans un camp de concentration nazi. Elle n'avait pas le droit d'en parler. Cela devait – et doit encore – rester secret. Et c'est précisément au

■ … et Ingrid Bergman (1915-1982), dans celui d'Ilsa, dans *Casablanca,* le film d'amour de Michael Curtiz sorti en 1943.

■ La femme entre deux hommes. La dure décision entre l'amour et le devoir. Ilsa suit Victor, le résistant, car il a besoin d'elle, et elle abandonne Rick.

moment où elle voulait fuir avec Rick devant les Allemands qui entraient dans Paris que Victor a réapparu : il avait besoin d'elle. Qu'aurait-elle donc dû faire ? Le spectateur sait que le cœur d'Ilsa appartient à Rick. Celui-ci la comprendra-t-il ? Les aidera-

UN FILM D'HOMMES OU DE FEMMES ?
Dans ce film, la guerre, la fuite, l'héroïsme et l'amitié entre hommes occupent une grande place : en cela, c'est un film d'hommes. Mais l'intrigue révèle le secret qui fait saigner le cœur de Rick, une histoire d'amour qui a commencé à Paris il y a des années et qui resurgit à Casablanca. Ce film démontre que l'amour est la chose la plus importante dans la vie de l'homme : c'est alors un film de femmes. *Casablanca* est, en fait, aussi attrayant pour le public masculin que féminin.

t-il, elle et Laszlo ? Il n'y songe pas un instant et garde ses distances avec cette histoire. Il va néanmoins jouer un rôle auprès
du capitaine Renault. Il est en réalité de nouveau du côté des
honnêtes gens et il va faire en sorte que Victor puisse fuir.
Ilsa, qui aurait aimé rester avec Rick, va accompagner Victor,
comme il se doit. Dans la dernière scène du film, on distingue
mal son visage dans l'ombre de son chapeau, mais on devine ses
larmes. Rick la convainc de suivre son mari : le monde libre a besoin de Victor et de son énergie. La noblesse de cœur triomphe
des sentiments, l'amour de la liberté de la jalousie, le devoir du
désir. Quand l'avion décolle, Rick et le capitaine Renault sortent
dans la nuit, et on acquiert une certitude : Ilsa et Rick se rever-
ront. Un jour, la guerre sera finie, le sacrifice et la clandestinité
ne seront plus de mise, et alors… ce si bel amour pourra exister.
Un certain Michael Walsh a eu l'audace, en 1998, d'écrire une fin

■ Devant la boîte de nuit
de Rick a lieu la scène d'adieu
la plus célèbre de tous
les temps.

238

Casablanca obtient l'oscar du meilleur film, et Humphrey Bogart sa première nomination. Avec le personnage de Rick, Bogart parvient enfin à s'affranchir des rôles de personnages cyniques et fait preuve de cœur et de sensibilité. Ingrid Bergman y paraît pleine d'abnégation, mais, dans les flash-back, elle laisse s'épanouir toute sa sensualité.

heureuse à cette aventure : les héros traversent tant bien que mal la Seconde Guerre mondiale, les personnages secondaires meurent et, à la fin, on assiste au mariage des amants. Cela a été la tentative la plus antipathique d'exploiter le couple de *Casablanca* sur le marché du livre. Par bonheur, elle n'a rencontré qu'un succès relatif.

■ Un si bel amour ne peut que se réaliser, peut-être après la guerre.

RICK BLAINE ET ILSA LUND

HISTORIQUE

Lorsque le tournage de *Casablanca* commence, le 25 mai 1942, le scénario, tiré d'une pièce de théâtre de Murray Burnett et Joan Alison, dont disposent Howard Koch et les frères Epstein est encore au stade de l'ébauche. Ilsa Lund s'y appelle Lois Meredith, c'est une Américaine superficielle et sans scrupules. Pour elle, Rick Blaine quitte sa femme et ses deux enfants. Cette version a dû subir de nombreux arrangements pour le film. Au début du tournage, la fin n'est pas encore écrite, mais les personnages sont, en revanche, déjà bien définis. L'Américaine est devenue la Suédoise Ilsa Lund, et Richard Blaine, appelé Rick, est un Américain âgé de trente-sept ans et doté d'une biographie politiquement correcte. En 1935, il fait entrer en fraude des armes en Éthiopie, alors occupée par les Italiens, et, en 1936, il combat du côté des républicains dans la guerre civile espagnole. Il gagne ensuite Paris en 1938, où il tombe amoureux d'Ilsa Lund, la femme d'un résistant supposé mort. Le 14 juin 1940, jour de l'entrée des Allemands dans Paris, il fuit la capitale française pour Marseille, puis Casablanca. C'est dans cette ville marocaine, où Rick ouvre une boîte de nuit, que commence le film, en décembre 1941. On prévoit d'abord de confier le rôle de Rick à Ronald Reagan, mais le producteur Hal B. Walis lui préfère Humphrey Bogart (1899-1957). Le rôle d'Ilsa devant être joué par une Européenne, il engage la Suédoise Ingrid Bergman (1915-1982). Pour la réalisation, il fait appel à Michael Curtiz, un artiste d'origine hongroise qui a déjà tourné une bonne centaine de fois pour Hollywood. Le film est un succès en salles en 1943 et rapporte nettement plus que les neuf cent cinquante mille dollars engagés pour sa production. *Casablanca* obtient trois oscars : celui du meilleur film, celui de la meilleure mise en scène et celui du meilleur scénario. En Allemagne, il vient à l'affiche en 1952. Les scènes où apparaît le major Strasser sont coupées et le film est ainsi plus court de vingt minutes. En outre, le personnage de Victor Laszlo n'y est plus celui d'un résistant : on en a fait un physicien spécialisé dans la recherche atomique. La version télévisée, entièrement retravaillée, devient culte dans ce pays. *Casablanca* a inspiré un grand nombre de remakes. Les puristes en rejettent toutefois la version colorisée. Woody Allen, avec *Play it again, Sam*, connaît, en revanche, un grand succès.

ET…

À voir :
Casablanca, de Michael Curtiz, avec Humphrey Bogart et Ingrid Bergman, États-Unis, 1942.

Tombe les filles et tais-toi, de Herbert Ross, avec Woody Allen, Diane Keaton et Jerry Lacy, d'après l'œuvre de Woody Allen, États-Unis, 1972.

✳ L'AVIS DE L'AUTEUR

L'amour peut être si beau, mais tellement éphémère… La guerre sépare l'Américain chic et la magnifique Suédoise, mais, dans le cœur du public, ils restent ensemble pour toujours.

Eva Duarte et Juan Perón

« Mon trésor adoré,
Ce n'est que dans la séparation de l'être aimé
que l'on peut mesurer son amour. J'ai plus souffert
que tu ne peux te l'imaginer le jour où je fus séparé
de toi, et, jusqu'à ce jour, mon cœur affligé
n'a pas trouvé le repos. »

Quand il écrit ces mots, le colonel Perón, alors ministre du Travail, ministre des Affaires de la guerre et vice-président d'Argentine, vient juste d'être arrêté. Il se prépare à quitter la scène politique pour mener une vie tranquille à la campagne. Eva Duarte, sa bien-aimée, qui a pris la tête de ses partisans pour le libérer, doit l'y accompagner. Maintenant qu'il envisage, à cinquante ans, de se consacrer exclusivement à sa vie privée, il veut épouser cette jeune femme qui a la moitié de son âge.

Les choses ne vont toutefois pas se passer ainsi : il épouse « Evita », mais la retraite sera pour plus tard. Sous l'influence de cette femme extrêmement énergique et réclamé par le peuple qui crie son nom dans la rue, Perón reprend la lutte politique.

Son programme de réformes sociales, inspiré du modèle mussolinien, lui vaut la sympathie des sans-terres et des syndicats, et il est élu président de la République. Il instaure la dictature et reste au pouvoir de 1946 à 1955. Son épouse, adulée comme une sainte, le soutient dans cette entreprise. Mais qui est donc cette femme à la peau blanche et aux cheveux teints en blond qui paraît comme une elfe à ses côtés ?

Evita, fille illégitime que son père a eue avec une gouvernante, est née dans une contrée reculée d'Argentine. À quinze ans, elle vient tenter sa chance à Buenos Aires, alors que le cinéma américain s'impose, que le monde du spectacle recherche de nouveaux visages et

Qu'était le péronisme ? D'aucuns le décrivent comme une sorte de fascisme, et, de fait, Mussolini comptait parmi les modèles de Perón. Mais il faut considérer les choses au regard de l'histoire d'Argentine : ce pays rural était en pleine industrialisation et une classe ouvrière pauvre vivait dans des conditions misérables à la périphérie des villes. Une politique de développement stricte était nécessaire, et surtout possible, car l'État avait bien tiré profit de la Seconde Guerre mondiale. Le peuple, en majorité des gens de couleur encore attachés à la terre, appelait de ses vœux un homme fort. Perón était un militaire, il était fort, rude, ambitieux et près du peuple : à ses yeux, il était l'homme de la situation.

■ Juan Perón (1895-1974), ainsi que le peuple argentin, tombe sous le charme de la belle actrice Evita Duarte (1919-1952). Les Argentins adorent la future femme du président comme une sainte.

la radio de nouvelles voix. Elle n'a aucun don particulier, mais la silhouette idéale, une peau nacrée, de l'ambition et de l'audace, et elle réussit à obtenir quelques petits rôles et une place à la radio. C'est vraisemblablement alors qu'elle rencontre le colonel Perón pour la première fois.

À cette époque, la classe politique argentine entretient traditionnellement de bonnes relations avec l'Allemagne, et l'arrivée d'Hitler au pouvoir ne les entache pas. À Buenos Aires, on est même fasciné par la manière dont les nazis se servent de la radio pour leur propagande et le ministre du Travail s'intéresse de près aux principales stations de la capitale. Quand Perón, maintenant veuf, rencontre Evita Duarte lors d'un grand gala de bienfaisance, il tombe sous son charme. Il a toujours été attiré par les toutes jeunes femmes. Evita a vingt-quatre ans, elle respire la jeunesse et est, contrairement à sa première épouse, une personne volontaire. Elle lui propose de venir chez lui pour la nuit et il accepte. Elle chasse alors de l'appartement la jeune fille qui vit avec Perón et il la laisse faire. Il n'ose toutefois pas encore l'épouser, car elle est, malgré tout, d'origine très populaire. Après sa chute, et fort de la certitude qu'il ne veut pas vivre sans elle, il lui tend la main. Dès lors, il la conduit et elle le conduit vers le sommet de la puissance.

■ Evita s'adresse au peuple depuis le balcon du palais présidentiel, à Buenos Aires. À sa gauche, Juan Perón. C'est grâce à elle qu'il atteint le sommet du pouvoir.

Juan Perón comprend très rapidement qu'avoir pris pour épouse une femme d'une position sociale inférieure est un excellent point politique. Le peuple l'adule ! Jamais une femme issue d'un milieu plus favorisé n'aurait éveillé autant d'amour et de déférence. Evita est la preuve vivante qu'il est possible de s'élever dans la société, sans pour autant renier ses origines.

La femme du président devient élégante, mais elle n'en oublie pas le peuple pour autant : elle travaille, fait des collectes et organise sans répit des actions en faveur des pauvres. Les anti-péronistes ne cessent de la critiquer, voyant dans ses activités un moyen de propagande populiste. Mais les activités d'Evita pour les orphelins, les sans-logis et les malades lui sont dictées par le cœur. Les gens de la rue et les bénéficiaires de ses œuvres sentent que l'engagement d'Evita répond à un réel besoin : celui d'aider.

Elle n'oublie jamais qu'elle a, elle-même, appartenu à la classe défavorisée, et, maintenant qu'elle le peut, elle tente d'en alléger les souffrances. Elle pense, cependant, que les individus peuvent beaucoup pour peu qu'ils soient prêts à se battre. Elle en est la preuve. Dans ses bonnes actions, Evita n'oublie jamais de faire passer ce message : « Ne mendie pas, peuple d'Argentine, revendique ! Ne sois pas passif, mais agis ! » Elle ne supporte pas la soumission. Elle cultive son image de femme magnanime, courageuse et charitable, mais en coulisse elle explose avec toute la hargne de son tempérament : contre la passivité des pauvres, l'incompétence de l'administration et le manque de fantaisie de ses collaborateurs. Perón lui-même redoute ses propos acerbes et sa force d'expression.

En 1947, l'Argentine enregistre des succès diplomatiques importants auprès des grandes puissances. Le pays devient membre des Nations unies et se meut avec davantage d'assurance dans l'arène internationale. Une invitation du dictateur Franco arrive alors mal à propos. Perón ne veut toutefois pas froisser la « mère patrie », et il envoie Evita faire une sorte de tournée diplomatique en Europe.

Lors de ce voyage, la femme du président acquiert une aura internationale. Elle ne trouve peut-être pas toujours le ton juste du premier coup, mais, en tant que représentante d'une Argentine moderne et sociale, elle convainc Madrid, Paris, Zurich et Lisbonne. Elle est même reçue par le pape. Après un tel succès, ses opposants les plus acharnés ne peuvent que lui témoigner du respect.

Quand Evita Perón meurt d'un cancer, à trente-trois ans, le couple présidentiel est déjà séparé. Son

■ Evita dans les années 1940. Même son mari redoute sa langue acerbe et son tempérament.

■ Juan et Evita Perón lors d'une manifestation de masse, à Buenos Aires, au cours de laquelle les travailleurs argentins exigent la réélection du président. Dans un premier temps, Perón a hésité, pour des raisons de rang, à épouser la fille illégitime d'une gouvernante. Pourtant, Evita se révèle être un atout pour le pouvoir. La femme du président reste attachée à ses racines et n'a de cesse d'agir en faveur du petit peuple.

Extrait d'une lettre à Juan :
« *Je ne pars pour ce voyage qu'à grand regret,
car je ne peux pas vivre loin de toi. Je t'aime tant
que c'en est à la limite de l'adoration divine.* »
Et c'est bien vrai. Evita s'est toujours considérée
comme la première collaboratrice de son mari et elle
le crédite de tous les acquis politiques, dont le droit
de vote pour les femmes. Elle commence
invariablement ses discours par : « *Je ne suis qu'une
femme…* » Elle est bien perçue : les femmes
argentines, et surtout les hommes, se seraient
sûrement senties dépassées par une personnalité
féminine revendiquant son indépendance.

corps est embaumé, mais il disparaît dans le chaos qui suit la chute de Juan Perón. Ce n'est que beaucoup plus tard qu'on le retrouvera dans un cimetière de Milan. Depuis, la dépouille d'Evita a été ramenée en Argentine. Elle repose dans le caveau de l'un de ses beaux-frères. À elle seule, l'odyssée de cette momie serait digne d'un roman.

Perón est renversé peu après, et il se réfugie en Espagne. Il ne reprendra le pouvoir, mais pour une courte durée, que dix-huit ans plus tard, en 1973. Malgré ses efforts, il ne parvient pas à faire de sa troisième épouse, Maria Estela, dite Isabel, une sorte de successeur d'Evita.

■ Le couple Perón, en 1951, ovationné par les travailleurs. Evita meurt très jeune d'un cancer, et Juan perd le pouvoir peu après. Il ne parvient pas à faire de sa troisième femme la remplaçante d'Evita.

EVA DUARTE ET JUAN PERÓN

HISTORIQUE

Maria Eva Duarte, « Evita », comme l'appelleront plus tard gentiment ses partisans, née le 7 mai 1919 dans un tout petit village de la pampa, est le cinquième enfant, illégitime, de Duarte, un grand propriétaire terrien, et de Juana Ibaguren, une gouvernante. À quinze ans, la jeune fille décide de devenir actrice à Buenos Aires pour échapper à la pauvreté des zones rurales. Elle obtient quelques petits rôles au théâtre en 1934 et 1935, puis, en 1937, ses premiers cachets au cinéma. En 1942, un fabricant de savons lui fait obtenir une place à Radio Argentina. C'est au cours d'une émission en faveur des victimes du séisme du 15 janvier 1944 qu'elle obtient les faveurs du colonel Juan Domingo Perón. Perón est né sur la propriété familiale de son père le 8 octobre 1895. En 1944, il a déjà une brillante carrière militaire derrière lui. Après avoir fréquenté l'école des cadets, puis la haute école militaire de Buenos Aires, il devient, en 1936, attaché militaire à Berlin, puis à Rome. Le putsch du 4 juin 1943 le hisse dans les sphères du pouvoir. Ses réformes en profondeur en faveur des ouvriers font reculer les partis de gauche. Simultanément, il met en place des syndicats péronistes. Evita devient sa conseillère privilégiée à partir de 1944. Poussé à démissionner par des détracteurs au sein de son propre parti, Perón est mis en prison en octobre 1945. Eva organise alors la résistance du petit peuple pour exiger sa libération. Juan Perón et Evita Duarte se marient le 18 octobre 1945. En juin 1946, Perón remporte les élections présidentielles, après une période marquée par de sanglants incidents. Dans l'ombre, sa femme l'aide activement à imposer sa politique, certes nationaliste, mais, malgré tout, en faveur des ouvriers. Elle parvient à imposer le droit de vote des femmes et crée une institution sociale de bienfaisance. En 1947, Evita Perón acquiert une aura internationale au cours de son voyage officiel en Europe. Sous la pression des militaires, elle renonce toutefois à se présenter comme vice-présidente, en 1951. Elle est opérée d'un cancer en novembre de la même année, mais décède, le 26 juillet 1952. Son corps disparaît en 1955 et n'est retrouvé qu'en 1973, à Milan. La chute de Perón, en cette année 1952, reflète la perte de pouvoir après la mort de sa femme. Exilé en Espagne, il retourne néanmoins en Argentine en 1973 pour reprendre la tête du pays, mais il meurt peu après, le 1er juillet 1974. Sa troisième épouse, Isabel Perón, née Maria Estela Martinez, assure sa succession.

ET...

À lire :
Santa Evita, de Tomas E. Martinéz, Robert Laffont, Paris, 1998.

À voir :
Evita, d'Alan Parker, avec Madonna, Antonio Banderas et Jonathan Pryce, États-Unis, 1996.

À écouter :
Evita, comédie musicale, version créée à Londres par Andrew Lloyd Webber et Tim Rice, 1999.

L'AVIS DE L'AUTEUR

Le dictateur populiste et la femme au lourd passé : un couple politique, assuré de la plus profonde sympathie du peuple.

Ingrid Bergman et Roberto Rossellini

« J'ai vu vos films et je les admire énormément. Si vous cherchez une Suédoise qui parle anglais et allemand… mais ne sait dire en italien que ti amo, je suis prête à venir et à faire un film avec vous. »

Ingrid Bergman tombe amoureuse de Rossellini en découvrant son film *Rome, ville ouverte* en 1948, trois ans après sa sortie. Elle est enthousiaste : voilà du cinéma vraiment authentique ! Clair, courageux, franc, ce n'est pas une de ces productions artificielles, comme les films qu'elle tourne à Hollywood, ou du genre de ce qu'elle incarne en tant que star. Certes, l'Amérique a été généreuse envers elle. De la débutante timide, elle a fait la grande Bergman, qui appartient au *top ten* de l'économie du cinéma et touche des cachets élevés. Mais la belle Suédoise, au rayonnement féminin si naturel et aux pieds de qui s'agenouille le public du monde entier, a l'impression de faire, artistiquement parlant, du sur-place. Elle a trente-trois ans, et son image de jolie

■ Plus qu'une simple liaison. L'actrice suédoise Ingrid Bergman (1915-1982) et le réalisateur italien Roberto Rossellini (1906-1977).

femme et de dame au grand cœur commence à la lasser. Le néo-réalisme italien la fascine bien davantage.

Rossellini est intrigué par l'offre de Bergman, et il rencontre la star hollywoodienne à Paris, où elle travaille. Ils conviennent d'un projet : *Stromboli*. Le film a pour cadre une petite île vol-canique, près de la Sicile, et la montagne qui crache le feu tient le rôle principal. Ingrid joue Karin, une jeune fille venue de loin pour vivre dans cet environnement hostile, où elle doit affronter aussi bien la nature du pays que celle de ses habitants. Ce rôle est, en principe, prévu pour Anna Magnani, qui vit alors avec Rossellini. Mais le réalisateur italien est un bon vivant et un puriste qui, en art, ab-horre les compromis et se fie entière-ment à l'improvisation. Il va si loin qu'il n'accepte aucun scénario et écrit ses films au fur et à mesure du tour-nage. Il agit de la même façon dans sa vie privée. La femme de l'instant s'ap-pelle Ingrid Bergman, Anna Magnani doit donc partir. Son épouse, avec qui il ne vit plus depuis longtemps, ne le gêne pas davantage. Ingrid Bergman est mariée et a une petite fille de

■ Ingrid Bergman en a assez d'Hollywood et elle s'intéresse maintenant au néoréalisme. L'actrice, en compagnie de Rossellini, lors de la Biennale de Venise, en 1950.

Après les ravages de la guerre, l'Europe est dévastée. Les producteurs de cinéma se sentent tenus de s'attaquer de front à la réalité et de s'exprimer par des films aussi froids qu'émouvants. Ingrid Bergman a la sensation d'avoir un rôle à jouer dans cette nouvelle conception de l'art cinématographique.

248

■ À l'aube du 25 octobre 1951, commence le tournage de *Europe 51*. C'est le premier film d'Ingrid Bergman depuis la naissance de Robertino, son fils. Elle y tient le principal rôle féminin.

onze ans. Contre l'avis de tous, mari et collègues, elle fait ses valises pour Rome, car elle sait qu'une nouvelle vie l'y attend. Elle aime comme jamais auparavant et elle est prête à sacrifier beaucoup pour cet amour. Elle n'imagine pourtant pas que Pia, sa fille, puisse faire partie du lot, ni que cela va lui coûter sa popularité dans le monde entier. Quand elle monte dans l'avion, elle abandonne, sans le savoir, tout ce qui a fait sa vie jusqu'à ce jour et qu'elle a conquis de haute lutte : sa carrière à Hollywood, sa réputation, son couple et sa fille. À l'aéroport, Rossellini l'attend avec ses amis, sa famille, le soleil italien, la joie de vivre – et la presse internationale. Ingrid Bergman est reçue comme une reine. Elle doit désormais conquérir un nouveau pays, l'Italie. Son morceau de choix, le cœur de Rossellini, lui est déjà acquis.

Pour Roberto, Ingrid est plus qu'une liaison. C'est une véritable passion. Le héros de ces dames ne voit plus qu'elle, il est toujours à côté d'elle et il ne prévoit plus ses films que pour elle. Bergman est la star, de son cinéma et de sa vie. Il se fait fort de lui apprendre ce qu'est le véritable art cinématographique et à quel point la machine à rêves hollywoodienne, dépendante des goûts du public l'a sous-exploitée jusqu'alors.

Stromboli passe inaperçu. La critique ne reconnaît que fort tard ses qualités avant-gardistes. Robertino, le fils qu'Ingrid Bergman a de Rossellini témoigne pourtant bien que la star ne nourrit pas dans l'immédiat le projet de retourner aux États-Unis pour y reprendre sa carrière hollywoodienne.

L'Amérique condamne unanimement l'actrice. Comment une femme aussi maternelle, dont la grandeur d'âme paraissait, à l'écran, aussi vraie que la blondeur de ses cheveux, peut-elle agir ainsi ? S'en aller, comme ça, avec un *latin lover*, mettre au

Dans *Stromboli*, Ingrid Bergman joue sans maquillage et en lumière naturelle. Karin, la jeune héroïne du film, est enceinte, comme elle. *Stromboli* et le petit Robertino verront le jour presque au même moment, et tous deux choqueront le public – à leur manière.

monde un enfant illégitime, abandonner purement et simplement sa fille ! Jamais l'opinion publique n'a nourri une telle rancœur envers une superstar, jamais elle n'en a précipité une si violemment hors de l'Olympe. Ingrid Bergman devient un monstre. Même les politiciens de haut rang expriment leur colère et leur mépris. Petter Lindström, qui est encore son mari, lui interdit de voir sa fille. Il se passera six longues années avant qu'Ingrid puisse retrouver Pia. C'est ainsi que cette période de bonheur avec Rossellini est simultanément, pour Ingrid, celle des grandes douleurs.

Ingrid et Roberto utilisent toutes les ficelles possibles et imaginables pour obtenir leurs divorces respectifs et ainsi pouvoir se marier. Ingrid met au monde des jumeaux, Isotta et Isabella. La vie de famille romaine, la venue des *bambini*, le père enthousiaste et les nombreux hôtes célèbres, dont Gregory Peck, William Wyler et Jean Renoir, redonnent à Ingrid le courage de vivre. Une seule chose lui manque : son métier. Elle a toujours

■ Les enfants au cœur du conflit. Bergman est une actrice bouillonnante, Rossellini est un père de famille enthousiaste et un macho italien qui verrait bien sa femme à la maison, dans le cadre familial.

■ Tourné en 1950, *Stromboli* est le premier film de Roberto Rossellini avec Ingrid Bergman. Comme tous leurs projets communs, il n'aura aucun succès auprès du public. Cette photographie montre Bergman donnant la réplique à Mario Vitale dans l'une des scènes les plus dramatiques du film.

été une travailleuse infatigable et disciplinée, et elle n'arrive pas à s'habituer à la versatilité de Rossellini. Ils font encore quelques films ensemble, mais tous passeront inaperçus. Le rêve d'un art cinématographique italien renouvelé compatible avec la star américaine est terminé.

La famille éprouve des difficultés financières. Rossellini n'a plus le sou, c'est un gaspilleur, incapable de gérer son argent. C'est alors que reviennent les propositions des États-Unis : Ingrid Bergman n'aurait-elle pas de nouveau envie de jouer dans une production hollywoodienne ?

■ Ingrid Bergman avec Robertino et les jumelles, Isotta et Isabella, lors de vacances d'hiver à Cortina d'Ampezzo, en Italie.

On lui offre un rôle de théâtre, à Paris. Ingrid accepte, Roberto s'y oppose. La tension monte entre les deux époux, mais, finalement, les raisons pécuniaires l'emportent. Afin de pouvoir acheter des chaussures à ses enfants, Ingrid Bergman remonte sur scène et renoue avec le succès. Elle tourne ensuite *Anastasia* et obtient un oscar. Rossellini s'avère incapable de laisser sa femme partir et jouer, ou même d'accepter ce qu'elle fait. Il fait des sorties de plus en plus vexantes contre le « commerce américain ». En fait, c'est un macho italien qui veut voir son épouse dans le cercle familial et ne supporte pas qu'elle travaille. Ingrid Bergman, actrice au caractère bouillonnant, a bien tenu ce rôle un moment, mais il est temps qu'on lui propose quelque chose de nouveau.

Le couple se sépare après sept ans de vie commune, et ne se réunit plus que de temps à autre autour des enfants. Ingrid fête avec Roberto son soixante-dixième anniversaire – chacun d'eux s'est, entre-temps, marié pour la troisième fois – lors d'une grande réunion familiale, typiquement italienne.

INGRID BERGMAN ET ROBERTO ROSSELLINI

HISTORIQUE

Ingrid Bergman, née le 29 août 1915, perd ses parents de bonne heure et grandit chez son oncle. Elle réussit à le convaincre de la laisser tenter sa chance dans la profession de ses rêves : actrice. En 1933, elle fréquente l'École royale d'art dramatique de Stockholm, et, dès 1934, on peut la voir sur les écrans suédois. Son mari, le dentiste Petter Lindström, avec qui elle s'est mariée le 10 juillet 1937, la soutient dans sa carrière. C'est ainsi qu'en mai 1939 la jeune mère peut se rendre à Hollywood sur l'invitation du producteur David O. Selznick. Pia, sa fille, née le 20 septembre 1938, est entre de bonnes mains chez son père. Ingrid donne l'image d'une jeune femme fraîche et spontanée, sans fard, dont le rayonnement naturel vient du plus profond de l'âme. En 1940, aux États-Unis, sa vie de famille heureuse, toutefois assombrie par la guerre, concorde parfaitement avec cette image. Grâce à ses films, Ingrid Bergman jouit d'une estime extraordinaire auprès du public. En 1948, elle voit *Rome, Ville ouverte*, de Roberto Rossellini, et elle est bouleversée. Rossellini, né le 8 mai 1906, est issu d'une famille aisée d'architectes romains. Sa vie insouciante prend subitement fin à la mort de son père, en 1931. Désormais, il doit assumer la responsabilité de sa famille. Il travaille dans le cinéma, fait, à partir de 1939, ses propres films et devient le fondateur du néoréalisme italien. Il est marié depuis le 26 septembre 1936 avec Marcella De Marquis, mais ils vivent séparés depuis longtemps. Lorsque Ingrid Bergman témoigne de l'intérêt pour son travail, Rossellini projette de tourner *Stromboli*, et elle le rejoint à Rome en mars 1949. La rupture avec son passé et son mariage avec Rossellini, le 24 mai 1950, font scandale aux États-Unis, où même le Sénat tient à son sujet des propos infamants pendant une bonne heure. Ingrid Bergman s'accommode mal de la manière de travailler de son mari, et leurs œuvres communes sont des échecs commerciaux. Le 8 novembre 1957, leur divorce est prononcé. Ingrid Bergman peut faire son retour et renouer avec le succès, et elle obtient un oscar pour le rôle d'Anastasia, la fille d'un tsar, dans le film du même nom. Elle se marie une troisième fois, en 1958, mais ses enfants maintiennent un lien entre elle et Roberto, tout d'abord conflictuel, puis amical. Roberto Rossellini décède d'un infarctus le 3 juin 1977. Ingrid Bergman est emportée par un cancer le 29 août 1982 à Londres

 ET...

À lire :

Ma vie, d'Ingrid Bergman, Le Livre de Poche, Paris, 1982.

Roberto Rossellini, d'Alain Bergala, Éditions de l'Étoile, Paris, 1989.

Ingrid Bergman, de Donald Spoto, Presses de la Cité, Paris, 1997.

La Véritable Ingrid Bergman, de Bertrand Meyer-Stabley, Pygmalion, Paris, 2002.

À voir :

Rome, Ville ouverte, de Roberto Rossellini, avec Aldo Fabrizi, Anna Magnani et Marcello Pagliero, Italie, 1945.

Stromboli, de Roberto Rossellini, avec Ingrid Bergman et Mario Vitale, Italie, 1950.

L'AVIS DE L'AUTEUR

Elle était la préférée des cinéphiles américains, et on ne lui pardonna jamais l'abandon de sa famille et de son public, ou seulement très tard.

Martin Luther King et Coretta Scott King

> « *Vous possédez tout ce que j'attends depuis toujours
> de la femme de ma vie. Ce ne sont que quatre choses,
> et vous les avez : le caractère, l'intelligence,
> la personnalité et la beauté.* »

■ La femme avec la plus belle voix, l'homme avec les plus beaux yeux : Coretta Scott King (née en 1927) et Martin Luther King (1929-1968) à Oslo, en 1964, pour la remise du prix Nobel de la paix au militant pour les droits civiques des Noirs.

Pour Martin Luther King, c'est clair depuis le début : elle, et pas une autre. Miss Coretta Scott voit le monde avec les mêmes yeux que lui, elle est courageuse et confiante, son sourire est radieux et elle chante comme un ange. Coretta, de son côté, se rend rapidement compte que Martin est l'homme de son cœur. Il est intelligent et fiable, et il se montre généreux. En outre, il a les plus beaux yeux qu'elle ait jamais vus. Pourtant, la jeune étudiante en musique hésite quelque temps. Martin vient juste d'achever ses études de théologie et il veut passer le doctorat pour devenir pasteur. Or, en tant que femme de pasteur, il lui

■ Le roi Olaf V de Norvège et le prince héritier Harald félicitent Martin Luther King pour son prix Nobel de la paix. Coretta est à sa droite.

sera difficile de poursuivre son métier de chanteuse. Elle renonce donc à sa carrière pour donner la main à son bien-aimé et ils se marient en juin 1953.

Martin et Coretta se sont rencontrés à Boston, où ils fréquentent le même club de discussions. Ils sont tous les deux natifs du Sud : lui de Georgie, elle d'Alabama. Les King sont pasteurs depuis trois générations. Le père de Coretta, lui, est paysan. Les deux familles n'ont pas épargné leur peine pour se hisser à une meilleure place dans la société, afin de permettre à leurs enfants de faire des études et de connaître un avenir plus confortable. Être noir, à cette époque, signifie être pauvre, et pis encore. L'abolition de l'esclavage s'est arrêtée à mi-chemin un siècle auparavant. La ségrégation est tellement courante que la société américaine ne s'en rend même pas compte : les Noirs n'ont pas le droit de fréquenter les mêmes cafés, les mêmes bus et les mêmes bains que les Blancs, ni de s'asseoir près d'eux en public. On leur réserve des espaces à part. Les serveurs et les chauffeurs de bus ont l'habitude de les humilier, sans parler des fonctionnaires, des policiers et des juges. Les

■ La lutte commune pour les droits des Noirs. Martin Luther King et Coretta Scott King, le 26 mars 1965, à la tête d'une manifestation en faveur des droits civiques des Noirs, à Montgomery (Alabama).

universités et les écoles « normales » leur sont interdites, ils n'ont pas le droit de vote et ne peuvent pas prétendre à certaines professions. Le club où Martin Luther King et Coretta Scott font connaissance est ouvert aux personnes de deux couleurs, et cette exception est une insulte cinglante pour les conservateurs qui prônent la séparation des races.

Le club de Boston n'est cependant pas la seule pierre d'achoppement pour l'*establishment* blanc de Memphis à Chicago. En effet, le peuple noir américain se lève pour se débarrasser des derniers vestiges de l'esclavage, et le Mouvement des droits civiques – Civil Rights Movement – voit le jour. Les descendants des esclaves revendiquent les mêmes droits que les Blancs et organisent une longue marche de protestation. Le docteur Martin Luther King en devient le leader incontesté, et, à sa tête, il reste pareil à lui-même : un pasteur avec un grand charisme et une force de persuasion qui mobilise infailliblement les foules. Les Noirs reprennent aussi bien ses mots d'ordre que sa méthode : la non-violence absolue. Bien qu'ils se trouvent systématiquement confrontés, lors de leurs marches, de leurs actions et de leurs campagnes, à la violence, voire au meurtre, du fait de la police ou du Ku Klux Klan, les Noirs réagissent pacifiquement, sans toutefois relâcher la pression. Ce mérite est à attribuer à Martin Luther King, qui agit dans un esprit de chrétienté et dans le respect des principes du Mahatma Gandhi. Le président Kennedy parvient à gagner une popularité certaine parmi la population noire grâce à des mesures antidiscriminatoires. On suspecte les Blancs favorables à la ségrégation raciale d'avoir commandité le meurtre de Martin Luther King.

■ Le couple King, en 1966, traverse les bidonvilles d'Atlanta en compagnie de deux militantes pour les droits civiques. Sur leurs pancartes, le slogan exige la libération d'Hector Black, un militant contre la pauvreté aux États-Unis.

Coretta King est inlassablement aux côtés de Martin, dans la rue, lors de congrès et de sit-in, dans les églises ou pour les réunions politiques en faveur de la libération de son peuple. Combien de fois sa belle voix s'est-elle élevée pour chanter *We Shall Overcome* ? Elle accompagne également son mari en des occasions plus prestigieuses, par exemple lorsqu'il reçoit le prix Nobel de la paix en 1964, à Stockholm. Leurs enfants viennent au monde, pour ainsi dire, entre deux événements : Yolanda, la fille aînée, puis les deux garçons, Martin Luther et Dexter, et enfin, Bernice, leur seconde fille. Les enfants sont un grand bonheur pour le couple, et ils n'empêchent pas Coretta d'être près de Martin et de travailler pour leur cause. À propos du discours de son époux prononcé lors de la grande marche sur Washington, elle

■ Martin Luther King, entouré de Jesse Jackson (à gauche) et du révérend Abernathy (à droite), sur le balcon du motel de Memphis où il va être assassiné le lendemain, le 4 avril 1968.

■ Coretta à l'enterrement de Martin Luther King, le 9 avril 1968. Elle prend la succession de son mari à la tête du mouvement non violent.

dit : « Ce jour-là, il nous sembla que ses mots venaient d'un lieu plus élevé, comme si, à travers lui, ils s'adressaient à la foule galvanisée. Le ciel se dégagea et nous avons tous paru métamorphosés. »

Martin Luther King se doute bien qu'il ne vivra pas vieux. Sa famille et lui ont en effet été à plusieurs reprises la cible d'attentats. À Memphis, en avril 1968, un tueur à gages parvient à l'abattre. Depuis 1986, l'anniversaire de la naissance de ce grand militant pour les droits civiques est un jour de fête nationale aux États-Unis.

MARTIN LUTHER KING ET CORETTA SCOTT KING

HISTORIQUE

Coretta King, née Scott, est née le 27 avril 1927 dans un petit village d'Alabama. Son père travaille dur pour lui payer des études au collège Lincoln, à Marion, petite ville voisine. Coretta obtient ensuite une bourse qui lui permet d'entreprendre, à dix-sept ans, des études de musique et de pédagogie à Antioch-College, un établissement d'enseignement supérieur. En tant qu'institutrice noire, elle n'a toutefois que peu de chances d'obtenir un poste intéressant, et elle décide d'opter pour une carrière de cantatrice. Elle entre au conservatoire de Boston en 1951. En février 1952, elle fait la connaissance de Martin Luther King Jr., alors étudiant en théologie. Ils terminent tous les deux leurs études, se marient le 18 juin 1953 et partent s'installer à Montgomery, capitale d'Alabama. Martin Luther King, né le 15 janvier 1929, y prend les fonctions de pasteur, perpétuant ainsi la tradition familiale. Il commence ses études en 1948. Il se montre très doué et se consacre exclusivement à la connaissance détaillée de la lutte non violente prônée par Gandhi, son modèle politique. En décembre 1955, il organise le boycott des bus à Montgomery. Un an plus tard, la ségrégation raciale dans les transports en commun est abolie de haute lutte. Le prix personnel payé pour les innombrables sit-in, manifestations et discours au cours des années suivantes est élevé : la maison des King est plastiquée le 30 janvier 1956 et, dès lors, Martin, Coretta et leurs quatre enfants, Yolanda (née en 1955), Martin (1957), Dexter (1962) et Bernice (1963), vivent sous la menace perpétuelle des racistes blancs. Après son célèbre discours, « I have a dream » (J'ai un rêve), qu'il prononce le 28 août 1963, Martin Luther King reçoit le prix Nobel de la paix le 10 décembre 1964 pour son engagement dans le mouvement pour les droits civiques. Hélas, avec l'assassinat de John Fitzgerald Kennedy le 22 novembre 1963, il perd son principal soutien au gouvernement. Les troubles raciaux se multiplient. L'assassinat, le 4 avril 1968, de Martin Luther King par James Earl Ray, un tueur à gages, donne lieu à de violentes émeutes pendant plusieurs jours. Coretta fait preuve d'un grand courage et elle reprend le flambeau après son mari. Elle fonde un centre pour le changement social non violent en Alabama et obtient nombre de récompenses pour son travail. Depuis 1986, le troisième lundi de janvier, anniversaire de Martin Luther King, est un jour de fête nationale en mémoire du grand leader noir.

 ET...

À lire :
Je fais un rêve, de Martin Luther King, Le Centurion, Paris, 1987.

Ma vie avec Martin Luther King, de Coretta Scott King, Stock, Paris, 1970.

À voir :
Martin Luther King, d'Olivier Stone, 1998.

L'AVIS DE L'AUTEUR

La révolte des Noirs aux États-Unis fait partie des plus importants mouvements du siècle dernier, et son leader le plus représentatif a auprès de lui une femme qui l'accompagne sans faiblesse dans ce combat.

Lolita et Humbert Humbert

> « *Lolita, lumière de ma vie, feu de mes reins,*
> *mon péché, mon esprit. Lo-li-ta : la pointe de la langue*
> *descend le palais en deux petits sauts, le troisième saut*
> *vient claquer contre les dents. Lo. Li. Ta.* »

■ En 1962, Stanley Kubrick porte à l'écran le roman de Nabokov, *Lolita*. James Mason joue le rôle de l'écrivain quadragénaire, Humbert Humbert, qui tombe amoureux de Lolita, nymphette de douze ans. La fin sera tragique.

Y aurait-il un troisième sexe ? « Oh, oui », dit Humbert Humbert. Cet écrivain européen de tout juste quarante ans qui vit en rentier aux États-Unis ne fait preuve, en matière d'érotisme, d'aucun intérêt pour les femmes, et pas davantage pour les hommes. Il est attiré par des êtres qui ne sont déjà plus tout à fait des enfants, mais pas encore des jeunes filles entièrement épanouies. Il les aime entre neuf et quatorze ans, pas uniquement pour leur grande jeunesse, mais aussi pour une certaine précocité, une connaissance instinctive du pouvoir de séduction de leur féminité bourgeonnante, qui se révèle à peine derrière leur juvénilité. Humbert décrit ces jeunes filles merveilleuses comme un « mélange de candeur tendre et rêveuse avec une sorte de vulgarité mutine ». Il appelle « nymphettes » ces êtres ensorcelants, assez rares parmi les filles de neuf à quatorze ans. À cet âge, la plupart sont sottes, sages et pas très jolies. Pourtant, une nymphette jaillit parfois du néant, sur une aire de jeux par exemple, pose son pied sur un banc pour rattacher ses patins à roulettes, dévoilant sa cuisse un bref instant, ce qui éveille chez

M. Humbert un émoi si tenace qu'il doit maintenir fermement ses mains sur ses genoux. « Les nymphettes, dit M. Humbert, ne font pas partie du genre humain. Ce sont bien davantage des émissaires d'un royaume de démons insensibles dont le seul but est de faire perdre la raison aux hommes. »

Humbert part pour la Nouvelle-Angleterre, où il lui faut trouver un logement. On lui recommande de se rendre chez Mrs. Charlotte Haze, et cette personne lui déplaît, ainsi que sa maison, dès le premier instant. C'est alors que, « sans que rien ne puisse le faire présager, une vague bleutée enfle sous mon cœur, et, à demi nue sur une natte dans une tache de soleil, à genoux, et se tournant vers moi sur les genoux, une jeune fille me regarde d'un air inquisiteur par-dessus les verres teintés de ses lunettes . » Mrs. Haze a une fille de douze ans, Dolores – que l'on appelle Lolita.

M. Humbert loue la chambre, puis il épouse Mrs. Haze peu après. Quand celle-ci meurt dans un accident, Lolita se trouve à portée de sa main.

■ Sue Lyon dans le rôle de la femme enfant Lolita, qui, avec un mélange étonnant de naïveté et de soumission, réussit à mener Humbert Humbert par le bout du nez.

Qui est-elle ? Nous ne la connaissons qu'à travers le récit qu'en fait Humbert. La petite Miss Haze est une jeune fille américaine parfaitement normale, au seuil de l'adolescence, butée, sotte, superficielle et folâtre. Peut-être est-elle un peu plus précoce et endurcie que la moyenne des enfants de son âge, mais Humbert ne le remarque pas tout de suite. Il voit en elle la personnification d'un rêve, la nymphette dans toute sa splendeur : coquette, mignonne à croquer, insolente, avec un joli corps. C'est quand il la tient enfin dans ses bras qu'il réalise qu'elle n'est plus vierge depuis longtemps.

Humbert Humbert nous livre une rétrospective de son histoire avec Lolita, du fond de la prison où il attend d'être jugé pour meurtre. Lolita est partie avec un autre. Humbert a essayé tout d'abord de vivre sans elle, mais, quand il l'a enfin retrouvée enfin, il a tué son rival. Il ne tente pas de minimiser sa faute, mais sa confession a tout d'un plaidoyer : il en appelle à la compréhension. Lui, le meurtrier, le ravisseur, le pédophile, a, dans une certaine mesure, bonne conscience. Il a aimé Lolita bien au-delà du temps où, nymphette, elle l'ensorcelait. Il lui a sacrifié sa vie, ses aspirations et tout son être.

■ L'enfant dans la femme, la femme dans l'enfant. Humbert Humbert sacrifie tout son être à cette créature chatoyante du « troisième sexe ».

Et elle ? Son beau-père, Humbert Humbert, est la seule personne qui lui reste après la mort de sa mère. Quand elle réalise combien il la désire, elle se donne à lui, en partie pour s'amuser, en partie pour le soumettre, à la dérobée et par machination. Elle joue le jeu, mais elle n'aime pas cet étrange vieux garçon ou, plus exactement, elle n'éprouve aucun sentiment pour lui. Elle essaie de s'en arranger aussi longtemps qu'elle en a besoin, mais elle change de protecteur dès que l'occasion se présente.

■ Le regard déstabilisant d'une femme. Lolita (Dominique Swain) dans la version cinématographique d'Adrian Lyne, tournée en 1998.

Lolita est une jeune fille passive, gaie et sans ambition. Elle n'attend rien d'autre de la vie que des choses normales : un homme bon, de quoi vivre, quelques extras. Elle n'a aucune compréhension pour Humbert et sa passion interdite, mais, bonne par nature, elle ne souhaite pas le faire souffrir. C'est pourquoi elle

Vladimir Nabokov, un écrivain russe qui écrit en anglais dès son arrivée aux États-Unis, publie *Lolita* en 1955. Tout d'abord taxé de pornographie, le roman est maintenant considéré comme un chef-d'œuvre et compte toujours de nombreux lecteurs. *Lolita* est une histoire d'amour tragique, accablante et noire. Un homme succombe à son amour pour une très jeune fille, mais offre auparavant au monde – grâce au talent de Vladimir Nabokov – un magnifique tableau du « troisième sexe », la nymphette.

■ La nymphette en séductrice active…

■ … qui domine et menace l'homme plus âgé, Humbert (Jeremy Irons).

daigne faire des concessions. Lolita se comporte également avec une certaine lascivité, elle est amorale et fière du désir qu'elle éveille. Elle se retrouve donc souvent avec Humbert dans les sphères d'un désir muet où ils sont en harmonie.

Ce couple est tragique parce qu'Humbert Humbert ne se contente pas de désirer et d'idolâtrer la nymphette : il donne son amour à la petite Dolores Haze, ce qui surprend de la part de cet esthète froid. Mais c'est ainsi, avec la passion : sans borne, elle détruit tout sur son passage, y compris le cœur.

LOLITA ET HUMBERT HUMBERT

HISTORIQUE

L'auteur de *Lolita*, Vladimir Vladimirovitch Nabokov, né le 22 ou 23 avril 1899 à Saint-Pétersbourg, est certainement, en tant que virtuose de la narration, l'un des plus importants écrivains d'origine russe du XXᵉ siècle. Il est, en outre, un excellent joueur d'échecs et se consacre avec succès à un tout autre domaine, l'étude des papillons. Éduqué en trois langues dans une famille de la noblesse russe, il écrit ses neuf premiers romans en russe, puis huit autres en anglais. Il vit en exil à Berlin, après ses études à Cambridge, en 1923. Il quitte l'Allemagne en 1937 pour fuir le régime nazi et s'installe alors en France, d'où il émigre en 1940 vers les États-Unis. C'est là qu'il écrit *Lolita*, un roman moderne de la littérature mondiale traduit en une trentaine de langues. L'histoire a pour cadre l'Amérique des années 1940. Aucun éditeur américain n'accepte de publier cet ouvrage qui traite de l'amour pédophile et secret d'un écrivain français de trente-sept ans pour une jeune Américaine de douze ans. La « bombe à retardement littéraire » (Nabokov) passe pratiquement inaperçue lors de sa parution discrète chez le petit éditeur français Olympia Press, connu pour publier des ouvrages menacés par la censure. Le livre, que Graham Greene qualifie en 1956 de « meilleur roman de l'année », est, dans un premier temps, interdit à la vente,

interdiction qui est ensuite levée par décision du tribunal. Ce n'est qu'en 1958, une fois sa distribution autorisée, que le public américain peut découvrir *Lolita*. L'énorme publicité faite autour du contenu prétendument pornographique du roman ne correspond pas à son contenu. Le texte, qui compte un grand nombre de références à d'autres ouvrages et à des sujets de l'histoire de la littérature, parodie allègrement les courants de la société américaine contemporaine. La première version cinématographique, filmée par Stanley Kubrick en 1962 et pour laquelle Nabokov a écrit le scénario, avec James Mason et Peter Sellers dans les principaux rôles masculins, remporte un véritable succès malgré de nouvelles critiques publiques. Nabokov vit en Suisse jusqu'à sa mort, le 2 juillet 1977. La seconde adaptation à l'écran de *Lolita*, réalisée en 1998 par Adrian Lyne, fait encore l'objet de débats passionnés dans le contexte des cas de pédophilie révélés dans les années 1990.

ET...

À lire :
Lolita, de Vladimir Nabokov, Gallimard, 2001.

À voir :
Lolita, de Stanley Kubrick, avec James Mason, Sue Lyon, Peter Sellers et Shelley Winter, Grande-Bretagne, 1962.

Lolita, d'Adrian Lyne, avec Jeremy Irons, Melanie Griffith et Dominique Swain, France/Grande-Bretagne, 1997.

L'AVIS DE L'AUTEUR

Il est son esclave, elle se livre à lui – amour fou d'un monsieur plus âgé pour une petite fille. Le roman traitant de ce cas de pédophilie et qui a établi la « nymphette », la femme enfant séduisante, comme « troisième sexe » est un ouvrage de référence au niveau mondial.

Marilyn Monroe et Arthur Miller

« *Je l'embrassai sur la joue au moment de nous quitter et elle inspira fortement de surprise. Je me mis à rire de sa réaction exagérée, puis, effrayé par le sérieux de ses yeux, je regrettai d'avoir ri.* »

Il est parfois vrai que les contraires s'attirent. La presse les décrivit comme l'union « d'une tête et d'un corps ». Arthur Miller est marié depuis seize ans et a deux enfants quand il rencontre Marilyn Monroe à Hollywood. Après des années d'échec, il connaît enfin le succès à Broadway, dans cette ville froide qu'est New York, et il a maintenant envie du soleil de Californie. La capitale du cinéma est excitante et déroutante, c'est un monde entièrement nouveau pour lui. Pour le moraliste Arthur Miller, Hollywood est tout simplement le royaume du vice.

Il est taraudé par le sentiment de n'avoir jusqu'ici que travaillé. Quelque chose manque à sa vie. Peut-être s'est-il marié trop jeune ?

Miller a trente-cinq ans et Marilyn vingt-quatre. Il est mince et grand, avec les dents de travers et de grandes oreilles. Il porte des lunettes, ce que Marilyn aime tant chez lui. Son manque d'humour le fait passer pour très sérieux et, en outre, il est timide, si timide « qu'il n'étreint jamais une belle femme en séducteur, mais qu'il le fait tourné vers le côté et très amicalement ». Pour Marilyn, c'est de l'assurance, un atout qui lui fait grand défaut. Elle a besoin de quelqu'un qu'elle puisse admirer, qui l'accepte telle qu'elle est et qui la soutienne – qui la protège.

Arthur Miller est écrivain et auteur dramatique. La critique et le public sont enthousiasmés par sa dernière pièce, *Mort d'un commis voyageur*, qui parle des perdants et tourne en ridicule la vacuité de l'*american way of life*. L'auteur s'identifie avec les perdants. En effet, il a grandi à Harlem pendant la grande

dépression qui suit le krach boursier de 1929. Jeune garçon, il traîne dans les rues, comme les autres. La vie n'en est pas moins confortable et paisible dans cette famille juive, où il se sent protégé. Les Miller connaissent une certaine aisance, mais ils doivent tout de même limiter leur train de vie. Contrairement à ses amis noirs, Arthur peut toutefois se permettre d'étudier, même s'il doit pour cela travailler à côté. Il se risque, sans succès, dans la chanson, puis il est camionneur, plongeur ou magasinier. Là non plus, il ne se sent pas à sa place. Il est capable de travailler d'arrache-pied, mais il lit pendant les pauses, ce qui le met à part des autres. Il souffre de ne pas appartenir à ce milieu prolétaire, de ne pas parler le même langage et, de ce fait, de ne pas tout comprendre. Il se sent comme un observateur de la vie qui se déroule ailleurs. Il aimerait pourtant y participer et « redoute davantage l'insignifiance que la mort ». Ce n'est que lorsqu'il écrit

■ « Tête et corps » s'unissent. L'écrivain Arthur Miller (né en 1915) a le sentiment d'avoir jusqu'ici raté quelque chose dans sa vie. Marilyn Monroe (1926-1962) aime le sentiment de sécurité qu'elle éprouve près de lui. Ce couple disparate se marie en 1956.

■ À la recherche d'un foyer. Marilyn, qui ne connaît pas son père et perd sa mère de bonne heure, appelle tendrement Arthur « Daddy ». Elle trouve l'amour paternel chez son beau-père, Isidore (ci-dessous avec sa femme).

qu'il est un « faiseur ». Il peut alors « déployer ses ailes » et toujours découvrir quelque chose sur lui-même, car, bien entendu, il s'observe également. C'est ainsi qu'il rend l'exprimable par des mots, et « quand c'était bon, cela [le] faisait rougir ». Son père ne sait ni lire ni écrire, raison pour laquelle sa mère tient beaucoup à ce qu'il apprenne à maîtriser les mots.

Marilyn n'a pas de famille, il ne lui reste aucune attache au monde. Son père n'était déjà plus là à sa naissance. Sa mère, malade et n'ayant plus toute sa tête, l'abandonne bientôt à son tour. Elle est alors brinquebalée de famille d'accueil en orphelinat. Toute sa vie, elle sera attirée par les enfants et les êtres ayant besoin de protection, car c'est un état qu'elle connaît bien. Elle cherchera toujours des parents de substitution ou, pour le moins, un être paternel près de qui elle se sentirait protégée. Quand elle fait la connaissance de Miller, son expérience avec les hommes n'a été jusque-là qu'une succession de relations père-fille vouées à l'échec. Plus tard, elle appellera tendrement Miller « Daddy ». Marilyn s'applique à éveiller la compassion, qu'elle prend pour de l'amour. Mais sa féminité et sa silhouette épanouie font naître de tout autres sensations chez les hommes. Elle apprécie sans ré-

serve leurs hommages, non par orgueil, mais parce qu'elle recherche toutes les formes de reconnaissance. Quand on la félicite pour son physique, elle se sent valorisée. Cela va si loin

■ Marilyn prend la timidité
d'Arthur pour de l'assurance.

qu'elle se fait vomir avant chaque séance de
pose pour paraître plus mince. Elle n'a jamais acquis la moindre confiance en elle, et
c'est précisément ce cocktail de puérilité et
de sex-appeal qui fait son succès. Pleine
d'humour, elle a le sens de la repartie et « un
comportement désarmé par rapport à la vie »
qu'Arthur Miller lui envie. Et elle, le
« corps », aime la « tête ». Elle espère que,
maintenant qu'elle vit à ses côtés, on va enfin
la prendre au sérieux comme actrice.

Miller l'aime en retour. Bizarrement, c'est
devant la Commission d'enquête sénatoriale
sur les activités antiaméricaines qu'il la demande en mariage. Pendant la guerre froide,
le sénateur McCarthy se livre à une véritable
chasse aux sorcières. Miller a quelquefois
participé à des rencontres entre écrivains du
Parti communiste pendant les années 1940. Il
veut qu'on lui redonne son passeport (que les
autorités ont confisqué à tous les accusés)
pour aller en Grande-Bretagne, dit-il, « afin
d'y vivre avec la femme qui deviendra [son]
épouse. [Il va] épouser Marilyn Monroe ».
Marilyn, qui suit son audition à la télévision,
à New York, fait ce commentaire : « C'était
vraiment très gentil à lui de me faire part de
ses projets. »

Ils se marient en 1956. Arthur fait graver dans
les alliances : « Now is forever » (maintenant,
c'est pour l'éternité). Mais ça ne dure guère.
Trois semaines plus tard, Arthur note dans
son journal intime que c'est surtout de la
compassion qu'il ressent pour Marilyn. Et,
comme elle projette toujours ses espoirs sur
ses partenaires, la terre s'ouvre sous ses
pieds. Ils travaillent ensemble sur le film The

■ Malgré les apparences, le couple n'a que peu de chose en commun.

■ Un cocktail de puérilité émouvante et de sex-appeal : le secret de la réussite de Marilyn. Elle ne parviendra toutefois jamais à trouver la sécurité tant recherchée. Elle meurt le 5 août 1962 d'une surdose de médicaments.

Misfits, dont il écrit le scénario en lui réservant le premier rôle, celui de Roslyn, une femme de volonté. À cette occasion, ils découvrent combien ils se comprennent peu.

Marilyn développe une relation affectueuse avec son beau-père, Isidore : il l'aime comme sa fille, elle l'appelle « Dad ». Cette relation tient de l'affinité de deux âmes. Miller en tire les leçons et redécouvre son père à travers les yeux de Marilyn. Il en perçoit, peut-être pour la première fois, l'intelligence intuitive. Toujours est-il que, dès lors, c'est à lui qu'il réserve la primeur de ses nouvelles pièces.

Le couple Miller-Monroe atteint le point de non-retour après la deuxième fausse-couche de Marilyn. Elle a pris entre-temps l'habitude de noyer dans l'alcool sa sensation de solitude et son incapacité à se gérer elle-même, et elle abuse des barbituriques. Elle ne peut se défaire de son sentiment de culpabilité, et augmente les doses. Le fossé qui sépare les époux s'élargit. Dans *Certains l'aiment chaud,* elle chante : « *I'm through with love, I'll never fall again* » (J'en ai fini avec l'amour, je ne me laisserai plus prendre au piège), et c'est sans aucun doute ce qu'elle ressent. Ils divorcent le 11 novembre 1961. Arthur se remarie bientôt. Le 5 août 1962, Marilyn meurt dans son sommeil d'une surdose de médicaments, à seulement trente-six ans. Arthur refuse de se rendre à son enterrement.

MARILYN MONROE ET ARTHUR MILLER

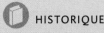 HISTORIQUE

Marilyn est née le 1er juin 1926 sous le nom de Norma Jean Mortenson. Sa mère, Gladys, n'a pas donné le nom de son vrai père à sa naissance. Mère célibataire, elle confie sa fille à des parents nourriciers. Pour Marilyn commence alors une odyssée qui la mènera dans divers orphelinats et chez des familles d'accueil, jusqu'à son mariage avec Jim Dougherty le 19 juin 1942. Elle travaille comme modèle pour des photographes, alors que la guerre n'est pas terminée. Elle divorce le 13 septembre 1946 et prend le nom de scène de Marilyn Monroe pour augmenter ses chances d'obtenir un rôle au cinéma. Elle interprète d'abord des personnages de deuxième, voire de troisième plan, jusqu'à ce qu'elle obtienne un premier rôle dans *Niagara*, en 1953. Arthur Miller, né le 17 octobre 1915, est le fils d'un fabricants de tissus juif. Sa jeunesse est marquée par les conséquences du krach boursier de 1929. Entre 1934 et 1938, il finance ses études en faisant divers petits métiers. Ses pièces tournent souvent autour du thème de l'être brisé par les règles d'une société orientée vers le profit. En 1949, Arthur a réussi à percer auprès du public et de la critique avec sa pièce *Mort d'un commis voyageur*. En 1951, alors marié et père de deux enfants, Arthur Miller refuse les premières avances de Marilyn. Il la rencontre une nouvelle fois en 1955. Entre-

temps, elle a fondé sa propre société de production et elle prend des cours d'art dramatique à New York. Cette fois, ils entretiennent une liaison. Miller divorce et ils se marient le 29 juin 1956, mais le couple ne sera pas heureux. Malgré l'aide de son mari, Marilyn ne parvient pas à se séparer de ses faux amis, à surmonter ses angoisses avant les tournages et à abolir sa dépendance aux médicaments. Le couple se sépare en 1961 après le tournage de *The Misfits (Les Désaxés)* – vingt-neuvième et dernier film de Marilyn –, d'après un scénario d'Arthur Miller. Ce dernier épouse Inge Morath peu après leur divorce. Marilyn Monroe meurt le 5 août 1962 d'une surdose de médicaments, quelques jours seulement avant son remariage prévu avec Joe Di Maggio, qui, chaque semaine, fera porter des fleurs sur sa tombe pendant plus de vingt ans.

 ET...

À lire :
Marilyn, une femme, de Barbara Leaming, Albin Michel, Paris, 2000.

Marilyn Monroe : la Biographie, de Donald Spoto, Presses de la Cité, Paris, 1993.

Au fil du temps : une vie, d'Arthur Miller, Grasset, Paris, 1988.

Les Misfits, d'Arthur Miller, Le Livre de Poche, Paris, 1972.

À voir :
Marilyn : Portrait d'une légende, version française 1997, Paris.

Les Désaxés (The Misfits), de John Huston, avec Marilyn Monroe, Clark Gable et Montgomery Clift, États-Unis, 1961.

À visiter :
La tombe de Marilyn Monroe au Westwood Village Memorial Park à Los Angeles (Californie).

✳ L'AVIS DE L'AUTEUR

Le couple idéal de l'Amérique : l'esprit et l'érotisme enfin réunis. La fin fut malheureusement tragique.

Ingeborg Bachmann et Max Frisch

Il dit que c'est « *aux premières lueurs de l'aube, il y a des années de cela… exactement dans ces heures grises du petit matin* » que commence leur amour. Elle est un peu plus précise : c'était le 3 juillet 1958.

■ L'amour à une époque difficile. L'écrivain suisse Max Frisch (1911-1991) en 1964.

Lui, Max Frisch, un célèbre écrivain suisse, veut accompagner Ingeborg Bachmann, une poétesse autrichienne encore peu connue, à la représentation de l'une de ses pièces à Paris. Au lieu de cela, ils vont au restaurant. Ils échangent leurs premiers baisers sur un banc public, puis ils vont aux Halles, « où l'on sert en premier le café, avec, à la table voisine, des bouchers, avec leurs blouses pleines de sang : cet avertissement trop grossier ». C'est un jour qui marque les amoureux et ils le fêtent ensuite tous les ans, mais, pour Ingeborg Bachmann, c'est un jour « où [elle ne s'est] pas défendue et [a] laissé les choses se faire ». Pour Max Frisch, ces heures grises du petit matin ne sont pas celles d'une aube nouvelle après une nuit d'amour, mais le début des heures noires. Ils s'aiment, mais leur amour est complexe.

Il est vrai qu'ils vivent à une époque difficile. La Seconde Guerre mondiale s'est achevée il y a tout juste quinze ans, et la prochaine guerre semble menacer chaque matin. Max se souvient d'une période où « la violence et le combat sont omniprésents, et la guerre perpétuelle ». Les survivants reconstruisent sur les ruines, étonnés que la vie puisse continuer, et ils se battent pour un nouveau départ. L'ancienne morale est rejetée, l'union éternelle du couple est remise en question, tout comme le rôle de l'homme et de la femme, la fidélité et la religion. Dans un premier temps, seul le milieu des artistes et des intellectuels est concerné. Quiconque veut vivre en couple doit s'efforcer de rompre avec la tradition, mais il n'existe pas encore de modèles qui puissent servir de nouvelles références. Alors qu'autrefois les personnes qui ne pouvaient ou ne voulaient pas légaliser leur union devaient faire face à une résistance extérieure, les difficultés viennent désormais du couple lui-même. La « guerre perpétuelle » dont parle Ingeborg Bachmann est celle des sexes, l'ennemi est l'ami, la bien-aimée est l'adversaire.

Après une semaine passée en amoureux, c'est, « pour des raisons évidentes, la première séparation », résume Max Frisch sans ambiguïté. Or, à peine sont-ils séparés qu'ils se manquent déjà mutuellement. « Vers ou loin d'elle ? » Commencent alors les tiraillements des amoureux, qui doivent se montrer à la hauteur de leur choix de vie. Tout cela est nouveau, surtout pour elle, car « sa liberté fait partie de sa

■ « C'est la guerre perpétuelle. » La poétesse autrichienne Ingeborg Bachmann (1926-1973).

splendeur ». Frisch accompagne son amie à Francfort, où elle doit donner une conférence. Il y assiste, il est assis, tenant le manteau d'Ingeborg sur ses genoux, mais elle décide qu'elle ira seule à Francfort les fois suivantes. Elle exige une liberté qui correspond à l'esprit de l'époque, mais qu'ils ne peuvent, ni l'un ni l'autre, apprécier comme il se doit. Ingeborg démontre qu'elle exerce la sienne. Elle ne veut pas prendre moins de risques sous prétexte qu'elle est une femme. Elle s'est aventurée dans des domaines masculins par le choix de ses études, la

L'AMOUR ET LA LIBERTÉ FORMENT UN COUPLE ÉTRANGE.
Pour le moment, Ingeborg Bachmann a le droit de choisir comment, avec qui et où elle se plaît le mieux, mais « *la jalousie est mon tribut*, écrit Max Frisch, *et je paie plein tarif* ». Plus tard, elle lui révèle de nouveau son côté le plus intime, dont sa ville natale, Klagenfurt. Elle dit à Max qu'il est « *le premier homme à qui elle montre ça, à qui elle montre sa famille* ». Ils vivent ensemble à Rome. Il lui demande sa main, par écrit. Elle ne répond pas. Ils restent ensemble sept mois, puis il tombe malade. En 1959, pendant l'été, il lui demande de partir, et, peu après, « *[il était] de nouveau en bonne santé. Bientôt [il sut qu'il ne voulait] pas vivre sans elle* ». Les amoureux tombent-ils malades l'un à cause de l'autre ou à cause de leur liberté ?

philosophie, et par le thème de sa thèse sur Wittgenstein, l'auteur du *Traité logico-philosophique*. Quand Max et Ingeborg se séparent définitivement, la guerre des sexes fait rage entre eux. Dans un premier temps, elle se déroule dans l'intimité. Ils s'écrivent l'un à l'autre des lettres et se montrent leurs journaux intimes, puis ils les lisent à l'insu l'un de l'autre, et même, parfois, les brûlent. À la fin, Ingeborg exige que Max la vouvoie. Leur dispute a ensuite lieu en public. En tant qu'écrivains connus, ils ne manquent ni de lecteurs et ni d'au-

■ Ni avec ni sans elle. En juillet 1958, Max Frisch accompagne Ingeborg Bachmann à Paris pour aller voir une représentation de sa pièce, *Biedermann et les Incendiaires*. Ils préfèrent le restaurant au théâtre et, de ce jour, forment un couple. Commence alors une lutte entre la distance et la proximité, l'amour et la liberté.

diteurs zélés, l'oreille tendue. Les journaux ont évoqué un possible mariage pendant leur relation, mais, maintenant, le couple lui-même rend compte ouvertement de ses difficultés.

Max Frisch intègre leur temps de vie commune dans l'un de ses romans. Ingeborg se sent alors rabaissée au rang de « cas », et elle se défend. Elle a interprété l'écriture comme un rapport de forces, et elle se voit perdante face à Max Frisch. Pendant des années, elle publie peu, parfois pas du tout. Lui est, certes, motivé par l'amour, jusqu'à ce qu'il parle de sa vie avec elle comme d'un « esclavage ». Pourtant, elle ne l'empêche pas de travailler ; lui, oui : il l'a exploitée en tant que femme parce qu'il sait « comment on s'impose dans une autre vie ». Inutile d'espérer une quelconque amélioration. En effet, constate Ingeborg, si l'homme change de partenaire, « il ne modifie pas son comportement, car son système malade est infaillible, il se répète, s'est répété et se répétera ». Leur liaison devient la trame de leurs livres. Ingeborg ne simplifie pas la vie du lecteur, car elle ne cite jamais le nom de Max, et il faut trouver dans la peau de quel monstre elle l'a mis. Max Frisch, en revanche, décrit leur histoire sans ambiguïté, et il l'appelle par son nom. Ce que ni l'un ni l'autre ne révèle tout à fait, c'est la raison, le sens et le contenu de leur amour. Il n'est question dans leurs écrits que de problèmes, jamais de bonheur. Est-ce un signe de cette époque ou est-ce uniquement parce qu'ils

■ « Sa liberté fait partie de sa splendeur. » Ingeborg voit dans l'amour une attaque contre son indépendance. Elle le ressent comme un obstacle, comme une exploitation de sa personne.

■ Au début, Max Frisch et Ingeborg Bachmann se livrent un combat amoureux dans l'intimité. Plus tard, ils le feront publiquement, dans leurs écrits. La poétesse crypte leur histoire, l'écrivain l'expose clairement et appelle Ingeborg par son nom. Celle-ci se sent rabaissée au rang de « cas ».

■ Bachmann et Frisch restent muets sur le bonheur que leur apporte leur amour
– ce qui ne signifie pas qu'il en fut exempt. Max Frisch en septembre 1989.

écrivent leur histoire en commençant par l'épilogue ? Selon Max, ils ont « mal supporté la fin, tous les deux ». Leur histoire d'amour s'est-elle tant dégradée dans leur mémoire, et le souvenir en est-il plus mauvais qu'elle ne le fut en réalité ? Wittgenstein dit que l'on doit taire ce dont on ne sait pas parler, et peut-être l'écrivain et la poétesse se sont-ils tenus à ce principe et ont-ils ainsi protégé, d'un commun accord, par leur silence, le bonheur et les joies qui ont sans doute composé la face cachée de toutes ces souffrances.

INGEBORG BACHMANN ET MAX FRISCH

HISTORIQUE

Ingeborg Bachmann, née le 25 juin 1926, est l'aînée des enfants de Matthias et Olga Bachmann. Elle écrit ses premiers poèmes dès le lycée. Après des études de philosophie de 1945 à 1950, elle travaille pour la station de radio viennoise Rot-Weiss-Rot, sur laquelle on entend, en 1952, sa première pièce radiophonique. En mai de la même année, elle fait une lecture publique devant le Gruppe 47, un forum de jeunes écrivains dont les œuvres vont fortement influencer l'orientation de la littérature allemande de l'après-guerre. En 1953, elle obtient le prix littéraire du Gruppe 47 pour son recueil de poèmes *Die gestundete Zeit* (*Le Temps mesuré*). De 1953 à 1957, elle vit par intermittences à Rome. Elle obtient le prix littéraire de Brème en 1957. Le compositeur Hans Werner Henze, dont elle a été plusieurs fois la librettiste, la fait venir à Munich en 1958. Le 25 septembre 1958, la station de radio bavaroise Bayerische Rundfunk passe sa pièce radiophonique *Le Bon Dieu de Manhattan*, qui attire sur elle l'attention de Max Frisch. Max Frisch, né le 15 mai 1911 à Zurich, est fils d'architecte. Il suit tout d'abord la voie paternelle et crée un cabinet d'architecte qu'il conservera, parallèlement à ses activités littéraires, jusqu'en 1955. Il rencontre Ingeborg Bachmann à l'occasion d'une représentation de sa pièce, *Biedermann et les Incendiaires*, à Paris le 3 juillet 1958. Le couple vit ensuite par intermittences à Zurich jusqu'en mai 1959. En été de cette même année, Max Frisch divorce de sa première femme, Charlotte, avec qui il a eu trois enfants en dix-sept années de vie commune. En automne, il demande par écrit sa main à Ingeborg, qui refuse. Le couple part s'installer à Rome en 1960. Il se sépare à la fin de 1962, et, après une dernière rencontre en 1963, Max Frisch intègre leur relation dans son roman *Mein Name sei Gantenbein*, qui paraît en 1964, ce qui blesse profondément Ingeborg Bachmann. On trouve également des traces, mais beaucoup plus cryptées, de leur relation dans son roman *Malina* (1971), dont le thème central est l'échec d'une femme face à l'égocentrisme de son partenaire. Ingeborg meurt, le 17 octobre 1979 des suites de brûlures occasionnées par un incendie survenu dans la nuit du 25 au 26 septembre 1979. En son hommage, sa ville natale crée le prix littéraire Ingeborg Bachmann, attribué au meilleur manuscrit non publié de l'année. Max Frisch se remarie en 1968 et obtient nombre de récompenses et d'hommages pour ses livres. Il meurt à près de quatre-vingts ans, le 4 avril 1991, à Zurich.

ET...

À lire :
Malina, d'Ingeborg Bachmann, Éditions du Seuil, Paris, 1991.

Le Désert des miroirs, de Max Frisch, Gallimard, Paris, 1982.

À voir :
Malina, de Werner Schroeter, avec Isabelle Huppert, Allemagne, 1991.

✳ L'AVIS DE L'AUTEUR

Un amour bref et compliqué, dans un milieu qui veut changer les choses et ne sait pas encore dans quelle direction. Cette position est plus confortable dans la littérature que dans la vie.

Winnie et Nelson Mandela

Nelson Mandela fait souvent l'expérience magnifique
de revivre en détail des moments merveilleux qu'il a vécus
avec sa femme. Il imagine, dans son for intérieur, tout
ce qui la fait « *physiquement et spirituellement : la forme
de [son] front, de [ses] épaules et de [ses] membres,
les remarques attentionnées qu[elle faisait] chaque jour* »…
Il se souvient avec nostalgie du jour où elle était avec
Zindzi et où, « *enceinte, [elle avait] du mal à [se] couper
les ongles des doigts de pied à cause de [son] gros ventre* ».

Ces extraits d'une lettre de Nelson Mandela à sa femme, Winnie,
donne l'impression d'un couple qui mène une vie de famille paisible, où le mari regarde en souriant sa femme qui fait sa toilette.
Mais il n'en est rien : Winnie et Nelson ne connaissent que quelques sporadiques instants d'intimité, quelques jours et quelques
nuits ensemble, puis chacun reprend sa vie,
avec son lot de dangers – ils sont assignés à
résidence ou jetés en prison, ils se réfugient
dans la clandestinité ou partent à l'étranger…

L'assignation à résidence n'est autre
qu'une incarcération à domicile : interdiction
de sortir, d'avoir des contacts avec l'extérieur,
de travailler ou de parler avec quiconque. C'est
comme la prison, mais l'État s'épargne les frais
d'hébergement.

Ils ne sont unis que par la pensée et le courrier qu'ils échangent, et aussi par leur but
commun : la libération de l'Afrique du Sud.
Ils ne parviennent même pas à célébrer tran-
quillement leur mariage. Certes, une cérémo-

nie les a déjà unis légalement, chez Winnie,
mais l'indispensable rite bantou, dans la maison du marié, ne peut pas avoir lieu, car ils
n'en ont pas le temps. Pendant des années,
Winnie va conserver la deuxième moitié de
leur gâteau de mariage, dans l'espoir de pouvoir un jour achever la cérémonie. Nelson
doit en effet retourner à Johannesburg, où se
déroule un procès pour haute trahison, mais
il ne va pas à la barre en tant que défenseur.
Certes, il est magistrat, mais il a dû fermer
son cabinet, et, ce jour-là, c'est comme pré-
venu qu'il comparaît, avec cent cinquante-
cinq autres militants de l'ANC, l'African
National Congress, une organisation luttant
pour libérer l'Afrique du Sud du joug des
Blancs. La situation des Noirs est insupportable dans cet État pratiquant l'apartheid. Ils
n'y ont aucun droit : ils ne peuvent pas voter,
ni acheter des terres, ni accumuler des richesses. De plus, ils sont humiliés et harcelés
quotidiennement : on leur refuse l'accès aux
magasins, on les oblige à entrer dans les bâ-
timents publics par la porte de service, ils

doivent descendre des trottoirs pour céder le passage aux
Blancs... Le pire est encore leur pauvreté. Leur situation est si
catastrophique que dans les townships des cortèges funèbres ac-
compagnent chaque jour au cimetière des adultes et des enfants
morts de faim.

Nelson Mandela fait partie du peuple xhosa et il grandit dans un
clan authentique et encore intact dont son père est le chef.
Nelson doit partir travailler lorsque les Blancs destituent son
père et lui confisquent ses biens, mais il est trop ambitieux et as-
soiffé de connaissances pour ne pas aller à l'école et, plus tard, à
l'université, où il étudie le droit. Il se marie avec une jeune
femme de son peuple. Par miracle, il trouve un cabinet juridique
qui accepte de prendre un Noir comme stagiaire. Il assiste
chaque jour à l'humiliation de son peuple, sa fierté en souffre et
il perd toute confiance envers l'État où il vit. Mandela lit des
écrits marxistes, se documente sur les formes d'action de

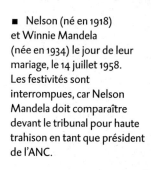

■ Nelson (né en 1918)
et Winnie Mandela
(née en 1934) le jour de leur
mariage, le 14 juillet 1958.
Les festivités sont
interrompues, car Nelson
Mandela doit comparaître
devant le tribunal pour haute
trahison en tant que président
de l'ANC.

■ Nelson Mandela félicite Winnie après son élection au comité exécutif de l'ANC, le 21 décembre 1994.

■ Nelson et Winnie Mandela au mariage de leur fille, Zindzi, en octobre 1992. Le couple est séparé depuis le mois d'avril précédent. À cause de ses activités clandestines et de son long emprisonnement , Nelson Mandela n'a, pour ainsi dire, pas participé à l'éducation de ses filles.

Gandhi, rencontre secrètement des communistes et ouvertement des membres de l'ANC, à son goût beaucoup trop modérés. Avec quelques compagnons, il enseigne à cette organisation des formes légales et illégales de résistance, allant de la désobéissance civile au sabotage, en passant par la grève. L'ANC devient la raison de vivre de Mandela, et lui en est le cœur. Lorsqu'il comparaît devant le tribunal ce jour-là, l'ANC est illégale. Le régime de Pretoria, qui a adopté une ligne dure, n'est prêt à aucun compromis ni à aucune négociation. En revanche, il est fermement décidé à décapiter le mouvement.

Mandela se sépare de sa première femme, Eveline, quand il la voit se tourner vers les témoins de Jéhovah et refuser de le soutenir dans son action.

Nelson, qui est déjà une personnalité connue, fait la connaissance de sa deuxième épouse, une assistante sociale noire beaucoup plus jeune que lui, alors que, à la recherche de soutien pour l'ANC, il démarche la clinique où elle travaille. Il tombe apparemment fou amoureux de la séduisante Winnie, de son vrai nom Nomzamo Winnifred Madikizela, qui ne se doute de rien. Un jour, Nelson arrête sa voiture au bord du trottoir et lui dit qu'il y a, près de là, une couturière qui ne demande qu'à lui faire sa robe de mariée. Pour sa part, il est déjà prêt à rechercher au-

tant de demoiselles d'honneur qu'elle veut :
« Je te jure par tous les dieux de l'Afrique que
nous nous marierons. »

À l'issue du procès pour haute trahison, tous
les prévenus sont relaxés. Mandela retourne
aussitôt dans la clandestinité. Au cours des
années suivantes, il sillonne l'Afrique et va
même jusqu'en Grande-Bretagne *incognito*
toujours tributaire de l'aide de partisans acquis à sa cause, dont beaucoup de Blancs.
Quand il revient au pays, son message est
clair : le monde entier a pris fait et cause
pour la lutte des Noirs d'Afrique du Sud
contre l'apartheid.

Les Mandela ont deux petites filles. Nelson
ne peut voir sa famille qu'en cachette. Il est
parfois si admirablement déguisé que sa
femme elle-même ne le reconnaît pas. La police est sans cesse aux aguets. Winnie raconte
combien elle a « toujours espéré l'entendre
taper à la fenêtre, toujours attendu cet instant sacré ».

Mandela a étudié Gandhi à fond, mais, malgré tout, il ne se sent pas entièrement

■ Le monde entier se réjouit :
Nelson Mandela est libre ! Il est
relâché en 1990 après avoir
passé vingt-sept ans en prison.
Le difficile chemin vers l'égalité
des Noirs, semé d'embûches,
est encore devant lui. Winnie
et Nelson emprunteront
des voies opposées.

convaincu par ses méthodes pacifiques de résistance. Il décide
alors, avec ses compagnons, de la création d'un bras armé de
l'ANC. Le quartier général militaire du mouvement est installé
dans le plus grand secret près de Riviona, et Mandela prend le
commandement de cette armée de l'ombre. Il lit Clausewitz et
s'imprègne de sa définition de la guerre comme « prolongement
de la politique par des moyens différents ». Hélas, juste au moment où il sent s'esquisser une chance de victoire, alors que son
organisation met en œuvre avec succès sa force de frappe, la police retrouve sa trace et l'arrête. La base militaire secrète de
l'ANC est découverte peu après et, avec elle, la position évidente de chef militaire de Mandela. En 1964, il est condamné à
la prison à vie avec ses compagnons. Il passera vingt-sept ans
derrière les barreaux, la majeure partie du temps dans la redou-
table île-prison de Robben Island, au large du Cap. Ce n'est
qu'au bout de six mois de captivité que sa femme peut lui rendre

■ Le 13 avril 1992, Nelson Mandela fait part de sa séparation d'avec Winnie. Pendant leurs longues années d'oppression et de souffrance, ils ont développé des thèses opposées sur la forme de lutte à adopter. Lui n'a jamais perdu la foi dans les capacités de la diplomatie et du dialogue avec l'adversaire, alors qu'elle opte pour la vengeance.

visite. Winnie comparaît aussi à plusieurs reprises devant la justice. Elle est mise en prison puis assignée à résidence. Non seulement elle ne peut pas compter sur l'aide de son mari, mais, en outre, leurs deux enfants sont à sa charge. Le pire pour elle pendant sa détention est l'isolement, qui l'a, avoue-t-elle, brisée. Nelson, le plus célèbre détenu politique du monde condamné à une longue peine, est libéré en 1990 et se forge une attitude raisonnable. Il participe à une conférence avec le président Botha, le chef du régime haï. Winnie, quant à elle, perd toute raison politique et se lance dans une campagne de vengeance effrénée, bien compréhensible mais nuisible. Elle opte pour une justice expéditive et s'entoure de nervis qui ont bientôt sur la conscience la mort d'un jeune garçon. Ses excès conduisent Nelson Mandela à se séparer d'elle, et quand, en 1994 – quelle belle revanche ! – il est élu président, ils ne vivent déjà plus ensemble.

Nelson et Winnie divorcent en 1996. Winnie continue ses activités politiques. Nelson Mandela contracte un troisième mariage avec Graça Machel, la veuve du président du Mozambique, mort dans un accident d'avion en 1986.

WINNIE ET NELSON MANDELA

HISTORIQUE

Nelson Rolihlahla Dalibhunga Mandela, fils d'un chef de tribu, est né le 18 juillet 1918, dans le village de Mvezo, district d'Umtata, au Transkei. Il a neuf ans quand son père meurt. Il fréquente un établissement scolaire de missionnaires jusqu'en 1934, puis une école méthodiste supérieure, à Healdtown. Il commence ses études de droit à l'université de Fort Hare et les termine en 1942 à Johannesburg. Il se marie une première fois en 1944, mais divorce en 1955. En 1944, il fonde avec des amis politiques la Ligue des Jeunes pour l'African National Congress (ANC). Il en devient le président en 1952, et ouvre, avec Oliver Tambo, le premier cabinet d'avocats noirs à Johannesburg. Il est assigné à résidence en décembre de la même année, mais n'en continue pas moins son activité politique illégale de résistance contre l'apartheid. En 1957, il fait la connaissance de Nomzamo Winnifred Madikizela, la première assistante sociale noire d'Afrique du Sud. Elle est née en 1934 de parents enseignants à Bizana. Elle commence ses études en 1953 à Johannesburg, et entre à l'ANC en 1958, année où elle épouse Nelson Mandela. À la suite du massacre de Sharpeville, en 1961, qui fait soixante-neuf morts, l'ANC décide de mener la lutte armée contre le gouvernement. En 1962, au retour d'un voyage à l'étranger, Mandela est fait prisonnier avec d'autres chefs de l'ANC et condamné à la prison à vie, le 12 juillet 1964. Winnie n'a le droit de lui rendre visite en prison que deux fois par an et Nelson ne reverra ses deux filles et son petit-fils qu'en 1987. Winnie Mandela continue activement sa lutte politique contre l'apartheid. Elle est emprisonnée en 1969-1970, et on lui interdit ensuite de pratiquer son métier. Elle est finalement assignée à résidence de 1977 à 1985. Cédant à la pression internationale croissante, le président Frederik W. De Klerk lève l'interdiction de l'ANC et, le 11 février 1990, il fait libérer Nelson Mandela. Mandela reçoit le prix Nobel de la paix en 1993, et est élu à la présidence de la République à l'issue des premières élections libres en Afrique du Sud, qui se déroulent du 26 au 29 avril 1994. Nelson se sépare de sa femme en avril 1992, celle-ci ayant été condamnée pour avoir été mêlée à la mort d'un jeune Noir. Le divorce est prononcé en mars 1996, et il se remarie, à quatre-vingts ans, le 18 juillet 1998, avec Graça Machel, la veuve du président du Mozambique.

ET...

À lire :

Une part de mon âme, de Winnie Mandela, Éditions du Seuil, Paris, 1986.

Un long chemin vers la liberté, de Nelson Mandela, Fayard, Paris, 1995.

À voir :

Mandela : Son of Africa, Father of a Nation, d'Angus Gibson et Jo Menell, Afrique du Sud, 1996.

Le Cri de liberté, de Richard Attenborough, avec Kevin Kline, Penelope Wilton et Denzel Washington, Grande-Bretagne, 1987.

✱ L'AVIS DE L'AUTEUR

La lutte contre l'apartheid en Afrique du Sud fut un combat de longue haleine, mené par des militants admirables. Mandela en faisait partie.
Ce n'est pas l'échec de son couple face aux risques et aux privations qui est étonnant, mais qu'il ait tenu si longtemps.

John et Jackie Kennedy

Dans un poème qu'elle lui dédie, Jackie regrette que John, « *tout à la quête de la Toison d'or* », n'ait jamais trouvé ni l'amour ni la paix.

■ L'art de la communication : Jacqueline (1929-1994) et John Fitzgerald Kennedy (1917-1963) avec leur fille Caroline, en 1960.

Ils sont ambitieux. Il sait ce qu'il veut : devenir président des États-Unis. Elle sait seulement ce qu'elle ne veut pas : être femme au foyer. Alors, quand le cours de l'Histoire fait d'elle la *First Lady* d'Amérique, elle tire le maximum de son rôle. Rien ne laissait pourtant prévoir un tel destin, ni pour l'un ni pour l'autre. John Fitzgerald Kennedy est né dans une famille catholique très fortunée, mais qui n'appartient pas à la classe dirigeante traditionnelle des *White Anglo-Saxon Protestants* (WASP : protestants blancs d'origine anglo-saxonne). Les ancêtres de John sont des émigrants catholiques irlandais sans le sou. Son grand-père réussit à gravir quelques degrés de l'échelle sociale, puis son père, banquier à Boston, devient millionnaire et est nommé ambassadeur à Londres. Comme ses frères et sœurs, John reçoit la meilleure éducation. Bien que les Kennedy ne soient pas admis dans les clubs selects, rien ne peut les empêcher de briguer les fonctions politiques et militaires les plus élevées. Malgré le poids de la haute société et de sa mentalité, l'Amérique donne une chance à tous,

et l'ambition compte plus que la naissance. John Fitzgerald Kennedy, officier méritant pendant la Seconde Guerre mondiale, où il est blessé dans le Pacifique, a donc toutes ses chances. Jacqueline Lee Bouvier le sait pertinemment quand elle fait sa connaissance à une soirée, en 1951. Ses ancêtres sont des émigrés français qui, bien qu'ils le prétendent, ne sont pas issus de la noblesse, mais du modeste milieu des artisans. Jacqueline est irlandaise du côté de sa mère et, comme John, catholique. On est donc loin, avec elle aussi, d'un quelconque lien avec les WASP. Mais elle est belle, intelligente, cultivée, parle plusieurs langues… Un président pourrait donc se montrer avec elle sans rougir. Le lendemain de leur rencontre, John la rappelle, avec la

■ Le couple soigne son image. Même sa vie privée fait l'objet d'une mise en scène soignée : John et Jackie Kennedy en train de regarder les photographies de presse de leur mariage.

volonté de ne pas en rester là. Tout cela semble froid, comme si l'histoire de John et Jackie Kennedy n'était faite que de calculs et de plans de carrière. Sans doute y a-t-il autre chose, mais leur union, en tous cas, dégage un relent de mariage de raison, ce qui n'est pas sans rappeler les pratiques autrefois courantes en Europe chez les nobles, voire dans la grande bourgeoisie. De nos jours, tout individu normal refuserait une telle union. Quand il se marie, il veut aimer, et même aimer de passion. Pour le futur président des États-Unis et pour sa femme, ces pratiques aristocratiques désuètes ont quelque chose de positif. Le couple va, par ailleurs, étonnamment bien fonctionner.

En fait, John Fitzgerald Kennedy ne veut pas se marier. C'est un don Juan : il aime conquérir les cœurs, mais il se lasse rapidement. Il est sans cesse entouré d'un essaim de jeunes filles, dont certaines sont ses maîtresses. Il entretient plusieurs relations intimes, et il apprécie les femmes, même cette authentique espionne qui, un jour, se glisse parmi ses admiratrices. John F. Kennedy ne cessera jamais ses conquêtes féminines, même après son mariage avec Jackie, en 1953. La belle brune dont tout le monde admire l'élégance ressemble, par certains côtés, énormément à son mari. Peut-être l'aime-t-elle plus qu'il ne l'aime, mais, même s'ils donnent le change, ce n'est pas le grand amour, ni pour l'un ni pour l'autre. Tous deux jouent parfaitement leur partition politique. Ce sont des acteurs au talent exceptionnel, qui soignent leurs apparitions et leur image. Jacqueline se complaît dans ce rôle, parce qu'elle a ce qu'elle veut : le pouvoir, obtenu grâce aux millions de dollars dépensés par sa famille, ainsi que par les lobbies sympathisants, dont la Mafia, pour la campagne présidentielle.

Jackie supporte avec indifférence les innombrables liaisons de son mari. Sans doute sait-elle que sa place à ses côtés n'est jamais remise en question. Lorsqu'ils se marient, John Fitzgerald Kennedy n'est encore que sénateur, mais la classe politique mise sur ce démocrate aussi intelligent qu'ouvert au monde et, qui plus est, séduisant. Il perd de premières élections à la vice-présidence, mais l'emporte la fois suivante, de justesse, devant Richard Nixon, et devient ainsi, le 20 janvier 1961, le trente-cinquième président des États-Unis.

Le couple a alors une petite fille de trois ans, Caroline, et son petit frère, John Fitzgerald Jr., naît pratiquement le jour de l'installation à la Maison-Blanche. Si Kennedy est, pour Jackie, un mari et un amant peu assidu, il aime en revanche tendrement ses enfants, en particulier sa fille. Les Kennedy prennent grand soin qu'il y ait toujours un photographe dans les parages, par exemple quand le président joue avec Caroline.

Malheureusement, le jeune président si rayonnant est un homme malade. Il souffre de la maladie d'Addison et de blennorragie, mais aussi d'une malformation de la colonne vertébrale. Il doit subir plusieurs opérations douloureuses pour conserver toute sa

■ Page de gauche : John et Jackie se promènent dans les rues en tenue décontractée, en 1953.

■ Des interprètes parfaits de leurs rôles politiques. Le contrat de mariage fonctionne sans accroc : elle a le pouvoir qu'elle voulait et, en contrepartie, elle supporte les innombrables liaisons de son mari ; il a, à ses côtés, une *First Lady* séduisante, charmante et cultivée. Le couple en 1960.

286

■ John F. Kennedy avec Jackie, le jour de la prestation de serment, le 20 janvier 1961.

■ Le 22 novembre 1963, Lee Harvey Oswald ouvre le feu sur Kennedy alors qu'il salue la foule de sa limousine. Jackie est à ses côtés.

mobilité. La *First Lady,* quant à elle, fait deux fausses-couches et elle perd un enfant quelques jours seulement après sa naissance. Le couple se révèle solidaire dans l'épreuve, et il s'instaure alors entre eux une intimité chaleureuse que leurs sentiments originaux n'avaient pas laissé prévoir. John et Jackie font, par ailleurs, front commun face aux turbulences politiques, tels le désastre de la baie des Cochons, la crise cubaine ou la lutte des Noirs contre la ségrégation. Quand, le 22 novembre 1963, Lee Harvey Oswald ouvre le feu sur la limousine de Kennedy, Jackie est, naturellement, à ses côtés. Elle n'a pourtant guère envie de prendre place dans le cortège présidentiel qui doit parcourir les rues de Dallas, mais elle veut assumer les responsabilités liées à la fonction de son mari. La dernière chose que voit John Kennedy avant de tomber sous les balles mortelles est le visage de Jacqueline.

JOHN ET JACKIE KENNEDY

HISTORIQUE

John Fitzgerald Kennedy, né le 29 mai 1917, est le deuxième fils du banquier Joseph P. Kennedy et de Rosa, sa femme. John ne brille guère pendant sa scolarité, mais son doctorat sur la politique d'apaisement face à Adolf Hitler fait grosse impression à Harvard. Il participe à la Seconde Guerre mondiale en tant qu'officier de marine dans le Pacifique. Au retour de la guerre, il est élu au Congrès, en 1946, dans les rangs démocrates. Afin de ne pas nuire à sa carrière politique, la maladie d'Addison, une affection fonctionnelle rare des glandes surrénales détectée chez lui en 1947, n'est pas révélée au public. C'est à Washington, en 1951, qu'il fait la connaissance de Jacqueline Lee Bouvier, née le 28 août 1929. Cette photographe de presse, descendante d'une famille française catholique, a fait de brillantes études à l'université pour femmes de Vassar, mais aussi à la Sorbonne et à l'université George-Washington. Outre l'anglais, elle parle couramment le français et l'espagnol. John et Jackie se marient le 12 septembre 1953 et ont trois enfants : Caroline, née en 1957, John Jr., né en 1960 et mort dans un accident d'avion en 1999, et Patrick, qui décède quelques jours après sa naissance, en 1963. Le 8 novembre 1960, Kennedy remporte de justesse les élections face à Nixon et devient ainsi le trente-cinquième président des États-Unis. Il se révèle compétent et clairvoyant en politique extérieure, par exemple lors des crises de Berlin et de Cuba en 1961 et 1962, ou lorsqu'il pose la première pierre de la politique de détente avec l'Union soviétique. En revanche, les États-Unis s'enlisent depuis 1961 dans la guerre du Vietnam, aux côtés du Vietnam du Sud. La politique intérieure de réforme des droits civiques en faveur des Noirs voulue par Kennedy ne sera mise en application qu'après sa mort, en 1964. Les dessous de son assassinat, commis le 22 novembre 1963 à Dallas (Texas) par Lee Harvey Oswald, ne sont toujours pas élucidés, malgré deux enquêtes approfondies. Jacqueline Kennedy se retire de la vie publique à la mort de son mari. Elle se remarie en 1968 avec Aristote Onassis, un armateur grec de vingt-neuf ans son aîné. Veuve en 1975, Jackie retourne à New York, où elle travaille comme éditrice et lectrice pour une maison d'édition jusqu'à sa mort, le 19 mai 1994.

ET...

À lire :

JFK : Affaire non classée, de Jim Garrison, Édition n° 1 : Michel Lafon, Paris, 1992.

John et Jackie : un amour tourmenté ; la Légende et la Vérité, d'Edward Klein, Robert Laffont, Paris, 1996.

American Tabloïd, de James Ellroy, Rivages, Paris, 1997.

À voir :

JFK, d'Oliver Stone, avec Kevin Costner, Sissy Spacek, Joe Pesci et Tommy Lee Jones, États-Unis, 1991.

À visiter :

Visite guidée de la Maison-Blanche, district de Columbia, au cours de laquelle sont commentées les modifications apportées dans son aménagement par Jackie Kennedy.

L'AVIS DE L'AUTEUR

Vie et représentation, sentiments et simulation, être et paraître s'entremêlent sans cesse dans ce couple politique. John et Jackie font bonne figure et sont réellement bons l'un pour l'autre.

Elizabeth Taylor et Richard Burton

Richard Burton est pris de vertige devant cette femme qu'il ressent amoureuse d'elle-même, aussi belle que distante et aux « *seins apocalyptiques qui, avant de faner, provoqueraient encore la chute de bien des empires* ».

En 1962, à Rome, on tourne *Cléopâtre*, le péplum américain qui bat alors tous les records : des décors fabuleux, une concentration de stars inouïe et un budget colossal. Le rôle-titre en est confié à Elizabeth Taylor. L'actrice a tout juste trente ans, elle en est déjà à son troisième mariage et elle a deux enfants. Elle relève tout juste d'une grave maladie.

Richard Burton joue Antoine. Acteur de théâtre, il n'a que peu d'expérience au cinéma, et il regarde de haut l'usine hollywoodienne. Il n'accepte le rôle que parce qu'il a besoin d'argent. La superstar américaine et le Gallois obstiné se sont déjà rencontrés quelques années auparavant. Dans son journal intime, Richard Burton avait alors décrit sa partenaire comme la « plus belle femme » avec des « seins apocalyptiques ». Maintenant, ils travaillent ensemble.

Tous deux sont ambitieux, pleins d'énergie et sincères. Ils se soutiennent mutuellement dans le travail, mais se disent aussi des vérités difficiles à entendre. Pendant les pauses, ils ingurgitent verre sur verre. Dès le premier jour, ils ne se quittent plus des yeux. L'érotisme provoquant et affiché d'Elizabeth, qui n'a d'égal que sa beauté, le met dans tous ses états. Elle est envoûtée par l'intelligence, l'arrogance et la vulnérabilité de Richard. Richard Burton, né en 1925, est le douzième de treize enfants. Il a réussi à la force du poignet à se faire un nom parmi l'élite des acteurs, plus en jouant Shakespeare qu'en apparaissant dans les films sentimentaux d'Hollywood. C'est un homme

Toute l'équipe de tournage retient son souffle pendant les scènes d'amour de *Cléopâtre*, car chacun sait que ce n'est pas uniquement de la comédie. La réalité dépasse la fiction, Antoine et Cléopâtre deviennent un couple bien réel.

délicat, intelligent, fidèle, chaleureux et fier de sa famille : Sybil, sa femme, et ses deux filles, mais il a aussi un grand besoin de liberté, et il compte sur sa célébrité et sa gloire pour séduire. Il est animé par le désir ardent de plaire à toutes les belles femmes. De tels besoins étant difficilement compatibles, Richard Burton noiera dans l'alcool sa peur de l'échec et son sentiment de culpabilité pendant toute sa vie.

Elizabeth Taylor, née en 1932, est déjà vedette dans son enfance et, à seize ans, elle brille dans les rôles de maîtresse. Sa carrière a été préparée, planifiée et surveillée par une mère ambitieuse. Elizabeth n'a donc aucune idée de ce qu'est l'enfance, ni des responsabilités qui incombent aux adultes. On l'a mise sur des rails, on l'admire, on l'applaudit et on l'adule depuis toujours. Sa vie se déroule comme un film kitsch entre les décors de tournage, sans contacts avec le monde réel. Ses mariages sont des tentatives pour sortir de cette bulle par l'intermédiaire d'un compagnon. L'un deux, le réalisateur Mike Todd, réussit dans ce rôle. Il gâte sa femme, comme tous les autres, mais il est assez fort pour ne pas se mettre en situation de dépendance par rapport à elle, à sa fortune et à son succès. Il sait se montrer suffisamment autoritaire et il la remet à sa place. C'est exactement ce qu'Elizabeth attend depuis toujours. Malheureusement, Todd meurt dans un accident d'avion seulement un an après leur mariage. Elizabeth se retrouve seule et ne le supporte pas. En désespoir de cause, elle se jette au cou du chanteur Eddie Fischer. C'est une union sans bonheur, avec un homme qui l'ennuie. Le tournage de *Cléopâtre* la tire de cette situation. Elle tombe malade. Les yeux caves, amaigrie,

■ La superstar américaine Elizabeth Taylor (née en 1932) et l'acteur gallois Richard Burton (1925-1984) se rencontrent sur le tournage de *Cléopâtre*, en 1962. C'est le début d'une passion.

mais formidablement maquillée, elle monte finalement sur le trône d'Égypte et, quand Cléopâtre rencontre Antoine, Elizabeth acquiert une certitude : Richard Burton est celui qu'elle attendait. Commence alors une véritable histoire d'amour passionnel

■ Un couple de rêve – ou de cauchemar. Liz Taylor et Richard Burton se marient en 1964. Le Gallois est le quatrième et le sixième mari de la femme aux « seins apocalyptiques ». Ils divorcent en 1974, se remarient ensemble peu après et divorcent de nouveau tout aussi rapidement.

qui ne prend fin qu'avec la mort de Richard Burton, en 1984, alors qu'ils sont déjà depuis longtemps séparés et remariés chacun de leur côté. Chacun est, pour l'autre, l'amour de sa vie, l'être humain qui a le plus d'importance au monde, celui qui a accès à tout, qui sait tout de l'autre. Pourtant, ils ne s'entendent pas particulièrement bien. Lui ne se défait pas de son ton railleur, ni elle de ses criailleries vulgaires. Ils vivent deux ans en concubinage avant de se marier. Elizabeth a aussitôt divorcé de Fischer, mais Richard a longtemps hésité à se séparer de Sybil. Leur couple est rapidement plus connu pour ses disputes, ses fugues et ses beuveries que pour sa tendresse et son respect de l'autre. La bagarre, même physique, puisqu'ils en viennent parfois aux mains, fait partie de leur stratégie amoureuse. C'est leur façon de s'aimer, et rien, au début, ne laisse penser que leurs sentiments en souffrent. Les insultes et les pires outrages pleuvent, la concurrence entre eux est hideuse et les beuveries sont douloureuses, mais ils s'aiment plus que tout au monde. Ils le savent, tout comme la presse, qui les traque.

Elizabeth Taylor et Richard Burton tournent à plusieurs reprises ensemble. *Qui a peur de Virginia Woolf ?*, en 1965, est leur meilleur film et le plus célèbre. Un peu comme dans *Cléopâtre*, on devine à travers le drame du couple de Martha et George, qui s'aiment autant qu'il se haïssent, la vie sentimentale d'Elizabeth et Richard. Leurs rôles dans *Cléopâtre* les fait tomber sous le charme l'un de l'autre. *Qui a peur de Virginia Woolf ?* dévoile maintenant le côté destructeur de leur passion et ses

conséquences humiliantes. Martha : « Je vais te montrer, mon amour. » George : « Fais attention, Martha, je te déchire en pièces. » Martha : « Tu n'es pas assez viril pour ça. Tu manques de courage. » George : « La guerre totale ? » Martha : « Totale ! » Ils se retrouvent face à face dans les rôles de Kate et Petruccio, de *La Mégère apprivoisée,* dont ils assument la production. Elizabeth Taylor peut alors montrer que, grâce à Richard Burton, elle est maintenant capable de jouer Shakespeare, et lui reconnaît qu'il a appris de sa femme comment se comporter devant une caméra. « Elle m'a révélé des finesses de tournage dont j'ignorais jusqu'à l'existence. » Mais, surtout, ils peuvent lutter l'un contre l'autre, se battre, crier et fulminer comme des charretiers, sans que le public doute un seul instant de la profondeur de leur amour. Comme dans la pièce de Shakespeare, la lutte est,

■ Liz Taylor et Richard Burton en 1970 à Monte-Carlo.

■ Des beuveries sans fin. L'alcool est à la fois un ciment et un explosif pour le couple.

■ La lutte en tant
que métaphore de l'amour.
Le film tourné en 1966 par Mike
Nichols, *Qui a peur de Virginia
Woolf?*, révèle le côté
destructeur de la passion.
Les acteurs principaux,
Elizabeth Taylor et Richard
Burton, ne jouent rien
de moins que leur propre
personnage.

pour Burton et Taylor, une métaphore de l'amour. Leur couple n'est plus que cris et disputes, l'aiguille du baromètre indique la tornade destructrice toute proche. Ils se séparent en 1974, alors

> Pour aussi explosifs que se révèlent leurs caractères dans leur fusion – voire dans leurs effusions –, ils n'en sont pas moins amicaux, délicats et dévoués vis-à-vis de leurs enfants, de leurs collègues et de leur personnel de maison. Tous témoignent de leur chaleur, de leur patience et de leur humanité à l'égard des autres, et non l'un envers l'autre.

■ Après la guerre, le repos
du guerrier. La passion prend
fin en 1984 avec la mort
de Richard Burton.

que chacun d'eux a déjà une autre liaison. Mais ils ne se débarrassent pas si vite l'un de l'autre et, lorsqu'ils se disent une deuxième fois « oui » devant le maire, la presse fait écho avec enthousiasme : la tempête et la pression se sont retrouvées, tout va bien dans le meilleur des mondes. Dix mois plus tard, pourtant, ils divorcent de nouveau. « Nous nous aimons, dit Elizabeth, mais nous ne pouvons pas vivre ensemble. »

ELIZABETH TAYLOR ET RICHARD BURTON

HISTORIQUE

Elizabeth (Liz) Rosemond Taylor, née le 27 février 1932, est la fille d'un marchand d'objets d'art et d'une actrice. Sa mère l'encourage très tôt à monter sur scène. Elizabeth obtient son premier petit rôle au cinéma quand elle revient à Los Angeles, en 1942, en raison de la guerre. Ses premiers succès de vedette-enfant, elle les enregistre dans *Fidèle Lassie*, en 1943, et, en 1944, dans le rôle principal de *Le Grand National*. Avec *Géant*, aux côtés de James Dean, elle réussit, en 1956, à passer sans transition du statut de star adolescente à celui de jeune actrice romantique. Elle peut, dès lors, choisir ses rôles. En 1958, elle a du mal à se remettre de la disparition de son mari, Michael Todd, tué dans un accident d'avion. Après avoir été nominée à plusieurs reprises, elle obtient en 1960 l'oscar tant désiré pour le rôle d'une call-girl dans *La Vénus au vison*. Elle fait la connaissance de Richard Burton lors du tournage de *Cléopâtre* en 1962, et ils se marient le 15 mars 1964. Il est son quatrième mari. Richard Walker Jenkins, né le 10 novembre 1925, est le douzième des treize enfants d'un mineur. Il adopte plus tard le nom d'acteur de Burton par gratitude envers son professeur, Philipp Burton, qui lui a permis d'obtenir une bourse. Au début des années 1950, il acquiert une réputation d'excellent comédien pour ses interprétations de Shakespeare. Parallèle-ment, il travaille comme speaker pour plus de six cents émissions de radio. Il réussit également à percer au cinéma, en 1951, dans le rôle principal de *Ma cousine Rachel*. Il est longtemps marié avec Sybil Williams, avec qui il a deux filles, mais il divorce en 1963 par passion pour Liz Taylor. Le couple Burton-Taylor ne se contente pas de donner du grain à moudre à la presse à scandales, il joue également ensemble dans dix films. On retiendra notamment, outre *Cléopâtre*, *Qui a peur de Virginia Woolf ?* qui remporte un oscar en 1966, et la version cinématographique de *La Mégère apprivoisée*, la pièce de Shakespeare, en 1967. Un an avant la mort de Richard Burton, le 5 août 1984, le couple monte une dernière fois ensemble sur scène dans la comédie de Broadway *Private Lives*. Suite à la mort de Rock Hudson, un acteur auquel elle était très attachée, Elizabeth s'engage, en 1985, dans les actions contre le sida. À l'occasion des célébrations de l'an 2000, la reine d'Angleterre lui accorde le titre de *Lady*.

ET...

À lire :

Richard Burton : sa vie, ses carnets intimes, de Melvyn Bragg, Presses de la Renaissance, Paris, 1989.

Elizabeth Taylor : Passions d'une vie, de Donald Spoto, Belfond, Paris, 1996.

À voir :

Cléopâtre, de Joseph L. Mankiewicz, avec Elizabeth Taylor, Richard Burton et Rex Harrison, États-Unis, 1963.

Qui a peur de Virginia Woolf ?, de Mike Nichols, avec Elizabeth Taylor et Richard Burton, États-Unis, 1966.

La Mégère apprivoisée, de Franco Zeffirelli, avec Elizabeth Taylor, Richard Burton et Michael York, Italie/États-Unis, 1967.

L'AVIS DE L'AUTEUR

Un couple chez qui les portes claquaient et les verres s'entrechoquaient : ils étaient autant incapables de vivre l'un sans l'autre que l'un avec l'autre. Il nous en reste de grands films.

John Lennon et Yoko Ono

« *Femme, je sais que tu comprends/ Le petit enfant dans l'homme/ S'il te plaît, penses-y/ Ma vie est entre tes mains/ Femme, tiens-moi bien/ Caché au fond de ton cœur/ Quelle que soit la distance/ Rien ne pourra nous séparer/ Car c'est finalement/ Écrit dans les étoiles.* »

Au cours d'une interview à la BBC, deux jours avant sa mort, John Lennon dit à propos de *Woman,* sorti en novembre 1980 : « Je ne peux pas exprimer mieux que par cette chanson ce que je pense et ce que je ressens pour les femmes. Elle est dédiée à Yoko, mais aussi à toutes les femmes. »

Dans le milieu des années 1950, Elvis Presley et le rock'n'roll

entrent dans la vie de John Lennon, et c'est pour lui une révélation. La décennie rebelle qui suit est une période de violences : guerre du Vietnam, guerre froide, émeutes raciales et attentats, mais aussi une époque de renouveau créatif, notamment en musique, en poésie, dans la mode et le cinéma. Au summum de leur art, les Beatles sont les superstars de la pop music. John Lennon est un homme spirituel, séduisant et à la langue acérée. Drôle, cynique et toujours original, il a le courage de dire la vérité, même quand elle est impopulaire, et il choque ainsi aussi bien les bourgeois que ses amis. Il est, de par son talent de poète, le meilleur compositeur de chansons du XXᵉ siècle et celui qui connaît le plus grand succès. Ses œuvres sont toujours profondes, ses textes souvent personnels. Il écrit beaucoup sur ses angoisses, ses rêves et ses désirs.

Quand, en novembre 1966, le musicien pop britannique rencontre l'artiste conceptuelle japonaise Yoko Ono dans la galerie avant-gardiste londonienne Indica, ils ne se doutent ni l'un ni l'autre que commence une grande histoire d'amour. John, qui est alors le plus souvent sous l'emprise du haschisch, est attiré par l'humour subversif de Yoko et par son univers artistique, et il va lui rendre visite dans son appartement de Regent's Park. Yoko Ono devra pourtant faire preuve de ténacité pour parvenir à bouleverser sa vie.

John est marié depuis cinq ans avec Cynthia Powell. On raconte qu'un jour, en août 1967,

■ Il faut une grande ténacité à l'artiste conceptuelle Yoko Ono (née en 1933) pour conquérir John Lennon (1940-1980). En 1969, ils célèbrent leur mariage sous la forme d'un *bed-in* public.

Yoko monte dans la Rolls-Royce aux couleurs psychédéliques des Lennon et qu'elle s'installe entre John et Cynthia. Le couple est trop abasourdi pour protester. Yoko se fait ensuite un plaisir de harceler l'élu de son cœur par téléphone et de l'inonder de lettres. Par tous les temps, elle est au milieu de l'essaim de filles qui assiègent la villa de leur idole à Kenwood, près de Londres. Elle espère pouvoir échanger quelques mots avec lui. Son entêtement est enfin récompensé quand, en mai 1968, Cynthia part en vacances en Inde. John l'invite chez lui et ils passent leur première nuit ensemble. On dit que, le lendemain matin, John aurait téléphoné à un copain d'école et lui aurait dit : « Ça y est. C'est ce que j'ai attendu toute ma vie. » Il lui aurait même demandé de trouver une maison pour Yoko et lui.

Chez les Beatles, John Lennon est l'intellectuel rebelle, avec un esprit bouillonnant toujours en quête de nouveauté. Yoko est une femme d'envergure, celle dont il a besoin

Le compositeur Leonard Bernstein a dit un jour : « *La musique de Lennon perdurera certainement aussi longtemps que les œuvres de Brahms, de Beethoven et de Bach.* »

pour sortir du train-train quotidien de sa banlieue londonienne, entre sa femme et les Beatles. Yoko le pousse à oser, à faire plus, « deux fois plus », et c'est ce qui le fascine. Par ailleurs,

La liaison de John Lennon (à gauche) avec Yoko Ono, personnalité dominante, vient à bout de la solidarité des Beatles (photographie prise en 1964).

La société John & Yoko. John veut que Yoko soit toujours à ses côtés.

on s'intéresse davantage à Ono, l'artiste, maintenant qu'elle est la maîtresse de Lennon. Pour lui, elle est plus que son inspiratrice, elle représente tout à la fois la figure maternelle et une déesse de l'amour. Dans « Happiness is a Warm Gun », que les Fab Four intègrent, en août 1968, dans le *Double blanc*, John, fraîchement amoureux, l'appelle *Mother Superior*. Il transgresse en outre une règle tacite : personne, mis à part les quatre musiciens et une poignée de techniciens de confiance, n'a en principe le droit de pénétrer dans le studio d'enregistrement. Or, John exige que Yoko soit toujours à ses côtés. Et quand, en avril 1970, les Beatles se séparent, la presse accuse Ono d'en être la cause. Il serait toutefois plus juste de dire que c'est John, de sa propre initiative, qui s'est retiré du groupe, même si Yoko a, indubitablement, été le catalyseur de cette décision.

John et Yoko, deux artistes entêtés dans une période révolutionnaire, se sont trouvés et aspirent aux feux de la rampe. Ensemble, ils produisent tout d'abord *Two Virgins*, un 33-tours sous forme d'un recueil de tonalités expérimentales, avec, sur la pochette, leur photo, nus. Pour Yoko, c'est de l'art ; pour John, de la provocation ; pour l'opinion publique, un scandale : le disque ne peut être vendu que dans un papier d'emballage

brun. John et Yoko se marient un an plus tard à Gibraltar. Pour la presse, les amis et les célébrités, le couple passe son temps en *bed-in* entre Amsterdam, Vienne et Toronto en guise de voyage de noces. Cet événement médiatisé et deux chansons de John, *The Ballad of John and Yoko* et *Give Peace a Chance*, leur valent la célébrité mondiale. Ils sont désormais plus qu'un couple : ils sont devenus un symbole pour « l'amour, la paix et l'art ».

En 1971, ils quittent la Grande-Bretagne pour New York, où ils s'engagent ensemble dans de nombreuses actions : manifestations et concerts de bienfaisance en faveur de la paix, des minorités opprimées, des persécutés politiques… Le gouvernement américain, sous le président Nixon, en arrive même à faire surveiller Lennon par le FBI. Le couple d'artistes n'est pas sans consommer diverses drogues, comme le haschisch, le LSD, la cocaïne et même, parfois, l'héroïne.

Leur union commence à battre de l'aile quand John se met à fréquenter les bars new-yorkais et à entretenir quelques liaisons. Yoko finit par le mettre dehors de leur grand appartement de dix pièces du Dakota Building, à Central Park. Lennon part pour quelques mois en Californie, où, avec quelques vieux copains de beuveries, il se vautre de nouveau dans la débauche. Plus tard, quand il parlera de cette époque, John la décrira comme « un week-end perdu ». Il réussit néanmoins à enregistrer *Rock'n'roll,* un 33-tours qui reprend des morceaux de son ancienne période rock et démontre une fois encore son talent de chanteur. Il retourne ensuite à New York, mais Yoko Ono le laisse sur le palier. Encore. C'est à cette époque qu'il enregistre, en quelques semaines *Walls and Bridges*. Après seize mois de rupture, le couple se ressoude en janvier

■ « *Make love, not war ! »* Le couple s'engage dans les manifestations et donne des concerts de bienfaisance en faveur de la paix et de l'équité politique.

« *Nous étions les bouffons du mouvement de la jeunesse. Nous estimions qu'il était de notre devoir d'organiser des activités pacifistes jusqu'à ce qu'il se passe quelque chose. Nous étions dans la tradition de Gandhi, le sens de l'humour en plus »,* dira plus tard John à propos de leurs premiers temps à New York.

1975 et explique simplement que « la séparation n'a pas fonctionné ». John et Yoko peuvent se disputer, se mentir, se blesser, hurler, mais ils possèdent la rare faculté de toujours se réconcilier.

En octobre 1975, Yoko met au monde un fils, Sean. John devient alors homme au foyer. Il fait le pain et s'occupe de leur enfant, elle gère leurs affaires. Ils vivent ainsi repliés sur eux-mêmes pendant cinq ans, à New York, mais ils entreprennent aussi de longs voyages, dont un au Japon, la patrie de Yoko.

Lennon revendique son statut : « Toutes ces années pendant lesquelles je me suis escrimé à être un dur, un don Juan, un soiffard auraient fini par me tuer. Et c'est presque un soulagement de ne plus avoir à le faire. Je suis content si l'on sait que je m'occupe d'un bébé. J'en suis fier. »

En 1980, après cinq ans de silence, le couple enregistre un dernier album, *Double Fantasy*, qui sort en novembre et augure un retour réussi à la chanson. Comme dans *Some Time in New York City*, Ono y chante un certain nombre de ses œuvres. Le soir du 8 décembre, alors qu'ils regagnent leur domicile, John Lennon est abattu de cinq balles par un déséquilibré, devant son appartement du Dakota Building.

■ John Lennon n'a que quarante ans quand il est abattu, en 1980, par un déséquilibré.

■ Le mémorial Strawberry Fields à Central Park.

JOHN LENNON ET YOKO ONO

HISTORIQUE

John Winston Lennon, né le 9 octobre 1940, est confié dès son plus jeune âge à sa tante, Mimi Smith, à Liverpool, après que son père a abandonné sa famille. John est un enfant sensible qui s'ennuie dans cette ville triste. En 1955, il fonde son premier groupe, les Quarrymen. John Lennon et Paul McCartney se rencontrent pour la première fois en juillet 1957 au cours d'une fête en plein air où John joue avec son ensemble. Sa mère meurt accidentellement en 1958, et il mettra plusieurs mois à surmonter la douleur que lui cause sa disparition. En juillet 1960, il saisit l'opportunité de jouer à Hambourg avec son groupe, entre-temps rebaptisé The Beatles. C'est alors que commence son ascension dans la légende de la pop music. Le 23 août 1962, John épouse Cynthia Powell, qui attend un enfant de lui. Yoko Ono, née le 18 février 1933 dans une famille japonaise distinguée de New York, est alors déjà connue en tant qu'artiste conceptuelle proche de la tendance Fluxus, statut incompatible avec la vision traditionnelle de la femme japonaise. Elle est déshéritée et reniée par sa famille. En novembre 1966, elle rencontre John Lennon pour la première fois, à l'occasion de son exposition à Londres sur le thème « *Unfinished paintings and objects* » (peintures et objets inachevés). John est aussitôt enthou-siasmé par l'humour de ses œuvres. Leur couple se forme en mai 1968. Puis John divorce de Cynthia en novembre et épouse Yoko, le 20 mars 1969, à Gibraltar. Dans les mois qui suivent, ils font sensation dans le monde entier avec les *bed-in* de leur voyage de noces. Les Beatles se séparent en 1970, ce qui attire sur Yoko la haine des fans du groupe. Le couple sort par la suite plusieurs albums. En 1971, John et Yoko partent s'installer à New York. En raison de son engagement politique, John Lennon est à plusieurs reprises menacé d'expulsion et il n'obtient sa carte de résident que de longue lutte, en 1976. John et Yoko se séparent en 1974, mais le couple se réconcilie seize mois plus tard et Yoko met au monde un fils, Sean, en 1975, le jour de l'anniversaire de John. Celui-ci se consacre alors pendant cinq ans exclusivement à leur enfant. Le 8 décembre 1980, il est abattu devant chez lui par Mark D. Chapman, un malade mental de trente-cinq ans. Yoko Ono vit actuellement à New York, où elle gère l'héritage de John et est toujours une artiste active.

 ET...

À lire :
La Ballade de John et Yoko, de John Lennon, Éditions du Rocher, Paris, 2002.

Les Beatles, Yoko Ono et moi, de John Lennon, Générique, Paris, 1982.

À voir :
John Lennon : Imagine, d'Andrew Solt, film documentaire, États-Unis, 1988.

À écouter :
Double Fantasy, de John Lennon et Yoko Ono.

Imagine, de John Lennon.

À visiter :
Le Dakota Building à New York.

✳ L'AVIS DE L'AUTEUR

Le musicien de rock et l'artiste conceptuelle s'aiment tout de suite, et ils savent, dès la première nuit, qu'ils sont faits l'un pour l'autre.

Petra Kelly et Gert Bastian

Petra Kelly appelle de ses vœux « *une société civile qui aime les femmes et les enfants, dans laquelle les êtres humains se respectent mutuellement au plus profond d'eux-mêmes et soient solidaires les uns des autres* », et espère mener avec son compagnon, Gert Bastian, une vie et une action communes, « *longues, productives et créatives* ».

Ce souhait, Petra Kelly l'exprime quelques semaines avant sa mort dans un livre consacré aux femmes. La militante pacifiste née en Allemagne passe son adolescence aux États-Unis. Elle étudie les sciences politiques à Washington et participe activement, pendant les années 1960, aux manifestations contre le racisme et la guerre du Vietnam. En Allemagne, elle travaille pour l'Union fédérale des initiatives citoyennes pour la protection de l'environnement. Petra Kelly participe à la formation du mouvement écologiste *Die Grünen* (les Verts allemands), tout d'abord comme tête de liste aux élections européennes, puis comme membre du Bundestag, où elle siégera jusqu'en 1990.

■ Petra Kelly (1947-1992), femme politique du parti écologiste *Die Grünen*, et Gert Bastian, l'ancien général (1923-1992).

L'aventurier Gert Bastian s'engage à dix-huit ans dans les forces hitlériennes pendant la Seconde Guerre mondiale. En 1956, quand la République fédérale d'Allemagne a de nouveau le droit de posséder une armée, le lieutenant Bastian reprend du service, et il atteint le grade de général de division à la tête d'une brigade de blindés. Les modifications sociopolitiques des années 1960 et 1970 l'amènent à réfléchir. Il se fait remarquer pour la première fois en 1979 lorsqu'il exprime son scepticisme vis-à-vis de la coalition gouvernementale SPD-FDP, qui est favorable à la modernisation de l'armement demandée par l'Otan. Il écrit la préface d'un livre au titre évocateur, *Assassins en uniformes*. À cinquante-sept ans, il se retire précocement de la vie politique, mais il devient rapidement la figure de proue du mouvement pacifiste. Son *Appel de Krefeld : La mort atomique nous menace tous. Pas de missiles nucléaires en Europe,* exigeant du gouvernement de réviser sa position sur cette question, recueille l'approbation de plus de deux millions de sympathisants.

■ Apparemment, Petra Kelly (ici en 1982) donne l'impression d'être sûre d'elle et combative. Au plus profond d'elle-même, elle est, en réalité, faible et angoissée, et a un grand besoin de protection. L'admiratrice des héros est attirée par les hommes plus âgés qu'elle.

C'est peu de temps avant cet appel que Petra Kelly et Gert Bastian se rencontrent pour la première fois, à l'occasion d'un colloque sur le thème « Les femmes et l'armée ». Bien qu'étant du même avis, ils se heurtent violemment. Gert correspond exactement à l'image que Petra se fait de la virilité. Cette femme, qui admire les héros, a toujours été attirée par les hommes plus âgés qu'elle. En outre, rien ne la séduit tant que le courage civique et l'anticonformisme. Gert est un charmeur, un « héros de ces dames ». Il se sent attiré par Petra et son caractère exigeant, et il l'invite à lui rendre visite à Krefeld. Commence alors une relation qui ne sera pas, loin s'en faut, exempte de tensions. Tous deux laissent le temps au temps, et, au début, ils tiennent leur liaison secrète : Petra a un compagnon et Gert est marié. Ce n'est que deux bonnes années plus tard, en mars 1983, que Gert s'installe chez Petra, à Bonn-Tannenbusch.

C'est le début d'années de vie et d'actions communes dans la lutte en faveur de l'environnement, de la paix et des droits de l'homme. Leur vie ne fait pas de distinction entre loisirs et travail, entre politique et amour. Ils voyagent dans le monde entier. Leur quotidien est fait de réunions, manifestations, débats parlementaires, conférences de presse et autres congrès, ainsi que d'apparitions publiques remarquées aux côtés de personnalités comme Gorbatchev, Honecker, le dalaï-lama ou encore Willi Brandt. Chaque jour de l'année, leur journée de travail compte de douze à seize heures. Certes, Bastian est connu de l'opinion publique, mais sa popularité n'atteint jamais celle de Kelly.

Petra, qui est une véritable bête de somme, consacre également une partie de son temps au féminisme. Elle trouve qu'il est temps de mettre les hommes à la maison et que « nous, les femmes, avons le droit de nous rattraper de manière inimaginable ». Consciemment ou non, Petra passe à l'acte et accapare totalement son compagnon. Les médias ne peuvent pas se retenir de le gratifier d'appellations peu glorieuses comme celle de « garçon de courses ». En réalité, le général en retraite devient, avec le temps, le protecteur et le tuteur de sa partenaire. En public, Petra Kelly donne l'image d'une femme souveraine et sûre d'elle, mais, dans la vie, c'est un être faible et fragile. Elle, la Jeanne d'Arc du mouvement écologique, souffre de phobies et de l'angoisse de la solitude. Gert Bastian s'escrime à la soutenir et à ne pas compliquer leur relation, mais, peu à peu, Petra devient dépendante de lui. La braise de l'amour charnel s'étouffe avec le temps, et, dans les années 1980, elle est bel et bien éteinte. « Nous sommes spirituellement amoureux. Je me couche à cinq heures et il se lève à cinq heures. Comment pourrions-nous seulement nous aimer encore ? Nous n'en avons pas le loisir pendant la journée, nous faisons de la politique », confie-t-elle lors d'une interview.

■ « Comment pourrions-nous seulement nous aimer encore ? » Le couple ne fait aucune distinction entre les loisirs et le travail, la politique et l'amour. La journée de travail normale compte de douze à seize heures, même les week-ends.

Un ami du couple se souvient d'une conversation, début 1991, pendant la guerre du Golfe : « Gert a proposé à Petra de risquer ensemble leur vie sous la pluie de bombes en signe de protestation contre la guerre, et, le cas échéant, de mourir pour la bonne cause. Petra a refusé véhémentement. » En 1992, Gert Bastian a un accident de voiture dont il ressort avec un tibia pulvérisé. Dès lors, il doit marcher avec une béquille. Au cours de sa convalescence, alors que Petra et une amie le poussent dans un fauteuil roulant à travers un parc, il dit, résigné : « Un général en fauteuil roulant, poussé par deux femmes… » Le grand pacifiste, le don Juan d'hier se sent épuisé et humilié, presque fatigué de la vie. Le 1er octobre 1992, Gert Bastian est assis devant sa machine à écrire et tape une lettre. Petra Kelly dort dans leur chambre. Il s'interrompt au milieu d'une phrase, et même au milieu d'un mot, se lève et va prendre dans la bibliothèque une boîte dans laquelle il a caché un pistolet. Il s'empare du Derringer, entre dans la chambre, l'appuie contre la tempe de Petra endormie et presse la détente. Elle meurt sur le coup. Il va ensuite dans le couloir et s'adosse au mur, face à la porte ouverte de la chambre.

■ Double suicide ? Petra Kelly est de plus en plus dépendante de Gert Bastian.
Son compagnon ne peut plus satisfaire son besoin croissant de protection et d'assistance. Cette photographie, prise le 18 septembre 1992, montre le couple à peine deux semaines avant que Bastian ne tue Kelly.

■ Petra Kelly et Gert Bastian à l'occasion d'une manifestation du parti écologiste *Die Grünen* contre le sommet économique mondial de Munich, en juillet 1992. Depuis son accident de voiture, l'ex-général marche avec des béquilles. Il se sent las et diminué.

Il pointe le pistolet sur le haut de son crâne et tire. Il meurt également aussitôt.

On n'a pas la certitude absolue que les choses se soient réellement passées ainsi, mais les relevés balistiques et l'enquête de police privilégient cette thèse. On ne découvrira les corps que dix-huit jours plus tard. Sur place, on ne trouve ni lettre d'adieu ni mot d'explication, pas plus de Gert que de Petra. La presse s'empare de l'événement et, comme le parquet le fera plus tard, elle avance inconsidérément la thèse du double suicide. Il n'existe toutefois aucun élément indiquant chez Petra Kelly une quelconque envie d'en finir avec la vie. Au contraire, elle avait mille et un projets. Quand bien même la scène semble déplacée dans la vie de deux militants pacifistes actifs, il ne subsiste aucun doute : Petra Kelly, quarante-cinq ans, a été tuée par Gert Bastian.

On ne peut que spéculer sur les raisons de ce geste. Beaucoup d'éléments indiquent que le général de soixante-neuf ans ne pouvait plus satisfaire l'énorme besoin de protection et de soutien de son amie. Comme il ne pouvait pas davantage se séparer d'elle, il l'a emmenée avec lui dans la mort.

PETRA KELLY ET GERT BASTIAN

HISTORIQUE

Petra Karin Lehmann naît le 29 novembre 1947 dans la ville souabe de Günzburg, dans le sud de l'Allemagne. Ses parents se séparent très rapidement et sa jeune grand-mère, avec qui elle est très liée, lui tient lieu de mère pendant ses douze premières années, qui sont marquées par sa scolarité dans un internat catholique de jeunes filles. En 1959, la famille part aux États-Unis avec le beau-père de Petra, John E. Kelly, qui est officier américain. À dix-huit ans, Petra Kelly commence des études politiques à l'université de Washington dans le but de devenir diplomate. Elle vit la montée du mouvement féministe et s'engage comme représentante des étudiants en 1967. Elle termine ses études à Amsterdam, en 1970-1971, et travaille ensuite à Bruxelles pour la Communauté européenne jusqu'en 1983. Elle participe à la fondation du parti *Die Grünen*, avec lequel elle s'engage avec passion dans des actions écologistes et pacifistes. Le 1er novembre 1980 que Petra Kelly rencontre pour la première fois Gert Bastian lors d'un colloque sur le thème « Les femmes et l'armée ». Il a cinquante-sept ans, est marié et père de deux enfants. C'est un général en retraite, surnommé le « général de paix » pour son opposition à la modernisation de l'armement de l'Otan. Né le 26 mars 1923, Gert Bastian s'engage dans l'armée nazie. À partir de 1956, lorsque l'Allemagne est autorisée à reformer son armée, il gravit rapidement les échelons de la hiérarchie militaire. En 1979, il ne peut plus supporter la responsabilité de la course aux armes nucléaires sous la pression des États-Unis. Pendant des années, Gert et Petra vont être engagés dans la vie politique et appartenir à *Die Grünen*, parti pour lequel Petra va siéger au Bundestag, jusqu'en 1990. En 1982, elle obtient le prix Nobel alternatif pour la paix. En 1983, Gert Bastian s'installe chez Petra Kelly après une liaison de deux ans, et il est alors constamment à ses côtés. Elle est devenue une partenaire de discussions et une conférencière très demandée à l'étranger. En 1987, le couple se déplace en Espagne, en France, deux fois à Moscou, à Berlin-Est, à Los Angeles et à La Haye, sans compter un grand nombre de rendez-vous en Allemagne. À partir de mars 1989, Gert Bastian tolère la liaison que Petra Kelly entretient avec un médecin tibétain, Palden Tawo. Petra est profondément affectée par le départ de ce dernier à l'automne 1991. Bastian et Kelly travaillent de plus en plus, à la limite de ce qu'ils peuvent supporter, physiquement et psychiquement. En outre, Gert Bastian, handicapé depuis un accident en 1992, ne supporte plus l'évolution chaotique de leur relation. D'un coup de pistolet, il tue Petra Kelly dans son sommeil, le 1er octobre 1992, et retourne ensuite son arme contre lui.

ET...

À voir :
Happines is a Warm Gun, de Thomas Imbach, avec Linda Olsansky et Herbert Fritsch, Suisse, 2001.

L'AVIS DE L'AUTEUR

La pacifiste et le général : un couple de célébrités qui ne résiste pas à la pression exercée par l'opinion publique vis-à-vis de leur rôle et qui, en outre, est victime d'une trop grande intimité.

Jack Dawson et Rose Bucater

« *Tu dois le faire en mon honneur... promets-moi que tu survivras... que tu n'abandonneras jamais, quoi qu'il arrive... même si la situation est désespérée. Promets-le moi maintenant et n'oublie jamais cette promesse.* »

Lorsque Jack dit ces mots à Rose, il est sur le point de mourir de froid et va bientôt disparaître dans les eaux glacées de l'Atlantique au cours de la plus grande catastrophe maritime de tous les temps, le naufrage du *Titanic*. En y intégrant une histoire d'amour fictive, James Cameron réussit à donner des couleurs à ce drame usé jusqu'à la trame par les scénaristes. Pour le réalisateur, mais aussi pour le paquebot, le film est un succès inespéré dans le monde entier. Comment a-t-il réussi un tel tour de force ?

Cameron a l'intuition que son public, contrairement aux décideurs de l'industrie cinématographique, croit toujours au grand amour et qu'il appréciera un film qui raconte l'histoire d'une passion rendue impossible par les clivages sociaux et les

■ Un succès cinématographique sensationnel. James Cameron a du flair, en 1998, quand il intègre une histoire d'amour fictive à celle du naufrage du *Titanic*. Le film hissera Leonardo DiCaprio et Kate Winslet au rang de superstars.

catastrophes. Pourtant, de nos jours, les interdits sont levés : une jeune fille de dix-sept ans, comme Rose, est responsable de sa vie et n'accepte plus qu'on lui dicte ses choix. Elle a déjà fait ses premières expériences et a peut-être perdu ses illusions avant même de s'en être grisée. Les histoires d'amour dans les films ou les séries télévisées, qui reflètent cette réalité, ne font plus frémir, ne font plus rêver et ne bouleversent personne. En outre, la petite comédie érotique qui s'y joue se déroule toujours selon la même trame frustrante : l'homme et la femme ne sont pas faits l'un pour l'autre.

Pour mettre en scène ces scénarios convenus, les cinéastes ont recours aux hasards les plus invraisemblables, aux intrigues les plus grotesques et à tout un arsenal d'artifices qui doivent à tout prix compliquer la vie des amants et les séparer. En dernier ressort, le couple peut, purement et simplement, être aveugle et ne pas vouloir comprendre ce que le destin lui réserve. C'est le cas de tous les films soporifiques avec Meg Ryan, Sandra Bullock ou Katja Riemann. Et, pendant que le public dort, les sociologues se penchent sur les tout jeunes adultes et voient renaître

■ Elle se perd aux yeux de la bonne société : la fille de bonne famille se complaît dans la fréquentation d'un artiste sans le sou qui voyage en troisième classe.

■ Une jeune fille moderne. Aucune fille de bonne famille ne se serait comportée comme Kate Winslet au début du siècle dernier.

■ Où l'amour n'est pas
à sa place : Rose doit épouser
un homme riche, mais
insensible et plus âgé qu'elle.

■ La force de la jeunesse.
Jack et Rose se donnent
des ambitions dans la vie
et ne les trahiront jamais.

au fond de leur cœur le vieux rêve du grand amour menacé, que le cinéma n'ose plus montrer aujourd'hui.

Cameron se plonge alors dans Shakespeare, avec *Roméo et Juliette*, et il trouve mieux que tout ça. Pour redonner du goût au noble sentiment qu'est le grand amour, il lui faut l'épicer d'une bonne dose d'obstacles insurmontables et d'une égale quantité d'événements tragiques. Le naufrage du *Titanic* a juste ce qu'il faut de grandiose et il présente, en outre, d'autres avantages : sa dimension mythique et sa popularité. L'histoire n'a de secret pour personne : chacun sait que l'immense bateau va sombrer. Le spectateur peut donc donner libre cours à sa mélancolie quand il voit les amoureux se sourire, et accorder d'autant plus de crédit à l'environnement kitsch et aux grandes envolées lyriques. Il se laisse volontiers entraîner dans cette histoire d'amour, mais la fin ne le ménagera pas. Comme dans *Roméo et Juliette*, il s'attend à ce que le destin déchire le couple, détruise son bonheur, prenne la vie du jeune homme et laisse Rose seule, face au terrible devoir de ne « jamais abandonner ».

Comme dans la tragédie shakespearienne, c'est l'amour interdit qui donne toute sa tension à l'histoire : Rose, une jeune femme de la bourgeoisie, promise à un fiancé aussi insensible que riche, tombe amoureuse d'un pauvre artiste voyageant en troisième classe. Elle se met la bonne société à dos, mais elle s'en fiche : elle veut changer le cours tout tracé de sa vie et devenir comédienne ou danseuse. Ce n'est pas un hasard si Cameron lui attribue le symbole du papillon. Pour Jack Dawson, un jeune homme de Chippewa Falls dont les parents sont morts dans un incendie, Cameron s'inspire de l'écrivain Jack London : un artiste aventurier qui s'engage dans la marine marchande pour faire le tour du monde et qui est bien dans sa peau de déraciné. Jack et Rose sont, en fait, des personnages imaginaires. D'où leur vient alors cette fraîcheur, ainsi que cette popularité qui réchauffe le cœur ? D'une mise en scène imaginative, certes, mais aussi d'un savant lien avec le présent : Rose a les ambitions d'une jeune fille moderne. Pas une jeune fille de

bonne famille n'aurait dansé ni ou ri, au début du siècle dernier, comme Kate Winslet. De même, Leonardo DiCaprio, en adolescent puéril, a tout du jeune des années 1990. Il est ouvert, courageux, un peu tête brûlée et, malgré cela, vraiment gentil. Et c'est un artiste ! On ne pouvait pas rêver mieux. Les gestes, les regards, le ton du couple ont l'insolence caractéristique de notre époque. Mais est-ce bien tout ? Pourquoi avons-nous ri, pleuré et eu froid avec eux ? Peut-être parce qu'il ne s'agit pas uniquement d'eux, mais du sentiment qui les lie et qui survivra au naufrage. Le vrai vainqueur du film n'est autre que le grand amour, celui qui fait fi des barrières sociales et même de la mort. Les jeunes d'aujourd'hui sont libres, ils n'ont pas besoin, comme Rose autrefois, de faire preuve de tant d'égards et de vaincre tant de résistances pour suivre l'élan de leur cœur. Ils

■ L'artiste et son modèle. Jack Dawson montre ses dessins à Rose. Par la suite, elle posera nue pour lui. Un acte sexuel symbolique.

■ « Ne jamais abandonner »
pour réaliser son rêve. L'amour
survit à la catastrophe
et à la mort.

■ Rose est maintenant une
vieille femme. Elle raconte
sa vie. Elle a tenu sa promesse
et vécu ce dont elle avait rêvé
avec Jack.

n'ont pas, comme Jack, à redouter les humiliations ou à devoir recourir à des stratagèmes pour atteindre leur but. C'est pourtant ce qui a fasciné la jeune génération dans cette histoire : les deux héros doivent serrer les dents, ne jamais abandonner, réaliser leur rêve, et, en outre, suivre leur voie. Ils veulent faire mieux que leurs parents, qui traînent leurs destins sans joie de divorcés. Quand Rose, devenue une vieille dame, s'éteint et que nous feuilletons son album de photographies, nous constatons qu'elle a vécu tout ce qu'elle a rêvé avec Jack, mais pas uniquement pour elle : pour lui aussi. L'homme qu'elle a aimé, l'a sauvée. Elle peut maintenant fermer les yeux et quitter notre monde, s'unir de nouveau à lui. Elle a tenu sa promesse et vécu son amour dans sa vie après l'amour. Elle nous fait découvrir une notion de la fidélité qui n'a plus sa place dans notre image polarisée du monde, entre la vie de couple traditionnelle et la promiscuité sauvage. Nous non plus, nous n'oublierons pas la promesse de Rose, la certitude que nous avons acquise grâce à cette belle histoire : l'homme et la femme sont bien faits l'un pour l'autre.

JACK DAWSON ET ROSE BUCATER

HISTORIQUE

Depuis la sortie de *Titanic*, le film de James Cameron, la tombe de J. Dawson, l'une des victimes de la catastrophe enterrées à Halifax, est toujours couverte de fleurs fraîches. Le « J. » ne signifie toutefois pas Jack, mais James, le prénom d'un marin de vingt-trois ans mort dans le naufrage. Ni Jack Dawson (Leonardo DiCaprio) ni Rose Bucater (Kate Winslet) ne sont inspirés de personnes réelles. Leurs biographies sont fictives et la romance tragique est inventée pour leurs personnages. Jack, l'artiste de vingt ans originaire de Chippewa Falls, perd ses parents à quinze ans, et, après avoir été bûcheron, il tente de survivre en faisant des portraits. Le globe-trotter arrive ainsi à Paris, où il exerce son art. Le fossé entre Jack Dawson, passager de troisième classe, et Rose Bucater, une jeune femme qui voyage en première, est énorme. Rose est aussi belle qu'intelligente. Fille de l'une des familles les plus en vue de Philadelphie, elle a été éduquée dans la plus pure tradition victorienne et son avenir se résume à un mariage avec un bon parti. C'est ainsi qu'à dix-sept ans elle se retrouve fiancée à Caledon Hockley, l'héritier d'une fortune de l'acier. Sa rébellion contre les plans de son ambitieuse mère est prévisible. Le décor est ainsi planté pour une histoire d'amour tragique avec Jack Dawson. Certains autres personnages du film sont, en revanche, réels. Molly Brown (Margret Tobin), par exemple, faisait réellement partie des passagers et sa conduite héroïque sur le canot de sauvetage numéro six lui a valu le surnom de Molly l'Insubmersible. De même, Bruce J. Ismay, Thomas Andrews et la comtesse Rothes comptent parmi les sept cent six rescapés. La plus jeune survivante du drame, Millvina Dean, avait, en juillet 1999, quatre-vingt-sept ans, et elle vivait à Southampton, en Grande-Bretagne. La tragédie qui coûta la vie à plus de mille cinq cents personnes a fait l'objet de plusieurs films avant celui de Cameron, d'un grand nombre de livres et d'une comédie musicale à Broadway. Mais aucune de ces adaptations n'a connu le succès de cette œuvre aux onze oscars.

ET...

À lire :

Titanic : James Cameron, d'Ed W. Marsh, Éditions 84, Paris, 1998.

Titanic : l'Histoire du film de James Cameron, de Paula Parisi, Presses de la Cité, Paris, 1998.

Images du Titanic, de Ken Marshalls, préface de James Cameron, Gallimard, Paris, 1998.

À voir :

Titanic, de James Cameron, avec Leonardo DiCaprio, Kate Winslet et Billy Zane, États-Unis, 1997.

Titanic, de Jean Negulesco, avec Clifton Webb, Barbara Stanwyck et Audrey Dalton, États-Unis, 1953.

À écouter :

Titanic, a New Musical, France, 1998.

L'AVIS DE L'AUTEUR

Le couple d'amoureux a ranimé le souvenir du *Titanic*, d'une époque révolue et de l'amour, et il les a offerts une nouvelle fois au public du monde entier : une histoire triviale, mais émouvante.

PETIT GLOSSAIRE ÉROTIQUE

Bohèmes : peuple gaillard des pauvres artistes aux mœurs plus libres que les bons bourgeois, qui les envient. L'époque dorée de la bohème était la fin du XIXᵉ siècle et le début du XXᵉ siècle. Le Bohémien est originaire de Bohême, le pays célébré dans l'opéra de Puccini du même nom. Ce terme désignait à l'origine les gitans qui, le plus souvent, viennent de Bohême.

Bon vivant : personne qui entend jouir de la vie, faire bonne chère et boire bon vin, mais également avoir une sexualité épanouie. Le bon vivant est un play-boy dans la force de l'âge.

A

Amour fou : coup de foudre pour une personne contre lequel on est sans défense, quelles qu'en soient les conséquences. Il met souvent les partenaires en danger, car il s'impose envers et contre toute raison. Les amoureux sont livrés pieds et poings liés à leurs sentiments.

Aventure : amour occasionnel qui, bien que bref, n'en est pas moins parfois sérieux, voire tragique.

B

Badinage : précède souvent le flirt. L'homme et la femme plaisantent, ils s'entretiennent de l'amour et du sexe sur un ton léger, parce que la société ne les autorise pas à passer inconsidérément à l'action. Le rire et la plaisanterie sont alors une sorte de soupape de sécurité pour les sentiments érotiques.

Baiser : acte de tendresse qui, souvent, augure une suite plus intime. Peut-être est-ce pour cette raison que l'on dit vulgairement « baiser » pour faire l'amour.

Bénédiction nuptiale : les futurs mariés peuvent vouloir prendre Dieu à témoin de leur amour et de leur union. Ils se jurent alors fidélité au pied de l'autel et leur union est bénie par un prêtre.

C

Call-girl : « la jeune fille que l'on peut appeler ». Le terme est apparu aux États-Unis, où le réseau téléphonique s'est développé rapidement, permettant ainsi aux clients des maisons closes, dont la loi avait exigé la fermeture, de se servir de ce moyen de communication pour faire appel aux services d'une call-girl.

Casanova : Giacomo Casanova était un ecclésiastique italien qui, dans les années libertines qui précédèrent la Révolution française, eut un grand nombre d'aventures amoureuses et collectionna les expériences érotiques. C'est du moins ce qu'il raconte dans ses *Mémoires*, qu'il a écrits à un âge avancé, pour son propre plaisir, dans un château de Bohême. On dit d'un homme qu'il se comporte en Casanova quand, à l'exemple de Giacomo, il collectionne les conquêtes et, surtout, s'en vante.

Charmeur : très logiquement, homme qui « charme les femmes ». Le mot charmeuse n'existe pas dans ce sens, car, si la femme peut se contenter d'être charmante ou de laisser agir son charme naturel, c'est à l'homme de faire étalage de son charme et d'en user activement.

Cocotte : femme aux mœurs légères, poule à la tenue morale et vestimentaire douteuse qui accompagne le séducteur.

Concubine : femme qui vit avec un homme sans être mariée avec lui. Le mot vient du latin *concubina* (*cum* « avec », et *cubare*, « coucher ») et est restrictif puisqu'il se limite à la relation sexuelle. Le concubinage est une forme de vie commune maintenant acceptée en France, puisqu'elle reconnaît aux comcubins presque les mêmes droits matrimoniaux qu'aux personnes mariées.

Coquetterie : bien que l'on utilise le plus souvent ce terme pour les femmes qui désirent plaire, il faut en chercher l'origine dans le mot coq. La coquetterie était, jadis, l'apanage des hommes qui se mettaient dans leurs plus beaux habits pour parader devant les femmes, à l'image du volatile domestique qui agite sa belle crête rouge et ses plumes chamarrées dans la basse-cour. Le coq du village est, aujourd'hui encore, l'homme admiré des femmes du village, un séducteur fanfaron et hâbleur.

Coureur de jupons : comme son nom l'indique, il passe le plus clair de son temps à courir les filles. Véritable chien d'arrêt, il est constamment aux aguets et n'aborde une fille que dans un seul but : la mettre dans son lit.

Courtisane : prostituée d'un rang élevé. Elle est la maîtresse d'un ou de plusieurs personnages influents et riches qui l'entretiennent. Mais le sexe est, avec elle, une activité cultivée, elle a elle-même une bonne éducation et de bonnes manières. Ce terme est apparu pendant la Renaissance et a été utilisé jusqu'au milieu du XIXᵉ siècle, où, suite à une libéralisation des mœurs, il est tombé en désuétude.

D

Dandy : ce terme est apparu au milieu du XIXᵉ siècle, à Londres. Le dandy est un snob qui, par sa grande élégance de vêtements et de manières, fait tout pour se distinguer de la plèbe, mais également de la bourgeoisie, aux conventions ennuyeuses. Il élève sa vie au niveau d'une œuvre d'art et rien n'est plus important à ses yeux que son pouvoir d'attraction érotique. Le poète Oscar Wilde, qui revendiquait son homosexualité, en est l'exemple le plus connu. Les dandys anglais sont plus fins et plus spirituels que leurs homologues du Continent, appelés aussi gandins, et qui, trop soucieux de leur élégance, finissent par être ridicules.

Désir : voilà un joli mot, dans la mesure où il exprime deux états successifs de l'appétit sexuel – le désir que l'on a de l'autre et celui que l'on ressent à son contact. Ils font tous deux partie d'un processus dynamique. Pour Sigmund Freud, le fondateur de la psychanalyse, le principe du désir est la force qui détermine la vie de l'homme. Les scientifiques parlent de libido quand il s'agit de désir sexuel.

Don Juan : Don Juan était un impénitent collectionneur de femmes. Leporello, son serviteur, ne pouvait tenir à jour la liste de ses innombrables conquêtes qu'en les inscrivant au fur et à mesure sur une feuille de papier en accordéon à laquelle il a donné son nom. Encore plus que le Casanova, le don Juan est un libertin qui se préoccupe peu de la morale sexuelle. Mozart a, certes, imposé à son Don Juan (Don Giovanni)

le châtiment qu'il méritait, mais il lui a auparavant reconnu le droit de jouir de la vie autant que faire se peut.

E

Échange des bagues : depuis l'Antiquité, l'échange des bagues, assorti du serment de fidélité mutuelle, est un acte symbolique important lors des fiançailles et du mariage.

Entremetteuse : femme qui fait l'intermédiaire entre une femme et un homme qui désire avoir avec celle-ci des relations intimes. Cette action est pour le moins répréhensible, car ladite entremetteuse demande le plus souvent de l'argent pour ses services.

Éros : dans la Grèce antique, Éros, le dieu de l'amour, était plus puissant que tous les autres dieux de l'Olympe. Plus tard, les Grecs atténuèrent sa rigueur en le représentant sous les traits d'un beau jeune homme. Plus tard encore, il devint un enfant joufflu et nu qui décochait les flèches de l'amour pour enflammer le cœur des hommes et des femmes. C'est également ainsi que les Romains représentaient l'amour et le désir. Tout donne l'impression que l'homme cherchait alors à se défendre contre la puissance de l'amour et de la passion sexuelle en lui donnant une apparence juvénile. Ce n'est qu'assez récemment qu'Éros est redevenu l'expression de la puissance originelle de l'amour. C'est ainsi que Freud, le fondateur de la psychanalyse, parle d'Éros et de Thanatos, l'amour et la mort, comme des deux forces principales qui décident du destin de l'homme.

Érotisme : désigne la partie sensuelle du sentiment désintéressé de l'amour, mais dépasse largement les limites de la sexualité. L'érotisme, c'est

un vêtement ou une attitude qui provoque un désir enflammé chez l'homme ; c'est aussi le mélange de sueur et d'après-rasage qui rend l'homme irrésistible et fait perdre la tête à une femme.

Érotomane : personne qui a des besoins sexuels exacerbés, qui est sans cesse à la recherche de nouvelles expériences, mais qui éprouve également le besoin d'être rassurée quant à son existence sexuelle. Pour la femme, on parlait autrefois de nymphomanie.

Escapade : le mot parle de lui-même, c'est une aventure érotique qui permet de s'évader du quotidien du couple.

F

Fiançailles : au cours des fiançailles, les amoureux se jurent fidélité et affirment leur volonté d'être mari et femme. Le mariage n'est qu'une légalisation de cette volonté. Dans certaines régions, les fiançailles étaient considérées comme plus importantes que le mariage lui-même.

Flirt : le mot anglais a fini par s'imposer dans toutes les langues et a, par exemple, évincé l'expression, et l'action, de « faire la cour ». Autrefois, l'homme faisait la cour à la femme soit pour demander sa main, soit pour l'attirer dans son lit. De nos jours, les femmes flirtent autant que les hommes. Le flirt consiste à établir un contact érotique, sans se préoccuper de ce qu'il en adviendra. Le couple peut en rester au flirt, continuer jusqu'à l'aventure… ou plus, si affinités.

G

Galant : c'était à l'origine un Espagnol qui mettait sa tenue de gala, ses plus beaux vêtements pour séduire les femmes. C'est devenu en français un homme non seulement bien vêtu, mais surtout poli et courtois à l'égard des dames, empressé auprès d'elles (quelles que soient ses intentions, avouées ou non). Paradoxalement, on dira d'une femme galante qu'elle a des mœurs légères, qu'elle se fait entretenir.

Gigolo : jeune et bel amant d'une femme plus âgée (ou de plusieurs). Les sentiments de ce jeune homme, sont davantage dictés par l'intérêt que par le cœur. Le gigolo prend en effet bien soin de choisir des victimes au portefeuille bien garni.

H

Hétaïre : dans la Grèce antique, l'hétaïre était une courtisane de rang élevé, une compagne « vénale » de l'homme. Elle n'était pas considérée comme une prostituée, au sens où on l'entend aujourd'hui, mais comme une femme éduquée pour tenir compagnie aux clients, et elle était souvent, aux yeux des hommes, plus excitante que leur propre femme. On pourrait comparer les hétaïres aux geishas japonaises ou aux courtisanes pleines d'esprit de la Renaissance ou du Baroque.

Heure du berger : l'heure la plus propice aux amoureux pour assouvir leur passion, en grande partie sexuelle, sous le regard complice et compréhensif de la lune.

Endymion le berger
Fut aperçu par Séléné, la Lune.
Elle le vit et l'aima.
Elle descendit des cieux
Jusqu'à la grotte de Latmos,
Elle l'embrassa et s'étendit près de lui.
Que son sort est fortuné ;
Sans un geste, immobile,
À jamais il sommeille,

Endymion le berger.
Nuit après nuit, la Lune lui rend visite et le couvre de baisers. Ce sommeil magique est l'œuvre de la Lune, qui peut ainsi à tout moment le rejoindre et l'embrasser.

J

Jalousie : sentiment incontrôlable qui se traduit souvent par une colère violente. On veut avoir exclusivement pour soi la personne aimée et, quand les sentiments ne sont pas réciproques, on est envahi par l'angoisse d'être, un jour, abandonné. Aucun couple n'étant à l'abri de la jalousie, les partenaires tentent de se tranquilliser mutuellement en se jurant à jamais fidélité. La jalousie perdure toutefois aussi longtemps que l'amour reste vivace et que l'on garde la peur de perdre la personne aimée.

L

Ladykiller : le « bourreau des cœurs ». Version anglaise du don Juan, admiré des hommes et redouté des femmes.

Liaison : relation amoureuse suivie, mais hors mariage (extraconjugale) ou avant le mariage. « Pourquoi les femmes n'auraient-elles pas le droit d'entretenir une liaison ? » chantait Zarah Leander dans les années 1930, alors que les femmes commençaient à revendiquer les mêmes droits que les hommes.

Libertin : se disait, au XVIIIe siècle, de quelqu'un qui manifestait son indépendance d'esprit par rapport aux enseignements du christianisme. C'est un homme qui se dit libre, sans attache, notamment sentimentale. Il est considéré par ses contemporains comme un débauché qui ne pense

qu'à assouvir sa passion sexuelle. Le libertin ne se préoccupe ni de la religion ni de la morale désuète qu'elle prône, ce qui le range dans la catégorie des païens.

M

Maîtresse : femme aimée, par opposition à l'épouse. L'expression date du XVIIIe siècle, époque galante s'il en est, et flatte la femme en lui donnant l'impression d'être celle qui domine dans la relation. Il y eut de tous temps des maîtresses influentes, on en veut pour exemple la plus célèbre maîtresse du XVIIIe siècle, Mme de Pompadour.

Mariage : à l'origine, contrat qui réglait les rapports de propriété et les modalités d'héritage entre les époux, mais aussi, comme le résumait le philosophe Emmanuel Kant, « l'utilisation réciproque des outils sexuels ». Ce n'est que vers la fin du XVIIIe siècle que le mariage d'amour est devenu un idéal social. Il est toutefois utopique de croire que l'on pourra jamais s'assurer par contrat les sentiments amoureux de son ou sa partenaire.

Ménage à trois : il arrive parfois qu'une personne n'aime pas une, mais deux personnes à la fois. On parle de ménage à trois quand elle réussit à attirer simultanément dans son lit ses deux partenaires pour avoir avec eux des rapports sexuels. Même si elle est équilibrée et épanouie au plan sexuel, une telle relation ne perdure que rarement. En effet, généralement, celui ou celle qui l'a appelée de ses vœux génère de la jalousie entre les deux autres partenaires.

Mésalliance : union de deux personnes issues de classes incompatibles pour un mariage. Par extension, toute union de personnes qui, selon les critères de la société, ne vont pas ensemble.

Mettre des cornes : on dit de la femme qui trompe son mari qu'elle « lui met des cornes ». L'homme qui ne punit pas la femme infidèle est exposé aux moqueries de la société. Il semblerait toutefois qu'il n'en a pas toujours été ainsi. Certains anthropologues supposent en effet qu'à l'origine la corne désignait le très mince croissant de lune que l'on peut voir dans le ciel la nuit qui précède mardi gras. Ce jour-là, le mari et la femme s'accordaient réciproquement le droit de faire une entorse à leur fidélité.

N

Noces : fête qui marque l'union officielle de deux personnes, suivie de la « nuit de noces », au cours de laquelle le mariage est « consommé ». Selon la tradition et, de nos jours encore, selon le droit de l'Église catholique, le mariage n'est valable qu'une fois qu'il a été « consommé ».

P

Play-boy : jeune homme plein d'entrain qui possède une fortune suffisante pour considérer la vie comme un jeu et qui veut en jouir au maximum, en changeant aussi souvent que possible de partenaire. Les années 1950 ont été la grande époque des play-boys.

Prostituée : le mot vient du latin *prostituere* : « déshonorer ». La prostituée vend ses charmes pour assouvir les besoins sexuels de ses clients. Quelle qu'ait pu être la considération de la société envers les prostituées, il n'en reste pas moins

que l'on dit d'elles qu'elles exercent « le plus vieux métier du monde ».

R

Romance : relation romantique, que l'on appelle ainsi tant elle semble directement issue des chansons sentimentales françaises des XVIIIe et XIXe siècles. Soit elle débouche sur un mariage en bonne et due forme, soit elle se brise, le plus souvent tragiquement. Les romances ne durent en effet que rarement, la relation sentimentale étant, par nature, appelée à se développer en un sentiment plus approfondi.

S

Sensualité : l'érotisme fait appel à tous nos sens, à toute notre sensualité. Ce terme ne se limite toutefois pas au sexe ou à l'érotisme, et le mot sensualité est souvent employé, à tort, à la place de ces deux mots, parce qu'il n'a pas cette connotation exclusivement sexuelle encore plus ou moins taboue de nos jours. Pourtant, la sensualité est l'aptitude de chacun à goûter au plaisir des sens, à être réceptif aux sensations physiques, en particulier sexuelles.

Sexe : du latin *sexus*, pour *sectus*, « section », « séparation ». C'est, en effet, ce qui sépare l'homme de la femme, qui fait la différence entre eux. L'humanité est divisée en deux sexes qui se différencient par leurs organes sexuels, mais aussi par leurs modes de vie différents dans beaucoup de domaines. À l'origine des temps, la différence entre les sexes était exclusivement naturelle. Chaque époque et chaque culture a imposé sa marque sur cette différence entre les sexes en attribuant à chacun d'eux des rôles, mais surtout en leur accordant une importance différente

au sein de la société. Il est de nos jours très difficile de dire quelle caractéristique est naturellement masculine ou féminine. C'est « cette petite différence » entre eux qui rend les sexes attrayants l'un pour l'autre. Il n'en reste pas moins que deux personnes du même sexe peuvent être attirées l'une vers l'autre. En effet, chacun de nous est différent pour l'autre et cette dissemblance peut stimuler l'envie et le désir de la gommer pour quelques instants au cours d'un acte sexuel.

Sublimation : dans la psychanalyse, la sublimation est considérée comme la capacité culturelle de détourner l'instinct sexuel de son but premier, l'acte sexuel, et de l'exploiter indirectement de manière productive, en écrivant, par exemple, des poèmes d'amour. Toute la culture érotique de notre société, de la poésie à la mode, peut être considérée comme la sublimation de nos désirs sexuels.

T

Tête-à-tête : rendez-vous amoureux que les amants entendent bien passer loin de tout témoin, les yeux dans les yeux.

V

Volupté : plaisir des sens, et plus particulièrement plaisir sexuel. La volupté était, de ce fait, considérée comme un péché par l'Église.

INDEX

CRÉDITS PHOTOGRAPHIQUES

L'éditeur remercie toutes les personnes qui ont bien voulu mettre des photographies à sa disposition et l'ont autorisé à les publier. Il n'a malheureusement pas toujours été possible de retrouver l'auteur des clichés ou les ayants droit, qui peuvent toujours se manifester.

Édition originale : 50 *Klassiker Paare*
Copyright © 2000 Gerstenberg Verlag, Hildesheim

Pour l'édition française
Copyright © 2004 Éditions de La Martinière, Paris
Imprimé à Zwickau (Allemagne) par Westermann Druck

Dépôt légal : février 2004

ISBN : 2-7324-3119-2